De familie Romero

José Manuel Caballero Bonald

Uit het Spaans vertaald door
M. Vanderzee

Uitgeverij IJzer
Utrecht

www.uitgeverij-ijzer.nl

De vertaler ontving voor deze vertaling een werkbeurs van het Vlaams Fonds voor de Letteren.

Deze uitgave kwam mede tot stand dankzij een financiële ondersteuning van het Spaanse Ministerie van Onderwijs en Cultuur.

Oorspronkelijke titel: *En la casa del padre*
Omslagontwerp & typografie: Scheer

Uitgeverij IJzer probeert haar boeken zo goed mogelijk te verspreiden. Kunt u een uitgave van IJzer niet vinden in de boekhandel, rechtstreeks bestellen bij de uitgeverij kan ook. Stuur een kaartje naar: IJzer, Postbus 628, 3500 AP Utrecht,
stuur een e-mail: uitgeverij.ijzer@hetnet.nl
of bel: 030 - 2521798

ISBN 978 90 8684 062 5

Deel een

I

De kapelaan racete als een heuse coureur in zijn rolstoel rond. Ik was er niet bij toen hij twee maanden eerder door een raadselachtige valpartij half verlamd was geraakt en zijn spraakvermogen had verloren. Maar sinds hij als een grote lastpak naar mijn opa's huis was teruggekeerd had don Ismael voortdurend met een vreselijke razernij, waarin geen greintje vroomheid meer te bespeuren viel, patio en benedenverdieping onveilig gemaakt. Het was alsof hij plotseling vanuit een primitief instinct wraak nam voor alle onderdanigheid die hij tot dan toe aan de dag had gelegd door demonstratief zijn bewegingsvrijheid op te eisen. Die indruk maakte het althans op het eerste gezicht op mij, maar toen ik wat meer nadacht over dat hinderlijke, dwarse gedrag van de kapelaan, dat toch regelrecht inging tegen de hulpeloosheid die je van iemand met een verlamming zou verwachten, leek me dat ook nogal verdacht.

Mijn tante Carola was de eerste om te opperen dat die buitenissige en onophoudelijke racewedstrijden vermoeiender waren voor de toeschouwer dan voor de coureur zelf en ze vroeg zich af of het niet verstandig zou zijn om – indien nodig zelfs met behulp van sloten of alarmsystemen – paal en perk te stellen aan die idiote rally's. De kapelaan was daar echter op geen enkele manier van af te houden. Er werd trouwens uit een soort medelijden ook alleen maar heel voorzichtig bij hem op aangedrongen iets rustiger te doen. Door de tik die hij bij zijn val had meegekregen scheurde hij voortdurend als een gek over de patio terwijl hij behendig de gevaarlijke klippen ontweek die door de enorme potten met aspidistra en de kruiken met schitterende takken zeekoraal werden gevormd. De flitsende bewegingen die hij daarbij maakte waren even onwerkelijk en grotesk als die van personages in een film die te snel wordt afgedraaid.

Ik was er niet bij toen het ongeluk gebeurde. Ik weet niet meer waar ik op dat moment uithing. Maar het is zo dat don Ismael op een regenachtige oktoberdag bij het begin van het avondgebed, terwijl mijn hele familie – behalve mijn opa Sebastián – al was neergeknield op de bidstoelen en de bedienden half zaten te slapen in de banken, op een merkwaardige manier ten val kwam. Misschien dat hij over een traptree was gestruikeld of over iets verraderlijks in zijn hoofd, maar in ieder geval viel hij onder het gesmoorde gelach van mijn neef Aurelio en mijn nicht Marianita plat op zijn rug waarbij zijn soutane omhoog schoof en hij wild trappelde met zijn magere benen alsof hij dwaze gymnastiekoefeningen deed. Zijn beschermengel noch het laatste schietgebedje dat hij tijdens zijn leven zou doen konden hem nog helpen want hij was op een ongelukkige manier met zijn nek tegen een van de engelenbeeldjes aan de zijkant van het altaar gevallen. De klap klonk als een kruik die brak en toen men hem optilde waren zijn ogen in twee spierwitte bollen veranderd en hing er uit zijn neus een snotpin die veel van een dikke rups weg had. Het kwezeltje Micaela en de koetsier Epifanio zetten de kapelaan met veel moeite in een bank terwijl er een glimlach rond zijn mond begon te spelen alsof hij, samen met mijn neef en nicht, om de enorme smak lachte die hij zojuist had gemaakt.

De vele verhalen over het ongeluk – die enkel met elkaar overeenstemden in het voor de hand liggende – zorgden onmiddellijk voor onenigheid, misverstanden en een enorme verwarring in de familie, waar op dat moment niemand iets tegen kon of wilde doen. De verwarring werd zelfs nog groter toen het kwezeltje Micaela bij een op eigen initiatief en met veel ijver ondernomen onderzoek tot de ontdekking kwam dat de tree waarover de kapelaan was gestruikeld was ingesmeerd met een dikke laag was. Al snel na het ongeluk volgde een schijnbaar onverklaarbaar geheimzinnig gedoe, gecombineerd met een zwijgen dat door het om zich heen grijpende wantrouwen werd veroorzaakt. Het meest opvallende was echter nog wel het gedrag van mijn oom Alfonso María: die stond niet eens op uit zijn bidstoel toen de kapelaan viel, maar bleef met neergeslagen ogen zitten bidden tot don Ismael, die zo goed als dood leek, met zijn gebroken nek werd afgevoerd. Pas toen sloeg mijn oom zijn blik op, ging met zijn pink langs zijn ooghoek en keerde zich om naar Epifanio terwijl hij hem toebeet:

'Doe onmiddellijk een schoon overhemd aan en rijd mijn auto voor.'

Zo vreemd was zijn reactie nu. Hij repte met geen woord over het ongeluk: vroeg niet naar de oorzaken noch maakte zich druk over de gevolgen, die op dat moment trouwens nog vrij onduidelijk waren. Hij gedroeg zich zoals hij altijd deed wanneer hij de kapel binnenging of verliet, dat wil zeggen met een gezicht waarop behalve een vreselijke ergernis, een hevig verlangen naar een glas sherry stond te lezen. Juist omdat hij deed alsof er niets aan de hand was riep zijn gedrag van het begin af aan al twijfels op. De reactie van mijn opa op het ongeluk was minder opvallend: hij had niets willen horen over wat er was gebeurd, maar ook al had hij dat wel gewild, en had men hem erover verteld, dan nog zou er waarschijnlijk toch niets tot hem zijn doorgedrongen.

Iets meer dan anderhalve maand lag don Ismael in het ziekenhuis dat drie generaties Romero's (en twee generaties Hardy's) alleen uit een liefdadigheidsstreven hadden bekostigd. De behandeling die hij er onderging had praktisch geen effect, want met hoeveel vernuft de ledematen van de kapelaan ook werden opgetakeld, waarbij hij door alle touwen die aan hem vast zaten wel een geketende galeislaaf leek, zijn benen waren voor eens en altijd verlamd geraakt en ook zijn spraakvermogen had hij voorgoed verloren. Of dat leek in ieder geval zo, want ook hierover deden tegenstrijdige verhalen de ronde.

Toen hij weer naar opa's huis was teruggekeerd had hij zich eerst doodstil gehouden maar was vervolgens plots als een gek in zijn rolstoel rond gaan racen, iets wat, hoe je het ook bekeek, buitengewoon hinderlijk was. En nog eens te meer omdat don Ismael zich met zijn rolstoel daarbij zelfs in kamers waagde waarin hij, tijdens de twee jaar dat hij huiskapelaan van de Romero's was geweest, nog nooit een voet had gezet. Daarbij bewoog hij de rolstoel met zoveel gemak voort dat de enorme snelheid die hij bereikte wel aan een wonder te danken leek in plaats van aan spierkracht. Nadat hij al meer dan een maand van hot naar her was geraasd, had hij in ieder geval niemand platgereden en was hij evenmin uit de bocht gevlogen. De huishoudster Remedios zei dat hoe erg de verlamming van don Ismael ook mocht zijn, deze lang niet zo ernstig was als hij het deed voorkomen en dat het dan ook volkomen onbegrijpelijk was dat hij de godganse dag op zo'n hinderlijke manier rond mocht racen.

'Kan iemand me misschien uitleggen wat die lastpak hier eigenlijk doet,' sputterde ze regelmatig. 'Dat zou ik graag wel eens willen weten.'

Die opmerking was natuurlijk zeer terecht, ook al leek alleen mijn tante Carola haar mening te delen. Iets wat niet zomaar toevallig was, want zij verzette zich bijna altijd tegen wat de rest van de familie vond. En dat verzet kon dan ook nog eens door de meest onbenullige dingen worden veroorzaakt. Het was een karaktertrek van mijn tante die enorm in het oog sprong, vooral wanneer ze haar ongenoegen uitte of een besluit nam: zelden trok ze één lijn met de rest van de familie maar hield er koppig een andere mening op na.

De plek waar de kapelaan het liefste rond racete was op de galerij en de aangrenzende patio. Af en toe maakte hij echter een uitstapje naar de speelkamer of naar de intussen in onbruik geraakte ontvangstkamer waarvan de deuren tijdens de schoonmaak op dinsdag altijd open bleven staan. Op die dag zat de kapelaan al erg vroeg met zijn rolstoel in een van de hoeken van de stille patio op de loer, bij voorkeur naast de kop van de opgezette luipaard, en zo gauw zich maar even de gelegenheid voordeed, schoot hij met een razende vaart de kamers in die hij gewoonlijk alleen maar te zien had gekregen tijdens het afnemen van de biecht. Ook was hij verschillende keren stiekem door het halfopenstaande hek van de patio geglipt, hoewel hij, toen hij eenmaal bij de voordeur stond, er uiteindelijk toch maar vanaf had gezien de straat op te gaan, hetzij omdat de twee enorme treden die het portaal met de stoep verbonden hem afschrikten, hetzij omdat het verlaten van het huis helemaal niet in zijn plannen voorkwam. Ondanks dat hij zijn spraakvermogen had verloren stootte hij voortdurend een litanie van onsamenhangende klanken uit die, hoewel ze onbegrijpelijk waren, je in ieder geval waarschuwden voor het naderende gevaar.

'Daar zie je maar weer aan wat voor een goed mens hij eigenlijk is,' zei het dienstertje Micaela meer dan eens met haar typische kwezelachtigheid.

Voor zover ik weet had de kapelaan slechts één keer iemand omvergereden: Custodia, het nichtje van de huishoudster Remedios, dat haar hielp bij het naaiwerk en dat tot voor kort ook in huis woonde. Het meisje had daarbij gelukkig geen enkel letsel opgelopen, maar het was duidelijk dat don Ismael overrompeld door begeerte, kwijlend en met ogen die vuur schoten van wellust, op haar was ingereden. Hoewel Custodia net op tijd opzij was gesprongen, had ze niet kunnen voorkomen dat ze door een armleuning of wiel van de rolstoel (of misschien wel door de begerige hand van de kapelaan) omver werd gestoten. Maar ze stond meteen weer overeind alsof ze zich door niets of niemand uit het veld liet slaan. Terwijl ze traag over haar jurk streek om haar ondergoed in orde te brengen, keek ze met een stalen gezicht de kapelaan aan, die net voor een pilaar tot stilstand was gekomen.

'Ik weet donders goed waar je op uit bent,' was het enige wat ze hem op gedempte toon toebeet.

En verder gebeurde er niets: de scène werd, behalve door mij, slechts gadegeslagen door mijn tante Carola die achter een van de grote ramen op de bovenverdieping stond. Het kon gewoon niemand anders zijn want in het vage beeld van die melancholische toeschouwer was duidelijk het lichtblauw van haar ogen te onderscheiden dat door de glanzende ruit werd verscherpt. Omhuld door een nimbus van fijn goudstof die door haar huid leek te worden uitgestraald, had ze die dromerigheid over zich van lichamen waarvoor je een geheim verlangen koestert. Een doordringende geur van wasgoed en van door de zon verhitte dakpannen verspreidde zich vanaf het platte dak en bleef aan een kant onder de uitgerolde luifel hangen. Mijn tante moest door die geur aan iets vervelends zijn herinnerd want voor ze Custodia gebaarde naar boven te komen, zag ze er plots nogal geschrokken uit terwijl haar blik verloren langs de strook witgroene tegeltjes aan de onderkant van de patiomuren dwaalde. Het was al diep in de middag en mijn oom had zijn siësta erop zitten – of was juist bezig wakker te worden –, een siësta waaruit hij altijd chagrijnig ontwaakte, alsof hij spoken had gezien. Maar wie hij op dat moment werkelijk zag was mijn tante, die alweer haar rol van dwarsligger speelde en haar broer het laatste, onweerlegbare bewijs van de doortraptheid van de kapelaan wilde voorleggen.

Na dit incident, dat uiteindelijk niet echt vervelender was geweest dan eerdere, liep de op gezette tijden toch al vastlopende machinerie van het huishouden bepaald nog minder gesmeerd. De vijandelijkheden en insinuaties die plotseling in de routine van het familieleven merkbaar werden waren de lont in het kruitvat waardoor de opgekropte gevoelens uiteindelijk tot uitbarsting kwamen. Waarschijnlijk vormde de aanrijding van Custodia precies het breekpunt in de discussies over het maniakale gedrag van don Ismael, over het al dan niet ongeneeslijke karakter van zijn verlamming en over de kwestie of het niet beter zou zijn geweest als zijn val dodelijk was geweest; dat laatste had mijn oma Adelaida zich in ieder geval direct na het ongeluk afgevraagd.

Het opvangen van de gevolgen van dat ongeluk hoefde de natuurlijke grenzen van de liefdadigheid (die de Romero's immers hoog in het vaandel hadden staan) eigenlijk niet te buiten te gaan. Het was dan ook nogal absurd dat de familiebetrekkingen daardoor in een smeulende brand van achterdocht en onenigheid veranderden. Misschien dat mijn neef en ik daarom nooit deze voorbode, deze onbenullige kiem van nieuwe vijandelijkheden vergaten. Maar misschien ook omdat mijn tante Carola er niet voor terugdeinsde olie op het vuur te gooien. De waarheid is dat niemand op dat moment nog kon vermoeden wat voor enorme gevolgen de geheime levensgeschiedenis van don Ismael voor de Romero's zou krijgen. Hoewel er aan het begin slechts vermoedens en verdenkingen bestonden, zou het niet lang meer duren voor het duidelijk werd wat voor een vreemde en treurige zaken hij zijn levenlang met zich mee had gedragen.

2

Het huis was bij de bodega gebouwd, op het hoogste punt van een groot, glooiend terrein dat inmiddels in een park was veranderd en dat aan de achterkant tot de oude distilleerderij liep en aan de voorkant tot het met mirte begroeide tuinhek. Sebastián Romero, zoon van de kruidenier Valeriano Romero en van de uit de siërra afkomstige Purificación Bárcena, liet een beroemde architect uit Londen overkomen – ene Robert Finsbury, die uiteindelijk in de stad zou blijven wonen – en gaf hem de opdracht onmiddellijk met de bouw van een kast van een huis in een pompeuze, neoklassieke stijl te beginnen dat nagenoeg een exacte kopie was van een Genuees pand.

Sebastián Romero had zijn zinnen op zo'n pompeus huis gezet nadat hij in de bodega een paar half weggestopte, middelmatige gravures van een Genuees paleis had ontdekt. Hij moest daar volledig in de ban van zijn geraakt want hij liet meteen een aantal vergrotingen van de gravures maken. Op die vergrotingen liet hij (op basis van eigen inzichten) enige kleine veranderingen aanbrengen in de gevels, ornamenten, balkons en gedetailleerde versieringen van het gebouw. Deze minutieuze blauwdrukken overhandigde hij later aan Robert Finsbury opdat er geen enkele twijfel zou kunnen bestaan over zijn architectonische wensen en verlangens. De architect moest eerst met een enorme verbazing naar die uiterst precieze bouwtekeningen hebben gekeken en vervolgens met evenveel verbazing naar het gezicht van zijn opdrachtgever, waarin hij verwachtte tekenen van grootheidswaanzin te zullen ontwaren. Maar door de enorme vastberadenheid die op dat gezicht te lezen stond, en doordat hij zich vooraf erg goed op de hoogte had gesteld van de grote rijkdommen waarover die grillige wijnboer en paardenfokker beschikte, verdween zijn verbazing onmiddellijk. Zonder dat er enige discussie noodzakelijk was of er een al te groot enthousiasme moest worden gedempt, werden ze het dan ook snel eens over de daadwerkelijke uitvoering van het pretentieuze project.

Aangezien hij intussen al een aanzienlijk vermogen had opgebouwd, keek Sebastián Romero niet op een paar centen bij het tot een goed einde brengen van een plan dat hij zich met zoveel trots en koppigheid had voorgenomen te verwezenlijken. En wat waarschijnlijk vooral zijn streven stimuleerde, was zijn herinnering aan die nog betrekkelijk recente tijd waarin een arme maar vastberaden jongen, die iedereen toen nog Sebastián noemde, in de stad was beland met het lang niet zo gekke idee zijn geluk te beproeven in de wijnhandel. Deze zich snel ontwikkelende bedrijfstak bood toen namelijk ongekende mogelijkheden voor een gedreven jongeman, ook al kwam hij dan van buiten de stad, om een mooie toekomst op te bouwen.

En die wijnhandelaar in spe greep van het begin af aan alle mogelijkheden met beide handen aan en nam zonder ook maar even te klagen achtereenvolgens een heleboel ondergeschikte en tijdelijke baantjes aan bij diverse bodega's. Omdat zijn streven slechts in etappes kon worden bereikt, begreep hij maar al te goed dat hij juist door dit soort baantjes een steeds betere kennis van het reilen en zeilen van een bodega zou krijgen. Hij voelde zich op geen enkel moment vernederd en weigerde nooit ogenschijnlijk minderwaardige arbeid te verrichten. Met eenzelfde gretigheid bekwaamde hij zich zowel in de verschillende aspecten van de wijnbouw als in die van het boekhouden. Na als arbeider in bodega's en wijngaarden te hebben gezwoegd, kwam hij op een commerciële afdeling terecht en na als wijnproever te hebben gewerkt, werd hij exportspecialist. Vandaar dat zijn promotie tot directeur van het Engelse filiaal van het bedrijf bepaald geen overschatting van zijn kwaliteiten inhield, maar iets wat hij werkelijk verdiende en wat hem, behalve in zijn trots, ook sterkte in de gedachte dat de dag steeds dichterbij kwam dat hij zijn eigen bedrijf zou kunnen beginnen.

Alles wijst erop dat de stichter van bodega Romero veel nuttige kennis opstak in Londen. Behalve dat zijn Engels verbeterde en hij ook zijn commerciële inzicht verder ontwikkelde, raakte hij verslingerd aan de jacht, paardenraces en lekker eten en trachtte tegelijkertijd op alle mogelijke manieren de bekwaamheden te vergroten waarover hij als toekomstige bodegahouder al rijkelijk beschikte. Zo werkte hij in de laatste jaren van het Victoriaanse tijdperk stukje bij beetje een gedetailleerd en doordacht programma af en kreeg daarvoor een gepasté beloning toen hij op een erg gelukkige nacht aan de goktafel met de natte vinger kon vaststellen dat zijn toch al aanzienlijke fortuin in één klap was verzesvoudigd. Ook al deed het besef van zijn inhaligheid hem twijfelen, toch bracht het gezonde verstand hem tot het inzicht dat hij zijn geduld nu wel lang genoeg op de proef had gesteld en dat het moment was aangebroken om zijn intrede te doen in die kleine kring van vooraanstaande mannen die de florerende wijnhandel beheersten.

Toen het verblijf van de nog altijd jonge Sebastián Romero in Londen ten einde liep, was hij zowel geestelijk als financieel goed voorbereid om twee cruciale besluiten te nemen: weggaan uit het bedrijf waar hij werkte en zijn eigen bedrijf beginnen, een voornemen waaraan hij vervolgens daadkrachtig en zonder dralen uitvoering gaf. Dat wil zeggen dat hij, nadat zijn contractuele verplichtingen waren afgekocht, plannen in de praktijk begon te brengen die hij al jaren geleden had uitgebroed. Daarbij ging hij echter niet roekeloos te werk want in eerste instantie had hij zich slechts drie doelen gesteld: voor een prikje een bodega bemachtigen die uitstekende wijnen voerde maar praktisch bankroet was, met contant geld een in goede staat verkerende distilleerderij voor brandy aankopen en, als laatste, het aanschaffen van een groot aantal wijnvaten die op termijn konden worden betaald. Toen hij dat eenmaal voor elkaar had, zocht hij een huis dat voldoende opviel, nam daar uit een haast instinctieve beschermingsdrang zijn moeder mee naartoe (zijn vader was al enige jaren geleden aan de tering gestorven) en besloot dat de tijd rijp was een vrouw te kiezen uit de beste aanbiedingen die er op dat moment in de streek te vinden waren. Diep in zijn hart moet Sebastián Romero zich toen al niet alleen de schepper van een beroemd bedrijf maar ook de stamvader van een machtige clan hebben gevoeld, een clan die de enorme invloed van zijn eigen stichter uiteindelijk zelfs nog verre zou overtreffen. Deze twee kroonjuwelen zouden later door de enorme groei van de familiebezittingen een nog veel grotere waarde krijgen.

Op die eerste bezittingen die Sebastián Romero verwierf, en die erg snel winst opleverden, volgde de aankoop van respectievelijk twee wijngaarden op kalkgrond – waar de beste druiven voor sherry groeiden –, een groot aantal Engels-Arabische merries en veulens en iets meer dan tweeduizend hectare akkergrond, braakland en terreinen met kurkeiken. Bij al deze aanwinsten voegden zich dan ook nog eens de bezittingen van een echtgenote die door haar hoge status de voorkeur genoot boven andere kandidates. En die uitverkorene was Adelaida Conticinio, de enige dochter van een belangrijke industrieel, die niet alleen een adellijke titel maar ook waardevolle bezittingen zoals bodega's en landerijen zou inbrengen.

Adelaida Conticinio was een vrouw met een blanke huid, blauwe ogen, slank postuur en rossig haar, die een enigszins timide gevoel voor humor paarde aan de neiging om uit fijngevoeligheid de ogen voor de werkelijkheid te sluiten. Ze bezat uitstekende persoonlijke kwaliteiten: zo was ze een natuurtalent in paardrijden en het voeren van rijtuigen, vooral drie- en vijfspannen, en in de huwelijksnacht gedroeg ze zich ongekend hartstochtelijk, als iemand die bij een feestmaaltijd uitgehongerd aanvalt. Toen het de stichter van bodega Romero eenmaal duidelijk was geworden dat de bruidsschat en eigendommen van zijn echtgenote zijn toch al gigantische bezit verdrievoudigden en ook haar goede afkomst bijzonder aan zijn status bijdroeg, had hij eerst de aartsbisschop om zijn zegen gevraagd (een zegen die hij merkwaardig genoeg nooit zou krijgen) en zag vervolgens van de ene op de andere dag zijn oude wens een adellijke titel te mogen voeren in vervulling gaan.

Het was op dat moment (in 1910, toen de liberaal Canalejas net tot minister-president was benoemd) dat hij met de bouw startte van dat indrukwekkende, pompeuze huis met zijn overvloed aan overbodige versieringen. Dat enorme huis, waar in de loop van zestig jaar drie generaties van de familie Romero zouden wonen, bestond uit zesenveertig vertrekken verdeeld over twee verdiepingen, waarbij dan nog de voor het personeel bestemde kamertjes op de zolderverdieping en een groot aantal bijgebouwen, zoals koetshuizen en magazijnen, moesten worden opgeteld. Ook al was de architect Robert Finsbury goudeerlijk, door al die pracht en praal had het huis gewoon veel meer gekost dan het Genuese paleis dat ervoor model stond.

De stamvader van de dynastie – die zich voortaan voluit don Sebastián Romero, graaf van Malcorta mocht noemen – moest zich intussen in zijn nieuwe huis als een vorst op zijn landgoed voelen. In het begin ontving hij zijn gasten daar, broedde er zijn sluwe plannen uit en zette nauwelijks een stap buiten de deur: zelfs in de bodega verscheen hij alleen maar als het echt niet anders kon. Alles in het huis was ongewoon: stoeten leveranciers en hoogwaardigheidsbekleders trokken door de vertrekken, die wel op grote paleiszalen leken vol enorme meubels van exotisch hout, of dromden in afwachting van de ochtendaudiëntie samen voor het rijk van krullen voorziene patiohek terwijl don Sebastián op een verhoging gezeten, opzichters en bedrijfsleiders te woord stond of ijselijk zweeg, met het zware gewicht van de macht op zijn schouders, en zich dag na dag aan het verwarde leven in een huis wijdde waarin iedereen – inclusief hijzelf – op donkere nachten kon verdwalen. Soms werden de gedachten van de stichter van bodega Romero gekweld door een vage angst, een onbehaaglijk schuldgevoel dat plots als een koude windvlaag door de kieren van het uiterlijke vertoon drong, alsof het hem in een hoek wilde drijven met vervelende herinneringen aan zijn arme verleden. En dat vooral wanneer hij zich realiseerde dat zijn enorme fortuin min of meer automatisch groeide terwijl hijzelf nog slechts op sommige momenten zijn nagenoeg perfect lopende zaken hoefde bij te sturen.

Maar wat die zo nu en dan opduikende onrust van Sebastián Romero waarschijnlijk nog wel het meest aanwakkerde waren de aanvaringen met zijn moeder, de al een tijd sukkelende Purificación Bárcena die, praatziek en wispelturig, verslingerd was geraakt aan kinawijn en het bidden van de rozenkrans met de familie (de huiskapel was op haar verzoek gebouwd) en die haar zoon met een niet aflatende koppigheid berispte vanwege zijn kast van een huis, een uitspatting die geen enkele christen hem zou kunnen vergeven. Hij bekeek die oude vrouw alsof ze de vervagende kopie, de verblekende reproductie van zijn vroegere leven in de kruidenierswinkel van zijn vader was, waar hij – een zwak kind – had geleerd dat hij hoe dan ook aan de armoede moest ontsnappen. En dat was het dan: een vaag gevoel van ellende of verdriet dat onder het altijd slaapverwekkende geklets van de oude vrouw verdween, terwijl hij met zijn door de drank vertroebelde blik naar de wandkleden, de weelderige stof van de gordijnen en de rest van die overvloedige en decadente luxe staarde.

In die tijd was de relatie tussen Purificación Bárcena en Adelaida Conticinio niet bepaald vriendelijk. Soms heerste er zelfs een duidelijk gespannen sfeer en dat niet zozeer doordat de vrouwen vanwege hun totaal verschillende achtergrond niet bij elkaar pasten, maar doordat ze heel anders dachten over het voeren van het huishouden. Purificación Bárcena was tot de conclusie gekomen dat haar schoondochter niet alleen spilziek was, maar ook een verwaand nest dat niets anders deed dan haar echtgenoot het hoofd op hol brengen met allerlei grillen en van de weeromstuit ook nog eens de familie in diskrediet bracht door haar leegloperij en aanwezigheid op feesten van een meer dan twijfelachtig allooi. De schoondochter leek er zich echter niet in het minste bewust van te zijn dat ze zoveel tekortkomingen had en desondanks maakte ze zich altijd zorgen over het welzijn van de oude vrouw. Omdat ze haar niet zelf direct onder haar hoede wilde nemen wees ze haar haar hoogsteigen dienster toe als persoonlijke bediende: een enorme femelaarster die Micaela heette. Verder gaf Adelaida Conticinio de opdracht dat er altijd aan alle wensen van haar schoonmoeder moest worden voldaan, hoe buitensporig ook, tenzij die slecht waren voor de naam van de familie.

Maar zulke attenties hielpen erg weinig om de onderlinge betrekkingen te verbeteren. De oude vrouw zag in dat alles slechts een hypocriete harmonie: sluwe vleierij om haar gunstig te stemmen, bedrieglijke beleefdheid om haar steun te winnen. Maar verder ging de onenigheid tussen de twee vrouwen niet en ze hadden ook nooit echt ruzie met elkaar. Die onenigheid zou trouwens uiteindelijk helemaal verdwijnen toen ze, welwillender geworden door de weinige omgang, elkaar langzamerhand begonnen te tolereren en, als tegenstanders die elkaar aantrekken, het gedrag van de ander zelfs op een vanzelfsprekende manier begonnen goed te keuren.

Het enige wat Adelaida Conticinio echter nooit van haar schoonmoeder uit zou kunnen staan, was een eigenlijk tamelijk onschuldig maar desondanks behoorlijk vervelende gewoonte waarvan ze met geen mogelijkheid af te brengen was. Purificación Bárcena begon er namelijk toen ze al zo'n twee jaar in het enorme huis van haar zoon woonde een irritante gewoonte op na te houden. Om de drie of vier maanden, dat wil zeggen wanneer er zich – al dan niet vermeend – een temperatuurswisseling voordeed, verliet de oude vrouw de vertrekken waar ze woonde om zich, al naar gelang de omstandigheden, in een meer zonnig of schaduwrijk deel van het huis te installeren. Dergelijke verhuizingen betekenden voor alle andere bewoners een behoorlijk chaotische situatie want Purificación Bárcena eiste voor die zware klus alle bedienden op.

Naar het schijnt gaf don Sebastián desondanks – de consternatie die de verhuizingen veroorzaakten leek ook tot hem doorgedrongen – strenge orders om zijn moeder op haar wenken te bedienen en alles in het werk te stellen om aan haar wensen te voldoen. En vanzelfsprekend gebeurde dat ook. De voorbereidingen voor een verhuizing begonnen al twee dagen van te voren met het leeghalen van kasten en commodes, het versjouwen van kisten, het uitzoeken van bruikbare kleren en het bij elkaar zetten van de meest uiteenlopende meubels en spullen. Daaronder waren natuurlijk het Chinese voetenbankje, een schitterend kistje ingelegd met jaspis, de oude leunstoel waarin na zoveel tijd exact de afdruk van haar lichaam was gaan staan, een po van Pickman & co versierd met roze landschappen, de kaptafel met draaibare spiegel en nog een hele rits van zulke spullen.

Wanneer het sein voor de verhuizing werd gegeven verzamelden alle bedienden zich in de galerij op de begane grond terwijl de familieleden zich ergens anders in huis ophielden om te voorkomen dat ze het gemor van het personeel zouden moeten aanhoren of dat zij zich iets ongepasts zouden laten ontvallen. Het ritueel begon altijd 's morgens op bijna precies dezelfde tijd. En het was een feest om die stoet bedienden met de meest uiteenlopende spullen langs te zien trekken, hun gezichtsuitdrukking ergens tussen gelatenheid en wrok, terwijl de zwijgende en ziekelijke Purificación Bárcena optrad als de stomme dirigent van het orkest met haar parasol als een bisschopsstaf in de hand en het tweeluik van de heilige Dionysius de Aeropagiet, waar onder geen beding iemand aan mocht komen, angstvallig onder haar arm geklemd.

In de eerste stralen van de nog laagstaande ochtendzon, waarbij zich grote lichtvlakken op de grond en muren aftekenden, werd de stoffige galerij haast even indrukwekkend als een kerk. Degenen die de stoet langs zagen trekken leken zelfs uit eerbied het hoofd te buigen, zodat iemand die voor het eerst in het huis kwam best had kunnen denken dat het hier om een parodie op een processie ging. Die gedachte zou ongetwijfeld nog zijn versterkt als hij die stoet twee jaar later had gezien toen de oude vrouw op sterven na dood was, waardoor ze niet meer lopen kon, en als een doodzieke bedevaartganger op een brancard van de ene naar de ander kant van het huis werd gesjouwd.

3

Voor de eerste keer was het bezoek van de deken twee dagen van te voren aangekondigd en de extravagantie van een boodschapper die vooraf met een officiële brief kwam, had mijn oom Alfonso María tegelijk achterdochtig en trots gemaakt. Hoewel de deken meestal elke vrijdagmiddag kwam eten en dat dan gewoon bij de ochtendmis tegen het kwezeltje Micaela zei, kwam hij deze keer niet in de hoedanigheid van eeuwige disgenoot en eigenlijk ook niet in die van pastor. Hij kwam slechts voor een vriendschappelijk gesprek. Of als bemiddelaar, zoals hij zichzelf in de brief betitelde, iets wat zowel op terughoudendheid als op bemoeizucht kon duiden.

Sinds mijn opa Sebastián de deken zijn luizenbaantje had bezorgd (na eerst zijn hinderlijke voorganger te hebben laten overplaatsen) had deze zich als zijn beschermeling met een niet aflatende ijver aan de verbetering van de spirituele en morele toestand van de familie gewijd. Een activiteit die, hoewel ze de deugdzaamheid bij lange na niet op het vanuit religieus oogpunt gewenste peil wist te brengen, ruim beloond werd met liefdadige gebaren in de vorm van financiële tegemoetkomingen die de deken uiterst tevreden aanvaardde, niet alleen omdat het barmhartige giften waren maar ook omdat ze het verdiende loon vormden voor zijn trouw. In wezen had de deken de Romero's altijd beschouwd als het meest perfecte voorbeeld van de allegorie van de maatschappelijke macht – *finis coronat opus* – waarbij de familie vanwege haar enorme inkomsten de belangrijkste steunpilaar diende te zijn voor de welstand van de parochie. En daar kwam het feitelijk dan ook op neer dankzij een stilzwijgende maar waarachtige overeenkomst, waar beide partijen veel profijt van trokken en waar ze zich dan ook altijd beleefd en respectvol aan hielden.

Het enige gevoel van onbehagen dat de deken daarbij bleef houden (als hij zich tenminste ooit wel eens onbehaaglijk had gevoeld) werd veroorzaakt door de enigszins oneerlijke concurrentie die hem in dezen onmerkbaar werd aangedaan door de abt van de jezuïeten. Iedereen wist namelijk dat de Romero's al heel erg lang nauwe en bijzonder vriendschappelijke banden met de jezuïeten onderhielden. Die banden waren niet alleen ontstaan omdat hun kinderen naar de kloosterschool gingen maar ook omdat ze hun maatschappelijke belangen dienden. Hun betrokkenheid bij de orde werd van het begin af aan niet bepaald onder stoelen of banken gestoken en de jezuïeten vormden voor hen zo ongeveer de wereldse kant van het geloof. Maar wat de deken uiteindelijk nog wel het meest stak was het notoire feit dat de orde op een indirecte manier betrokken was in bepaalde handelsactiviteiten van de Romero's. Dat stemde hem bitter omdat op die manier toch nog een klein druppeltje van de welkome geldstroom die zij in stand hielden aan zijn pastorale zorg wist te ontsnappen. In die bemoeienis van de jezuïeten met de wereldse handel zag de deken bovendien zijn eigen sluwheid terug (maar dat alleen op momenten dat zijn geweten hem werkelijk parten speelde).

Want soms werd de deken in het bedompte halfduister van de parochiekerk, gekweld door de stank van het vieze water in de bloemenvazen en de plotselinge oprispingen van zijn geweten, overvallen door iets wat op twijfel leek. Een twijfel die evengoed kon toenemen of verminderen wanneer hij naar de flakkerende vlammen van de kaarsen staarde of naar het licht dat door de gebrandschilderde ramen in alle kleuren van de regenboog op de tapijten met weelderige patronen viel. Dan verscheen er stilletjes een geest in de neogotische deur, die tussen de vazen met lelies en de bewerkte pilaren doorglipte om stukje bij beetje de gestalte van zijn voorganger aan te nemen, de stomme en hardnekkige getuige van een wroeging die bijna even plotseling verdween als dat ze hem overrompeld had. Ondanks de hardnekkige darmgassen waar hij in de namiddag altijd last van had, voelde de deken zich dan opgelucht als hij weer naar buiten liep omdat hij dan in ieder geval voorlopig van zijn wroeging was verlost.

De deken kwam op bezoek met alleen een jonge acoliet als begeleider; die was mager en bleek, had gelaatstrekken die aan een snel geschetst portret deden denken en gedroeg zich alsof hij net een standje had gekregen. Het had zojuist zes uur geslagen en mijn nog slaperige oom zat al op de deken te wachten in een kamer op de bovenverdieping, een donker vertrek dat als een soort kantoor dienst deed. Voordat mijn tante Carola zich terugtrok om een ongewenste ontmoeting te vermijden, gluurde ze aan de andere kant van de patio even door de kieren van de dichte luiken naar de deken. Ik stond daar ook, vlak naast haar, en terwijl ik de geurige warmte voelde die van haar lichaam straalde zei ze iets wat ik eigenlijk helemaal niet horen mocht:

'Daar heb je die aasgier al. Hij heeft vast een kreng geroken.' En ze keek me aan alsof ze om verontschuldiging vroeg.

Na die harde woorden wendde ze plots haar blik af en staarde naar het donkergroene silhouet van de aspidistra zonder zich ook maar even te laten afleiden door de enorme opgezette luipaard die een zwakke gloed afgaf in de laatste zonnestralen vol ronddwarrelend stof. De deken had zijn hand op de schouder van don Ismael gelegd en zei hem iets met de lankmoedige stem van een openbare aanklager terwijl de kapelaan een geërgerd gezicht trok en er elk moment vandoor leek te kunnen gaan. Toen de deken even later samen met het kwezeltje Micaela de trap opliep, werd het geritsel van zijn soutane volledig overstemd door een hard metaalachtig geluid en was goed te zien hoe don Ismael met alle handigheid waarover hij beschikte rakelings langs een van de kruiken schoot. De acoliet was op de patio achtergebleven en stond besluiteloos naast de Cubaanse hutkoffer waar mijn nichtje Marianita en ik ons altijd samen in verstopten, terwijl hij geschrokken naar de halsbrekende toeren keek die de kapelaan met zijn rolstoel uithaalde. Een plotselinge windvlaag liet de luifel even hard klapperen als het zeil van een schip, en dat de acoliet daarvan opschrok was dan ook niet zo vreemd.

Zoals de koetsier Epifanio me later vertelde liep mijn oom de deken met grote tegenzin tegemoet om hem te begroeten. Hij kuste zijn hand, of had in ieder geval de bedoeling dat te doen, waarbij zijn blik op die strakgespannen, zijdeachtige huid vol donkerblauwe aders viel. Maar de deken trok zijn hand langzaam terug alsof hij voorkomen wilde dat mijn oom zou merken hoe zacht die was en het enige wat hij deed was minzaam glimlachen met een routineus gebaar.

'Komt u binnen,' zei mijn oom terwijl de deken al naar binnen liep.

Ze gingen dus geheel volgens hun rangorde het kantoor binnen dat direct aan de galerij lag. Dat was een niet zo heel erg groot vertrek met een statige lambrisering van notenhout dat door het ontbreken van ramen (en op het eerste gezicht van ook nog meer deuren) een erg benauwde indruk maakte. Twee staande schemerlampen met een perkamenten kap en een lange tinnen voet gaven zo'n zwak licht dat het gedeelte van het vertrek waar een stijlvol

Victoriaans bureau stond bijna helemaal donker was. Mijn oom gebaarde de deken in een flink versleten leunstoel te gaan zitten met onderaan een witte sierrand van fijne kant die scherp afstak tegen het wijnrode tapijt. De deken ging met een traag ceremonieel zitten waarbij hij zijn soutane net zolang schikte tot die met dezelfde geprononceerde plooien als van een standbeeld over zijn schoot lag. Hij schudde zijn hoofd stelde misnoegd vast dat de drie olieverfschilderijen die aan de muren hingen (twee ervan waarschijnlijk van Juan de Roelas) de schilderijen die hij in zijn eigen kantoortje had hangen ver achter zich lieten.

'Je ziet er niet zo best uit,' zei hij terwijl hij die jaloerse gedachte snel verdreef. 'Waar heb je vannacht gezeten?'

Mijn oom ging onbewust met zijn vinger langs de binnenkant van zijn kraag en streek vervolgens een wenkbrauw glad.

'Vannacht?' vroeg hij en zweeg even, om vervolgens op zijn beurt te vragen: 'Wilt u iets drinken, eerwaarde, heeft u zin in een wijntje?'

'Ik vind die cream sherry die je me had gestuurd erg lekker,' antwoordde de deken. 'Hartelijk dank voor die kist, dat had je niet moeten doen,' zei hij terwijl hij net deed of hij in verlegenheid was gebracht. 'Ja, geef me maar een glaasje.'

'Die sherry is nog van de wijnoogst van Fleming en bovendien van een uitstekend jaar.'

'De tijd vliegt.'

'Voor mij staat de tijd anders al ik weet niet hoe lang stil.'

Klaarblijkelijk hadden de deken en mijn oom een totaal verschillende tijdsbeleving.

'En hoe gaat het met don Sebastián?'

Mijn oom keerde zijn hoofd om alsof hij zich ervan wilde vergewissen dat zijn vader niet in het kantoor was.

'Hetzelfde,' antwoordde hij. 'Hij komt zijn bed bijna niet uit,' ging hij verder terwijl hij de deken weer aankeek. 'En mamá, die is zoals gewoonlijk met haar eigen dingen bezig.'

De deken legde zijn zijdeachtige handen tegen elkaar en hield zijn duimen tegen de borst, en hoewel dat gebaar aan bidden deed denken, leek het er meer op dat hij de biecht wilde gaan afnemen. Mijn oom boog zich een beetje over de armleuning van zijn stoel en zocht tussen de krullende poten van de schemerlamp naar iets wat een bel moest zijn. Hij keek de deken steels aan en bedacht zich dat die hautaine kattenogen gewoon niet van een gelovige konden zijn. De deken zuchtte en zei terwijl hij hard in zijn onderlip beet:

'Tja, die aangelegenheid van don Ismael daar ben ik behoorlijk bezorgd over. Ik denk zo dat je al wist dat ik daarvoor kwam.'

'Nee hoor, ik wist van niks,' loog mijn oom.

'Er doen vervelende geruchten de ronde,' ging de deken verder waarbij hij naar het plafond staarde. 'Je moet er beslist voor zorgen geen voedsel te geven aan dat soort kletspraatjes. Die sociëteit...'

Iemand klopte zachtjes op de deur alvorens binnen te komen. Het was een sproeterige en verwijfde jongen die een opvallende geur van cosmetica en zadels met zich meebracht en achteloos knikte zonder zich direct tot een van hen te richten, alsof hij vreesde afgesnauwd te zullen worden.

'Breng een karaf cream sherry,' zei mijn oom. 'Die uit die mandflessen die gisteren zijn gebracht.'

De jongen knikte opnieuw terwijl hij ijzig aan de boorden van zijn livrei trok en dat gebaar riep bij mijn oom dezelfde ergernis op als hij in zijn droom van even tevoren had gevoeld.

'Snel een beetje,' snauwde hij.

Tegen elke verwachting in liep de bediende naar de muur tegenover de deur, niet verward of verstrooid, maar met de wat weifelende houding van iemand die iets verborgens zoekt. Zonder dat hij goed wist waarom, raakte de deken een beetje in paniek door die totaal onverwachte richting die de bediende was opgegaan. Maar deze, die een tijdje met veel aandacht de lambrisering had bekeken, leek intussen gevonden te hebben wat hij zocht. Hij drukte het uiteinde van een of ander versiersel naar beneden waarna er in de wand een kleine deur openzwaaide met het trage gezoem van de tandwielen van een klok. De jongen verdween zonder ook maar om te kijken door de deuropening terwijl er tegelijkertijd een erg bedompte lucht naar binnen trok die uit een lang afgesloten, van tapijten voorziene ruimte afkomstig moest zijn. De geheime deur sloot zich met dezelfde precisie als waarmee hij open was gegaan en het kantoortje kreeg na deze plotselinge onderbreking weer helemaal zijn overweldigende hermetische sfeer terug.

'Wat zit die goed verborgen,' zei de deken. 'Is dat de deur die je wijd openzet naar de zonde?'

'Ja, zoiets,' antwoordde mijn oom lusteloos. 'Die komt op een trap uit die naar de eetkamer van de bedienden leidt. Een gril van Socorro.'

'Hoe gaat het eigenlijk met Socorro?'

'Een geheime gang,' zei hij nog en zweeg even. 'O, die is vast weer op ziekenbezoek.'

De deken glimlachte en kruiste zijn benen terwijl hij het gezicht van een biechtvader trok. Zoals gewoonlijk in de namiddag begonnen de darmgassen hem weer parten te spelen. Hij zei:

'Iets zullen we toch moeten doen. En het eerste wat er dient te gebeuren is die weinig flatteuze praatjes de kop indrukken, als je begrijpt wat ik bedoel.'

'Even één ding, eerwaarde,' antwoordde mijn oom alsof hem dat zojuist was ingevallen. 'Wat er allemaal verteld wordt interesseert me geen moer, geen ene zak, begrijpt u dat?'

'Let op je woorden, mijn zoon,' onderbrak de deken hem, meer uit gewoonte dan uit ergernis. 'Bewaar je kalmte, alsjeblieft.'

En terwijl hij dat zei meende hij vaag een glimp, een vluchtig beeld van een oud gezicht met verfijnde trekken op te vangen dat zich in het tegenlicht van het deurgat aftekende.

'Ik ben anders doodkalm, hoor,' zei mijn oom. 'Het punt is dat don Ismael en al die idiotieën me de strot uitkomen. Het moet afgelopen zijn met die flauwekul.'

'Dat weet ik wel, dat weet ik wel,' zei de deken met het overdreven vriendelijke geduld van een deken. 'Maar vergeef me dat ik er zo op aandring dat we iets ondernemen.'

'Ik ben er anders niet zo van overtuigd dat we dat moeten doen.'

'Jij hebt je in heel deze aangelegenheid als een goede christen gedragen. Je hebt zelfs meer gedaan dan wat er redelijkerwijs van je verwacht mocht worden,' hier hield de deken even zijn hand voor zijn mond om een kleine oprisping te onderdrukken. 'God zal je daarvoor belonen.'

Mijn oom knikte afwezig, waarschijnlijk dacht hij daar net even iets anders over. In zijn bonkende slapen kwelde hem nog steeds de droom waaruit hij zojuist was ontwaakt en die kon hem gewoonlijk tot ver na de siësta in zijn maalstroom blijven meesleuren.

'De vreselijke leugens die dat tuig rondstrooit,' ging de deken voort. 'Wat ze nu doen is echt godgeklaagd.'

'Wat maakt dat nu uit, eerwaarde,' antwoordde mijn oom. 'Daar gelooft toch niemand ook maar iets van.'

'Dit alles,' begon de deken, maar hij zweeg plotseling alsof hij door een of andere onhandigheid van een huisbediende was gestoord.

Het zachte gezoem van het mechanisme waarmee de geheime deur openging werd hoorbaar en voordat die helemaal open was gezwaaid verscheen in de deuropening een meisje met een erg schaapachtig gezicht en een pruimengroen uniform aan. Met een zwier die totaal niet bij haar uiterlijk paste droeg ze een zilveren dienblad waarop een rijkelijk versierde karaf, twee sherryglazen en een bakje met amandelen en pistachenoten rinkelden. Dat zette ze allemaal op een klein tafeltje in het midden en vervolgens schonk ze de glazen voorzichtig driekwart vol, terwijl haar wangen dezelfde vuurrode kleur kregen als de cream sherry die ze inschonk.

'Is er nog iets van uw dienst?' vroeg ze bijna fluisterend.

Mijn oom maakte slechts een afwijzend gebaar met zijn hand. Een geur van verse noten en van met wijn doortrokken hout verspreidde zich langzaam door het vertrek en maakte hem nog slaperiger dan hij al was. En meteen toen het meisje wegliep pakte de deken zijn glas, hield dat eerst een moment tegen het licht, liet vervolgens de inhoud lichtjes bewegen, rook er verschillende keren aan en nam ten slotte een slok, waarbij hij de sherry met een ernstig gezicht keurde. Die leek hem prima te smaken. Terwijl de deken nog maar één slokje had genomen schoof mijn oom, een apathische en verwilderde blik in zijn ogen, de voet van zijn al lege glas over de armleuning van de stoel heen en weer. De depressieve fase van de alcoholist, moest de deken hebben gedacht voordat hij hardop zei:

'Iemand die zo verdacht is moet gewoon onschuldig zijn.'

'Pardon, wat zei u?' vroeg mijn oom terwijl hij uit zijn slaperigheid opschrok.

'Dat iemand die zo verdacht is gewoon wel onschuldig moet zijn. De woorden van Job, in zijn derde gebed. Ik veronderstel dat je het daar mee eens zult zijn.'

'Deze oorlog winnen we ook.'

'Ik denk dat als don Ismael inderdaad kon praten, zoals wordt gezegd, hij niet de hele dag door zou doen alsof dat niet zo was. Dat zou volstrekt onzinnig zijn.'

Mijn oom antwoordde met een onverstaanbaar gemompel terwijl hij over zijn neus krabde. Hij schonk de glazen nog een keer vol en waarschijnlijk verschafte hem dat een welkome adempauze in zijn strijd tegen de slaperigheid. Of hielp het hem om een vervelende herinnering uit zijn gedachten te bannen. De deken deed het met een afwerend gebaar voorkomen alsof hij geen sherry meer wilde.

'Nee, ik hoef niet meer,' zei hij. 'Nou ja, doe toch maar.'

Mijn oom moest op dat moment vanuit de duistere en benauwende hoeken van het kantoortje overrompeld zijn door een schimmig en schemerachtig beeld. Hij hoorde rauwe, door elkaar pratende stemmen dichterbij komen vanaf een onduidelijke plek, een geroezemoes dat uiteindelijk weer werd gedempt door de dikke tapijten en gecapitonneerde deuren.

'En dat die trede met was ingesmeerd was om don Ismael te laten vallen,' ging de deken voort, 'is de grootste leugen die ik ooit heb gehoord. Werkelijk afschuwelijk.'

'Misschien moet ik mijn pistool maar eens trekken,' zei mijn oom. 'Ik heb hem bij de hand.'

'Tegen zulke afschuwelijke leugens moeten we gewoon echt optreden,' herhaalde de deken.

'Laat u me uitpraten?' zei mijn oom. 'Luistert u eens, eerwaarde, maakt u zich verder geen enkele zorg over deze vervelende zaak, dat is het niet waard,' en hij wreef daarbij met zijn duim en wijsvinger door zijn ooghoeken. 'Don Ismael breng ik bij de nonnen onder en daarmee is de kous af.'

'Ik beschouw me tegelijk als dienaar en beschermheer van dit huis,' zei de deken met de geëxalteerde toon van de prediker. 'Je weet erg goed wat de familie Romero altijd voor mij heeft betekend. Ik kan noch mag bij zulke vreselijke laster aan de zijlijn blijven toekijken, zo ligt dat nu eenmaal.'

Vanaf de begane grond werd er iets hoorbaar dat op geschuif van meubels leek en dat piepende geluid stoorde de deken en mijn oom behoorlijk. De deken zweeg even beduusd maar ging meteen daarop verder met zijn preek.

'Bedenk je wel dat hier ook de goede naam van een priester in het geding is,' zei hij terwijl hij even met zijn vingertoppen langs zijn lippen ging. 'Ik heb gehoord dat er zelfs enige volkomen onbelangrijke zaken uit het leven van don Ismael zijn opgerakeld. Van voor hij priester werd, begrijp je?'

'En wat heb ik daarmee te maken?'

'Nou, daar zou jij nu precies voor eens en altijd een einde aan moeten maken. De leugens vliegen ons om de oren. Ook al is don Ismael pas diep in de veertig priester geworden, dan nog is hij boven elke verdenking verheven. Nadat hij zijn vrouw had verloren, bekeerde hij zich. Gewoon een erg prijzenswaardig geval van een berouwvolle zondaar, als jou dat tenminste iets zegt.'

Mijn oom veerde op uit zijn stoel en terwijl hij met één klap helemaal wakker leek te zijn geworden antwoordde hij prompt:

'En wordt u ooit nog een keer bisschop? Ik heb uit betrouwbare bron vernomen dat uw kansen niet zo erg groot meer zijn.'

De deken veranderde plotseling van prediker in kerkvorst. Die verandering in zijn houding was even abrupt als die bij mijn oom, ook al wendde hij met een loom gebaar van zijn hand bescheidenheid voor.

'Laat dat,' murmelde hij. 'Hoe haal je het in je hoofd.'

En het was precies op dat moment dat ze een gil hoorden. Of meer nog een gejammer dat steeds harder klonk om uiteindelijk in een vreemd soort dierlijk gebrul over te gaan.

De deken keek mijn oom aan en mijn oom op zijn beurt de deken, en deze zag glashelder de opgezette luipaard voor zich die hij meer dan eens op de patio had zien staan.

'Daar heb je het gelazer al,' zei mijn oom en terwijl hij woedend opsprong ging hij voort: 'Hij geeft weer een van zijn nummertjes ten beste.'

'Was dat don Ismael?' vroeg de deken meer verbaasd dan geschrokken.

'Omdat hij zo half en half door heeft dat we hem bij de nonnen willen onderbrengen gaat hij om de haverklap als een wildeman te keer.'

'Heeft hij dat door dan?'

'U hebt het goed gehoord. Dat is precies wat ik zeg.'

'Aha,' was alles wat de deken daarop antwoordde.

En hij stond doodkalm op terwijl hij zijn boordje in orde bracht en een vluchtige blik wierp op het deel van de muur waar de geheime deur moest zitten.

'Gaat u?' vroeg mijn oom.

'Het spijt me, er zit niets anders op,' antwoordde de deken die nog steeds leek te genieten van de nasmaak van de sherry. 'We praten er nog wel een keer wat rustiger over. En zorg ervoor dat je wat vaker in de kerk komt.'

'Ik ga bijna elke vrijdag,' zei mijn oom terwijl hij het bodempje wijn in zijn glas op een zakdoek druppelde.

'Ja, maar ik heb het over de parochiekerk,' zei de deken, die al aanstalten maakte om naar buiten te gaan. 'Ik schenk iedereen in dit huis mijn zegen.'

Toen ze de galerij op liepen was er niets meer van het gebrul en geschreeuw te horen en kroop er een broze stilte langs de muren omhoog zoals de duisternis uit de diepte van een put. Terwijl ik dacht dat die stilte elk moment weer verstoord zou kunnen worden, pakte mijn tante zonder een woord te zeggen mijn hand beet om me door het venster naar de vormeloze schaduw te laten kijken die de deken op de tegelmuur aan de overkant van de patio wierp.

4

Purificación Bárcena koos een ongelukkig moment om te sterven want ze blies tijdens het middageten haar laatste adem uit. Bovendien stierf ze kinds, want al sinds een tijd herkende ze haar drie kleinkinderen Alfonso María, Carola en María Patricia niet meer. Maar ook als ze wel goed bij haar verstand was geweest en nog langer had geleefd, zou ze nooit goed hebben begrepen hoe haar schoondochter elk jaar een nieuwe telg had kunnen baren en zo in één klap de toekomst voor die arme, uit de Baskische bergen afkomstige familie van straathandelaars en kruideniers had veilig gesteld.

Maar de oude vrouw, die in haar laatste levensjaren bijna al haar verzet tegen de weelde die haar omringde had opgeven, begreep niet eens haar eigen zoon, die ze nauwelijks te zien kreeg in dat enorme huis. Van zijn enorme vermogen en verkwistingen had ze slechts een vaag vermoeden dat werd gevoed door de ongelooflijke bedragen waarover ze hem soms hoorde praten. Zoals het een zoon betaamt, huilde de stichter van bodega Romero hete tranen om de dood van zijn moeder en bouwde ter nagedachtenis aan haar niet alleen een pantheon van marmer, inclusief liggend beeld op de tombe, maar gaf ook een bodega waar de beste wijnen rijpten de naam La Purificación.

De gigantische financiële groei die don Sebastián Romero door middel van goed doordachte economische en maatschappelijke strategieën had bereikt begon terug te lopen. Het had er namelijk alle schijn van dat de moord op aartshertog Frans-Ferdinand in Sarajevo bij veel Europeanen de lust tot drinken had vergald (of hun simpelweg bijna elke mogelijkheid daartoe had afgenomen) waardoor de export van wijn in een diep dal was geraakt. Ook al hielden de oorlogvoerende landen niet helemaal op met het invoeren van wijn, de situatie zag er niet bepaald rooskleurig uit. Maar omdat in het binnenland de wijnhandel zoals altijd bleef floreren, betekende de Eerste Wereldoorlog voor de stichter van bodega Romero slechts een vermindering van de exportinkomsten. Het vervelende was alleen wel dat er een enorme voorraad wijn ontstond die erg moeilijk goed te houden en te bewaren was. Don Sebastián breidde de opslagcapaciteit van zijn bodega's echter flink uit, voerde de productie van wijnvaten op en slaagde er door zijn sluwheid en doorzettingsvermogen in die enorme plas wijn onder nieuwe namen op de binnenlandse markt af te zetten.

Aan het einde van de oorlog had de stichter van bodega Romero een uitstekende positie in de wijnhandel veroverd. Het was dan ook niet zo vreemd dat hij zich toen als heuse stamvader begon te afficheren, dat had hij weliswaar altijd al willen zijn maar pas nu wist hij zich in die rol geruggensteund door zijn grote economische successen. Door middel van een paar slinkse trucjes lukte het hem zijn verleden als zoon van een kleurloze, ploeterende winkelier uit te wissen, waarbij hij zich als de enige erfgenaam was gaan zien van een macht die hij zelf had veroverd maar die hem tegelijk ook door goddelijke voorbeschikking was geschonken en daarom nooit ter discussie kon staan. Hij voelde echter geen enkele haat of rancune tegen zijn eerste werkgevers, zij die – erg genereus – de weg hadden bereid voor zijn latere triomfen in wijnhandel en paardenfokkerij. Feitelijk zag hij deze concurrenten die inmiddels geen partij meer voor hem waren slechts als de noodzakelijke sporten van de ladder waarlangs hij naar zijn enorme machtspositie was opgeklommen. Een machtpositie die alleen voor hem was bestemd en die hij uiteindelijk aan zijn goed voorbereide zoon zou overdragen. Waaruit nog maar eens duidelijk bleek dat de megalomanie een cruciale rol speelde in zijn ambitie.

De grote liefdadigheid die de stichter van bodega Romero in die tijd tentoon begon te spreiden was voor de andere wijnboeren uit de streek een volkomen onbegrijpelijk verschijnsel. Misschien was het ook niet meer dan een listige manoeuvre van de onverzadigbare bodegahouder om de vervelende geruchten die over zijn afkomst de ronde deden de kop in te drukken. Hoe dit ook zij, in de verhalen over zijn filantropie werd hij bijna als een heilige afgeschilderd. In eerste instantie decreteerde hij het ter beschikking stellen van vijf studiebeurzen voor arme seminaristen, de bouw en het voor onbepaalde tijd in stand houden van een ziekenhuis, een middelbare school en een wijnkundig onderzoekscentrum, vervolgens de restauratie van de parochiekerk, het voormalige gesticht en het rioleringssysteem. Verder richtte hij in Londen een eveneens door hem bekostigde stichting op die permanent alle producten uit de streek exposeerde. Toen het uiteindelijk op een uitzonderlijk rustige dag tot don Sebastián Romero doordrong dat hij volkomen alleen stond met al zijn vrijgevigheid, zag hij zich plots voor een vervelend dilemma geplaatst. Hij wist niet of hij nu moest proberen een nieuwe titel te bemachtigen (liefst die van koning, hoewel hij uiteindelijk genoegen moest nemen met slechts de van zijn schoonfamilie afkomstige titel graaf van Malcorta), of dictator Primo de Rivera, een vriend van hem uit het nachtleven, moest voorstellen dat hij op zijn eigen manier het probleem zou oplossen dat de erg impopulaire monarchie vormde. Maar uiteindelijk bleef hij gewoon wat hij was: een lokale machthebber.

Adelaida Conticinio kon nog altijd niet echt geloven dat ze de stichter van bodega Romero drie kinderen geschonken had: één jongen en twee meisjes, wier opvoeding respectievelijk was toevertrouwd aan jezuïeten, Ierse nonnen, een rechtstreeks uit Londen geïmporteerde gouvernante en de huishoudster Remedios. Niets leek de orde van dat huishouden met al zijn verschillende maar welomschreven functies te verstoren: het leven van de familie Romero verliep voorspoedig en alle dagen leken precies op elkaar. Adelaida Conticinio, die er niet over peinsde om nog een kind te nemen, sloot zelfs een geraffineerd akkoord met haar echtgenoot. Het ging daarbij eigenlijk om anticonceptie door middel van onthouding. Zij stond hem namelijk alle mogelijke scharreltjes toe – een vrijheid die zij ook voor zichzelf opeiste – maar alleen op voorwaarde dat ze niet langer aan haar echtelijke plichten hoefde te voldoen en dat deze relaties volledig geheim zouden blijven.

Don Sebastián Romero accepteerde de voorstellen van zijn vrouw op liefdesgebied echter niet zonder slag of stoot en hij verzekerde er zich zelfs terdege van dat het daarbij niet om seksuele uitspattingen, tegennatuurlijke erotische relaties of relaties met getrouwde mannen ging. Pas toen hij tot de conclusie was gekomen dat de voorgestelde clausule over de huwelijkse plichten slechts voortvloeide uit een verschil in temperament, stond hij welwillend toe wat hem al direct niet onacceptabel leek. Maar ook al zou voor hem vaststaan dat het hierbij eigenlijk om een legitimering van de uitspattingen van zijn vrouw ging, dan nog beschikte hij niet over de mogelijkheden die te verhinderen. De waarheid was dat hij haar eigenlijk alleen nog maar per ongeluk zag, wanneer ze elkaar ergens toevallig tegen het lijf liepen in de doolhof die dat enorme huis was. Twee schimmen die elkaar nauwelijks groetten, zij net terug van het paardrijden of de mis, of op het punt bezoeken af te gaan leggen, hij volkomen in beslag genomen door wijnen en financiële perikelen. Als hij haar dan als door een deinende mistwolk zag naderen probeerde hij zich zonder veel overtuiging met een hoffelijke vriendelijkheid te gedragen. Twee wezens die geen interesse meer voor elkaar hadden, opgesloten in een weelde waar geen enkele prikkel meer van uitging en die een mat familieleven met voortdurende wrijvingen en vastgeroeste privileges in stand hielden.

In deze enge en beschermde sfeer groeiden de drie jonge Romero's op. Het huis was voor hen een weelderige, eindeloze wereld waar ze naar believen in rondzwierven terwijl het hen van de buitenwereld afsloot als een gigantische stolp. Omdat ze hun ouders alleen maar af en toe zagen bij audiënties en bezoeken, raakten ze al snel gewend aan deze bevoorrechte situatie waarin ze voortdurend over bedienden beschikten en ontwikkelden ze alle drie een identieke heerszuchtige instelling, die echter bij elk van hen met eigen manieren en persoonlijke voorkeuren samenging. Hoe dan ook, zowel in de familie als daarbuiten, waren ze alle drie met een rotsvast superioriteitsgevoel toegerust.

Alfonso María, de oudste, was een opstandige, energieke en stevige jongen met een lichte huidskleur, een fanatieke verzamelaar van rijzwepen en sigarenbandjes en plaatselijk jeugdkampioen paardenspringen. Al op erg jonge leeftijd had hij de koetsier Epifanio als informatiebron voor de mogelijkheden tot verboden vermaak uitgekozen en was van mening dat de rest van de wereld zich volledig naar hem moest schikken. Zijn zuster Carola daarentegen was een zoetig en dommig kind, erg saai en schattig, dat met al haar lieflijkheid de meest uiteenlopende ziektes voorwendde om zo met kleren en snoep verwend te worden. María Patricia, de jongste, die nog altijd in een kinderwereld vol poppen en duikelaars leefde, had de kuren van een verwend nest en wanneer er niet meteen aan haar wensen werd voldaan kon ze uit woede dagenlang zwijgen. Iets waarin ze precies op haar moeder leek.

De kinderen werden 's morgens in een landauer met twee kappen en banken met kalfsleren zittingen – de koetsier Epifanio apetrots op de bok – naar school gebracht en stipt op tijd weer opgehaald. Het onderwijs van de jongen was in handen van strenge jezuïeten terwijl de meisjes met korte onderbrekingen de nonnenschool bezochten. Ondanks de pretenties van een niet aflatende indoctrinatie werd met die opvoeding nooit een volmaakte toestand bereikt, iedereen was het er dan ook over eens dat zelfs de resultaten van zo'n strenge leerschool niet in staat waren die van het langdurige en voorspelbare rijpingsproces van een goede wijn te evenaren. 's Middags kregen de kinderen Engelse les van de gouvernante, haalden daarbij gemene streken met haar uit (ook al hield de huishoudster Remedios een oogje in het zeil), gingen op ontdekkingstocht in de afgelegen delen van het huis of zaten zich mateloos te vervelen in vreselijk pompeuze vertrekken.

Alfonso María was de eerste die uit zichzelf op ontdekking ging in de buitenwereld. Tegen de weinig doordachte maar strikte orders van zijn moeder in, vroeg hij meer dan eens de ervaren koetsier Epifanio om raad en trok, met diens adviezen in zijn achterhoofd, de doolhof van de stad in, die hem tegelijk aantrok, maar ook angst inboezemde. Daarbij zag hij voor het eerst vreselijk vervallen achterbuurten waarvan hij nooit had vermoed dat daar zulke opwindende dingen te beleven vielen. Onervaren en afstandelijke toeschouwer als hij was, slechts half voorgelicht door de koetsier Epifanio, kwam hij achter het bestaan van louche tentjes, smerige en lawaaierige speelholen, geheime hoerenkasten en meer van zulke duistere gelegenheden. Het aantrekkelijke van deze inwijding was dat ze hem van het drukkende gewicht bevrijdde waaronder het prestige van de familie hem al van kindsbeen af gebukt liet gaan. En de opgewonden toestand waarin Alfonso María was geraakt door deze prikkelende anticipaties op het volwassenenleven, voedde in hem de overtuiging dat hij uitverkoren was (zonder dat hij nu wist welke macht daarvoor verantwoordelijk was) om de onbetwistbare leider te zijn van alle anderen. Maar datzelfde steeds groter wordende verschil tussen wat hij zojuist in de buitenwereld had ontdekt en wat hij tot dan toe thuis had leren kennen, plaatste hem voor zo'n enorm dilemma, zo'n onoverkomelijk conflict dat hij vaag het vermoeden kreeg dat zijn toekomstige positie van uitverkoren leider toch wel heel erg onzeker was. Deze indicatie, dit vage voorgevoel had echter geen enkele invloed op zijn verboden activiteiten, want die hoorden nu eenmaal bij zijn leeftijd.

De ongeoorloofde straatslijperij van Alfonso María kwam, pas toen hij allang dik bevriend was met een stel onduidelijke lanterfanters, via een gerucht don Sebastián ter ore. Hij werd op het matje werd geroepen en kreeg daarbij, via een nogal verward en vervelend verhaal vol vage reprimandes, van zijn vader te horen dat besloten was (met instemming van zijn in huilen uitgebarsten moeder) dat hij het studiejaar moest afmaken op het internaat van de jezuïetenschool. Of daar zelfs nog langer zou moeten blijven, als het nodig was. Alfonso María liet die straf koud, hij bedacht zich zelfs dat zo'n plotselinge verandering in zijn leven vanwege de nieuwigheid best aangenaam zou kunnen zijn. Doordat hij zich zo snel en gewillig bij het vonnis had neergelegd, en niet maalde om zijn bestraffing, kreeg don Sebastián zelfs twijfels over de doeltreffendheid van de straf. Hij besloot dat hij diezelfde dag nog met zijn vrouw moest praten, hetzij bij het eten, hetzij bij het slapengaan, opdat zij met hulp van de huishoudster Remedios alle praktische problemen die de verhuizing van Alfonso María naar het internaat met zich meebracht zou oplossen. Adelaida Conticinio aanvaardde die ondankbare taak met tegenzin: eerst bracht zij tegen het besluit van haar echtgenoot in dat de jezuïeten de interne leerlingen op keiharde bedden lieten slapen, maar later draaide ze bij omdat ze zich had bedacht dat ze door de afwezigheid van haar zoon deels van huishoudelijke beslommeringen zou worden verlost.

Zelfs zonder dat de vakanties mee waren geteld zat Alfonso María niet eens vier maanden op het internaat van de jezuïetenschool. Die school was gevestigd in een statig gebouw van drie verdiepingen met gevels van schelpsteen en een enorme binnenplaats van aangestampt zand die door een fraai gietijzeren hek in twee ongelijke zones werd verdeeld. Een neobarokke kapel was met het hoofdgebouw gescheiden door een geometrische tuin waaromheen oude cipressen en dichte struiken bougainville groeiden. In die tuin stond een betegelde en rijk versierde fontein met kikkers van blauw keramiek die water spuwden en een kunstmatige grot waarin de maagd van Lourdes zich toonde aan de leerlingen die in een rij naar de kapel of de speelplaats liepen. De slaapzaal bevond zich precies boven de klaslokalen van de leerlingen uit de middengroep en was door een overdekte patio gescheiden van de slaapkamers van de leraren. Deze zaal bestond uit twee aangrenzende vertrekken die door middel van halfhoge scheidingswanden in piepkleine compartimenten waren onderverdeeld waarin maar heel weinig spullen konden staan om zo zelfs tijdens de slaap elke zondige luxe uit te bannen. Het was een tegelijkertijd vredig en opwindend territorium waar Alfonso María met sprongen volwassen werd en doorkneed raakte in wat hij door zijn nog betrekkelijk onschuldige straatslijperij alleen nog maar oppervlakkig had leren kennen.

Maar die eerste periode van schijnbare inschikkelijkheid duurde niet lang. Terwijl hij steeds vaker werd betrapt op min of meer ernstige vergrijpen en steeds nauwlettender in de gaten werd gehouden door surveillanten en bewakers, combineerde Alfonso María zijn verachting voor medeleerlingen en zijn weerzin tegen de school met de overtredingen die hij als een Romero ongestraft meende te kunnen begaan. Als zijn handlangers koos hij twee andere opstandige leerlingen uit, die afkomstig waren uit zijn eigen streek, zonen van rijke grootgrondbezitters die hun enorme landerijen hadden verworven door de onteigening van kerkelijke eigendommen. En er was nog een derde trawant in het spel, van wie hij niet zo onafscheidelijk was als van de andere twee maar deze was wel beruchter, een niet-interne leerling van adellijke afkomst en een rustige, opvallend mooie knaap. Deze was al op het eerste gezicht verliefd geworden op Alfonso María, maar die had aanvankelijk de boot nog even sluw afgehouden. De knul werd zo onweerstaanbaar aangetrokken door het schaamteloze vertoon van mannelijkheid van de jonge Romero, dat er al snel geruchten de ronde deden dat er een hartstochtelijke liefde tussen hen was ontbrand, terwijl ook zijzelf geen enkele poging deden die geruchten te ontkrachten.

Hoewel het uiteindelijk niets werd met die romance, was deze wel aanleiding voor de leraar apologetiek (auteur van verschillende boeken over de enorme deugdzaamheid die de Heilige Luis Gonzaga al jong bezat) om Alfonoso María in een van de spreekkamers te ontbieden. De leraar was vastbesloten om hem de gevaren voor te houden die een zo abnormale, met het diepste kwaad van de Duivel verbonden relatie met zich meebracht. En Alfonso María was, tegelijkertijd argwanend en onbekommerd, naar die spreekkamer op de bovenste verdieping gegaan, waar nog zwakjes de lucht van een eerdere bezoeker hing en waar de decadentie vanaf straalde door alle wandtapijten ter herinnering aan de overwinning van de jezuïeten in de contrareformatie. Het was een vertrek met een dreigende en drukkende sfeer dat gewoonlijk werd gebruikt voor biechten en gesprekken onder vier ogen.

Alfonso María ging naast de leraar op een sofa zitten, vol dikke, zachte kussens, terwijl hij enkel het geroezemoes van leerlingen hoorde die net de binnenplaats waren opgekomen. Plotseling voelde hij de warme hand van de leraar op zijn knie; alleen die hand met zijn stramme vingers rustte op zijn knie en hij voelde zich daarbij niet in het minst ongemakkelijk of verrast, deed geen enkele poging om zijn been weg te trekken opdat die hand naar beneden zou glijden en licht trillend op de sofa zou blijven liggen alsof er niets was gebeurd, integendeel, hij genoot met een kinderlijke gewilligheid van die streling. Hij hoorde de matte stem van de leraar, die bijna fluisterend over een onbestemde, maar verloren strijd tussen de zonde en de deugd sprak. Hij keek steels naar dat gezicht dat bleek en mager was, ondanks de glimmende, roze vlekken, en naar die glanzende soutane waarin al het licht van de enige lamp die in de kroonluchter brandde leek te worden weerkaatst. Juist toen hij met een gouddraadje in het brokaat van een kussen zat te spelen weerklonk het geroezemoes van leerlingen die de trappen afgingen om naar de kapel te gaan voor het avondgebed. Daarop sprong de leraar wild overeind, met in zijn ogen de schrik van de achtervolger die zich plots zelf achtervolgd weet. Maar hij herwon meteen zijn kalmte en nadat hij Alfonso María een paar klapjes op zijn billen had gegeven ging hij hem voor naar de deur, de zwakte van het vlees geheel overwonnen.

Niets van dit alles stond echter in de brief waarmee Alfonso María van school werd gestuurd. Die verwijdering had te maken met de vergrijpen die een tijdje na dat gesprek hadden plaatsgevonden, in een vredige nacht die op geen enkele manier leek te zullen worden verstoord. Die vergrijpen begonnen toen de andere leerlingen allang sliepen en de jonge Romero, gevolgd door zijn twee boezemvrienden, zich uit de slaapzaal waagde. Ze slopen stilletjes de trappen af, naar de kleinere binnenplaats waar een gigantische apenboom stond, en vervolgens liepen ze van het hoofdgebouw naar de magazijnen. Het was er aardedonker en ze hadden geen zaklamp bij zich, maar eenmaal binnen liepen ze net zolang op de tast tot ze in een gedeelte kwamen waar de duisternis minder zwart was vanwege het zwakke schijnsel van een lantaarn die precies ter hoogte van het venstergat buiten aan een afdak hing. Een doordringende lucht van worst en graan, van hennep en azijn leek van de muren te slaan als de damp van een paard. De indringers snuffelden tussen balen en in kasten tot ze op datgene stootten waarnaar ze klaarblijkelijk op zoek waren: flessen wijn die in een lange rij dozen op de schappen stonden. Ze kozen een fles muskaatwijn uit en peuterden met een pennenmes de kurk eruit. Alfonso María nam een teug en knikte even om zijn goedkeuring tot uitdrukking te brengen, waarna ze alle drie, even behoedzaam als ze naar binnen waren gekomen, naar buiten slopen.

De scharnieren van de deur – de sleutel zat gewoon in het slot – piepten met een doordringend dierlijk gejank waardoor de drie jongens, die het toch al in hun broek deden van angst, een ogenblik als versteend bleven staan. Ze drukten zich onmiddellijk tegen de zijmuur bij het perkje naast de speelplaats en slopen zo stap voor stap verder, de een achter de ander, waarbij de schaduw van het afdak een beetje hielp om hen verborgen te houden. Alfonso María gebaarde uiteindelijk dat ze moesten stoppen, waarop de avonturiers gezamenlijk op een nauwe diensttrap gingen zitten, naast een grote, in onbruik geraakte poort. De fles werd meteen soldaat gemaakt door hem onder angstvallig gefluister en stille vreugdekreten van hand tot hand te laten gaan.

Toen de jongens het grootste deel van de fles al achterovergeslagen hadden en aan elkaar zaten te frunniken viel er plots een felle lichtbundel op hen. De drie zagen tegelijk het gezicht van de pater voor zich die de bewaker van de interne leerlingen was: dat gezicht dat wel iets van een dodenmasker had en dat er door het van onderaf schijnende licht van de lantaarn nog enger uitzag dan onder normale omstandigheden het geval zou zijn, terwijl de samengeknepen ogen vuur leken te spuwen van woede. Hij was zojuist uit zijn benauwde cel te voorschijn gekropen en op zijn voorhoofd stond nog altijd het zweet van hen die in een harde strijd de verleiding hebben overwonnen. Alfonso María deed niets, of was niet in staat om iets te doen, maar zijn vrienden probeerden met abrupte, onbeholpen bewegingen te verbergen waar ze mee bezig waren, dat wil zeggen, ze zaten alle drie heftig te masturberen. De bewaker schold hen onder vreselijk gevloek de huid vol, waarbij de speekselspettertjes als gloeiende as in de lichtbundel schitterden en hij woedend met zijn armen zwaaide als een prediker die de toorn Gods verbeeldt.

De twee vrienden van Alfonso María waren wankelend en met een berouwvol gezicht overeind gekomen en lieten, zonder zich te verzetten, de woedende klappen van de bewaker over zich heen komen. Door de wild schommelende lantaarn dansten er rondom hen schaduwen: onder het afdak dromden vage gedaanten samen en reusachtige gestalten wankelden tot aan het scheidingshek op de binnenplaats. Alfonso María reageerde op een volkomen onverwachte manier, of liever gezegd, hij reageerde niet: hij ging gewoon door met masturberen alsof er niets aan de hand was. En toen de al bijna compleet doorgedraaide bewaker hem wild door elkaar begon te schudden, was het enige wat de jonge Romero lallend aan hem vroeg of hij misschien zo vriendelijke wilde zijn om hem zijn werk af te laten maken en of hij die alom geprezen manier om jezelf genot te bezorgen dan zelf ook niet lekker vond. De bewaker rende daarop als een bezetene de trap op, waarschijnlijk om hulp te gaan zoeken, maar hij struikelde en barstte in tranen uit. In het dreigende bolwerk van de nacht leek de tijd plots tot stilstand te zijn gekomen. Alfonso María en zijn twee kornuiten wankelden uiteindelijk beduusd en verward de trap naar de slaapzaal op, waarschijnlijk met het vage besef dat ze onmiddellijk van school gestuurd zouden worden.

Dat Alfonso María van school werd gestuurd, riep evenveel verbijstering als woede op bij don Sebastián Romero. Hij kon niet accepteren dat een kind van hem (ook niet nadat hij al het mogelijke in het werk had gesteld om de verwijdering van school ongedaan te maken) op zo'n manier werd geschoffeerd. Orders, verzoekschriften noch op hoge toon geschreven protestbrieven haalden ook maar iets uit. Don Sebastián had er zelfs mee gedreigd een handelsovereenkomst die hij nog niet zo lang geleden met de jezuïeten had gesloten met onmiddellijke ingang op te zeggen, waarbij hij in zijn grote verontwaardiging zelfs was vergeten dat zo'n contractbreuk uit wraak vergaande en onaangename juridische consequenties voor hem zou kunnen hebben. De waarheid is dat de bewaker in een zware depressie was geraakt door het verschrikkelijke schandaal en de school weigerde dan ook faliekant om de schuldige opnieuw toe te laten, hoewel men zeer respectvol toegaf dat het hier om niemand minder dan een Romero ging.

Alfonso María keerde naar huis terug alsof hij van de zomervakantie terugkwam maar zijn bleekheid deed anders vermoeden. Hij had bovendien de laconieke houding over zich van de held die slechts door zijn eigen roekeloosheid het onderspit had gedolven.

Vanzelfsprekend werd zijn zusters Carola en María Patricia helemaal niets verteld over wat er voorgevallen was, terwijl zijn moeder slechts omzichtig en stapsgewijs werd ingelicht. Maar toen ze uiteindelijk toch het hele verhaal had gehoord, riep ze uit dat dit werkelijk godsonmogelijk was en dat er geen generaal of bisschop was die zo'n vreselijke schanddaad mocht begaan jegens iemand die de naam Romero droeg. Haar woede was echter van korte duur, want de volgende dag werd ze al weer helemaal in beslag genomen door haar liefdadige werken en de paardensport, die haar onder zware opofferingen dwongen buitenshuis te verkeren.

Waar don Sebastián zich nog wel het meest aan ergerde was eigenlijk niet het voorval op zich. Hij kon zijn boosheid, die overigens ook niet eeuwig zou blijven duren, slechts zo moeilijk opzij zetten omdat de verwijdering van Alfonso María van school een persoonlijke belediging voor hem was: van het begin af aan was hij niet zozeer ontstemd over de aanleiding van de verwijdering – die nog tot daar aan toe was – maar over de gevolgen ervan, waarvan sommige werkelijk ondraaglijk waren. Hoe dan ook, nadat hij zijn nukkige zoon woedend een reprimande had gegeven, waarbij hij nog half in zijn eigen woorden verstrikt raakte ook, legde hij hem een nieuwe straf op waar hij beslist niet onderuit zou komen. Deze straf werd ingegeven door het heimelijke motief dat de zoon moest boeten voor de diepe vernedering die de vader had ondergaan. En zo bracht Alfonso María dan ook drie lange maanden als onbetaald leerling door met het vullen van wijnflessen in een van de bottelarijen van zijn vader.

5

Zoals te verwachten was verliep het overbrengen van de kapelaan naar het nonnenklooster op een erg onverkwikkelijke manier. Niemand in huis zou het snel vergeten omdat er nogal wat schokkende incidenten bij plaatsvonden. Zelfs mijn oma Adelaida – die al half kinds was en eigenlijk alleen nog maar haar naaste verwanten herkende – was bij die afschuwelijke vertoning aanwezig. De enige die verstek liet gaan was mijn opa Sebastián, die al maanden nauwelijks meer zijn kamers uit kwam en dan alleen maar wanneer hij er, fel tegenstribbelend, toe gedwongen werd.

Don Ismael moest goed door hebben gehad wat er die ochtend bekokstoofd werd, want het eerste wat hij deed, was zichzelf verschansen in zijn kamer op de benedenverdieping. Hoe poeslief het kwezeltje Micaela hem ook toesprak en hoe hard een tafelbediende en de koetsier Epifanio ook op de deur ramden, hij weigerde botweg open te doen. Door al het tumult en de harde slagen verscheen al snel mijn oom Alfonso María, half aangekleed omdat hij nog in bed lag en met zijn ogen dik van de slaap. De koetsier Epifanio legde hem uit wat er gaande was en mijn oom stevende meteen op de deur af, roffelde hard met zijn knokkels op het hout en terwijl de dranklucht van hem afsloeg riep hij:

'Doet u onmiddellijk open.'

De stilte in de kamer was nog groter dan de stilte waarmee erbuiten op antwoord werd gewacht.

'Hoort u me?' riep mijn oom nog harder terwijl hij nu woedend met zijn vuist op de deur bonkte. 'Doet u onmiddellijk open.' En hij zweeg even alsof hij naar woorden zocht waarmee hij de kapelaan bedreigen kon. 'Als het niet goedschiks kan, dan moet het maar kwaadschiks.'

Don Ismael liet slechts een soort hard gesteun horen dat erg obsceen klonk.

'Wat een vreemde reactie,' zei mijn tante Socorro ernstig.

Mijn oom keek zijn vrouw met een vernietigende blik aan terwijl hij zich naar de koetsier Epifanio omkeerde om hem te zeggen dat hij voorlopig naar zijn kamer ging, maar dat er ondertussen een houweel of wat dan ook gehaald moest worden om die deur zonder pardon in te rammen. Aan de blik van Epifanio kon je zien dat hij zich plots erg belangrijk voelde en hij liep dan ook meteen weg om de order uit te voeren. De zon zette de marmeren pilaren en geglazuurde potten in een schel licht doordat vanwege de consternatie de luifel niet was uitgerold. Maar blijkbaar was dat nog niet tot mijn tante Socorro doorgedrongen: die liep achter haar man aan om te vragen wat er aan de hand was, terwijl ze zich afvroeg hoe het toch zo warm kon zijn op de patio. Het kwezeltje Micaela stond nog altijd met haar handen voor haar gezicht terwijl mijn oma met kleine pasjes naar de trap schuifelde. Voor ze die opging zei ze:

'Wat een Bosjesman.'

Daar het nieuws snel de ronde deed kwam een groot deel van het huispersoneel toegesneld waardoor de kamer die aan die van de kapelaan grensde er in een mum van tijd als een drukke theaterzaal uitzag. Men fluisterde onder elkaar en er hing een gespannen sfeer. De koetsier Epifanio was razendsnel teruggekeerd met een grote bijl die waarschijnlijk overdreven zwaar was voor de slechts zwakke deur die opengebroken moest worden. Maar hem leek die bijl in ieder geval erg geschikt want hij duwde de nieuwsgierigen aan de kant met de machtswellust van de ondergeschikte die eindelijk zelf over enige autoriteit beschikt, drukte zijn oor tegen een kier en hakte na deze zinloze daad met zo'n geweld op de deur in dat daardoor een heel paneel ter hoogte van de klink aan splinters ging. Het kwezeltje Micaela dat tot dan toe afwezig had toegekeken stormde plots naar voren en loerde, terwijl haar adem van schrik stokte, door het gat dat was ontstaan. Daarna keerde ze zich om naar de anderen en zei met een brok in haar keel:

'Laat mij nou maar begaan. Ik ga alleen naar binnen en verder niemand. Pardon.' En ze stootte met een elleboog de tafelbediende opzij.

Niemand zei ook maar iets en dus stak het kwezeltje Micaela haar hand door het gat in de deur met de duidelijke bedoeling de knip open te schuiven. Maar ze trok die onmiddellijk onder hevig gegil weer terug, waarna ze een stukje achteruitweek om verdwaasd tegen de muur te leunen terwijl ze in gesnik uitbarstte. En het was waarschijnlijk op dat moment (dit alles volgens het verhaal van de koetsier Epifanio) dat mijn tante Carola en de huishoudster Remedios verschenen, die al op de hoogte waren van wat er gaande was en daar met elkaar over liepen te smoezen. Mijn tante was net teruggekeerd van haar ochtendrit in de tilbury, zo'n allang in onbruik geraakt, tweewielig rijtuig waarin je op oude prenten iedereen altijd zo vrolijk ziet rondrijden alsof er geen vuiltje aan de lucht is. En terwijl ze voor de ingeslagen deur stond wreef ze in haar lichtblauwe ogen, wellicht om de ravage die de kapelaan nu weer had aangericht even tot haar door te laten dringen.

'Dat vreesde ik al,' moet de huishoudster hebben gezegd.

En mijn tante:

'Hij neemt op zijn eigen manier afscheid, dat kon gewoon niet anders.'

En nadat ze eerst alle toekijkende bedienden aan het werk had gestuurd, probeerde de huishoudster onmiddellijk orde op zaken te stellen in die vreselijke puinhoop. Door haar behoorlijk hoge leeftijd kon ze nog maar slecht tegen zulke chaotische situaties. Toen ze eenmaal tot de conclusie was gekomen dat er aan de deur niets meer te repareren viel, en ze door het gat een glimp had opgevangen van de idiote gestalte van de kapelaan, keerde ze zich om naar het kwezeltje Micaela. Haar blik viel op de pols van Micaela en toen ze daarin zoiets als de afdruk van een paar tanden zag staan, beval ze Epifanio de deur volledig in te rammen. Maar voordat hij de daad bij het woord voegde, stak Epifanio de bijl door het gat om de kapelaan duidelijk te maken over wat voor een grof geschut hij wel niet beschikte om die deur uiteindelijk helemaal open te kunnen breken.

Ondanks de woedeaanvallen en vluchtpogingen waarmee de belegeraars werden geconfronteerd, konden ze don Ismael nu betrekkelijk eenvoudig uit zijn verschansing slepen. De koetsier Epifanio en de tafelbediende wisten hem uit te schakelen, of in ieder geval op zo'n manier in zijn rolstoel gedrukt te houden dat hij zich min of meer rustig hield. Het kwezeltje Micaela stond nog altijd doodstil in een hoek van de aangrenzende kamer te snikken. Ze leek niet echt te hebben gemerkt hoe hard de kapelaan was aangepakt: hij zag er werkelijk meelijwekkend uit, zijn armen tussen zijn benen geklemd en zijn hoofd diep voorover op zijn borst. Bovendien was zijn onderlip gezwollen en zat zijn soutane onder de splinters.

Mijn tante Carola was al nergens meer te bekennen toen de huishoudster Remedios om zich heen keek om haar te vragen wat ze moest doen. Want in die omstandigheden leek het bepaald niet raadzaam don Ismael naar het klooster te brengen op de manier die ze in gedachten hadden, dat wil zeggen door hem gewoon in zijn rolstoel over straat te duwen. Vandaar dat de huishoudster naar boven ging om met mijn tante Socorro te overleggen, maar omdat ze haar nergens zag liep ze naar het kantoortje waar ze hoopte mijn oom te zullen vinden. En ze moest hem daar inderdaad hebben gevonden want even later kwam ze weer naar beneden met nieuwe aanwijzingen hoe de kapelaan naar het klooster moest worden overgebracht.

Ik was die middag iets later dan gewoonlijk naar opa's huis gegaan om mijn neef Aurelio en mijn nicht Marianita op te zoeken. Ik kwam er juist aan op het moment dat twee verplegers don Ismael een ambulance indroegen die veel weg had van een bestelwagen. De kapelaan stribbelde niet echt meer tegen en de weinige tegenstand die hij nog bood was ronduit belachelijk. Maar in zijn blik was een geweldige wrok, een machteloze woede te zien, als een pijnlijke splinter die voor altijd in zijn vlees stak. Het overbrengen van de kapelaan had waarschijnlijk iets gruwelijks en sommige getuigen ervan werd de meedogenloosheid waarmee men optrad iets teveel. Zo zat het kwezeltje Micaela, dat die middag zelf ook naar het nonnenklooster zou vertrekken, de rest van de tijd alleen nog maar in de kapel voor don Ismaels en haar eigen zielenrust te bidden.

Zoals pas veel later duidelijk zou worden had de kapelaan haar net voor hij werd afgevoerd een sleutel van een secretaire gegeven die in zijn kamer stond en die niemand ooit open had gezien. Als we dit toen hadden ontdekt zou dit ongetwijfeld als een bom zijn ingeslagen. Waar we toen wel achter kwamen via de huishoudster Remedios (weliswaar niet zo'n betrouwbare getuige) was, dat toen zij op de patio langs don Ismael liep en iemand zei dat de ambulance net was gearriveerd, ze hem had horen praten, of althans dat dacht ze. Niet dat onsamenhangende gelal dat hij gewoonlijk uitsloeg wanneer hij rond racete, maar iets dat heel erg begrijpelijk was en waarvan ze zeker wist dat ze het had gehoord: 'vervloekt zij deze dag'. Daardoor was de huishoudster behoorlijk geschrokken en aan het twijfelen geraakt, zonder dat ze nu uit kon maken of wat ze altijd al had vermoed uiteindelijk dus toch waar was of dat ze door haar eigen achterdocht iets had gehoord wat helemaal niet was gezegd. Mijn tante Carola – die dit als eerste van haar had gehoord – kon het niet zo erg geloven en hield een slag om de arm. Niet omdat het niet waar zou kunnen zijn, maar omdat het haar erg onwaarschijnlijk leek dat de kapelaan, als hij niet echt zijn spraak had verloren, op het laatste moment plotseling uit zijn rol was gevallen.

Maar omdat dat alles er eigenlijk al niet meer toe deed, liet men het op dat moment maar voor wat het was.

Mijn oom kwam pas weer zijn kantoor uit toen de kapelaan en het kwezeltje Micaela al uit huis waren vertrokken. Misschien dat hij eerst even met mijn opa was gaan praten (als die tenminste iemand binnenliet die dag) voor hij de trap naar de patio afkwam en met tegenzin de kamer van don Ismael bekeek. Door de totaal versplinterde deur moest hij vaag aan een gruwelijke scène van zo'n veertien, vijftien jaar geleden denken, waarin felle koplampen van een auto een half ingestorte muur en drie of vier als brokken puin op een hoop gegooide lijken beschenen terwijl hij naar een barak liep om in één keer een half ontwrichte deur in te trappen. Met wie was hij eigenlijk op pad geweest die nacht, zoals in zoveel andere, allang vergeten nachten? In een flits zag hij de gezichten van twee trouwe kameraden uit de militie voor zich, die al even snel in elkaar overliepen om een ander gezicht te vormen dat, met bloed besmeurd, vaag aan het gezicht van don Ismael deed denken en dat op zijn beurt oploste in een eindeloze beeldenstroom waaruit de trots een Romero te zijn sprak. Nadat hij zijn blik even vluchtig langs de spullen van de kapelaan had laten gaan liep mijn oom snel weer de patio op.

De invallende schemer liet onder de luifel stukje bij beetje de nog altijd duidelijk zichtbare silhouetten van de aspidistra's vervagen, terwijl mijn neef en ik door de luiken stonden te loeren om te zien of de kust veilig was en we in de kamer van don Ismael konden gaan rondneuzen. Toen het hek harder dan gewoonlijk achter mijn oom was dichtgevallen, haastten wij ons dan ook naar de andere kant van de patio om regelrecht die kamer in te lopen die iets verbodens had. Het was een ruim vertrek dat in niets aan een slaapkamer deed denken, het had veel meer van een omgebouwde strijk- of naaikamer, in ieder geval was er meer dan genoeg plaats voor de leunstoel, het bed met gedraaide poten, de zwarte commode, de lampettafel die zo uit een sacristie leek te komen, de robuuste houten tafel, de half ontwrichte klerenkast en de met paarlemoer ingelegde secretaire. Er hing bovendien een vettige lucht die door de okerachtige muren werd uitgewasemd, een ranzig mengsel van ontsmettingsmiddel en lampolie dat ondanks de openstaande ramen hardnekkig was blijven hangen in de erker die uitzicht bood op de achterkant van het park.

'Het lijkt wel of don Ismael hier nog altijd is,' zei mijn neef terwijl hij die muffe geur opsnoof. 'Maar dan dood.'

De laden van de kast en de commode stonden open en waren leeg of bevatten slechts vodjes papier, wat oude kleren en onaangebroken potjes medicijnen. Maar de secretaire zat op slot en was met geen mogelijkheid open te krijgen, niet op dat moment en ook niet daarna, vandaar dat voor mij dat potdichte meubelstuk – dat nog lang ontoegankelijk zou blijven – een geheim ging vertegenwoordigen, een geheim dat langzaam van betekenis veranderde en uiteindelijk de kwellende verpersoonlijking werd van mijn angst en wroeging, van een vage misdaad waarover ik tot dan toe alleen maar had gedroomd, hoewel die wel degelijk iets met de werkelijkheid te maken had.

Mijn oom Alfonso María noch mijn tante Socorro hadden het ooit over die secretaire en vroegen al evenmin naar de sleutel ervan. Maar mijn tante Carola was er van het begin af aan van overtuigd dat de kapelaan daar iets meer dan alleen maar mis- en martelaarsboeken in had weggestopt en dat het daarom misschien wel nuttig zou zijn te weten wat dat nu eigenlijk was, niet zozeer omdat ze plezier had in het ontraadselen van geheimen, maar gewoon om duidelijkheid te krijgen. Er was echter niemand die serieus overwoog de secretaire open te breken. Trouwens, men wist niets van het bepaald niet onbelangrijke detail dat de kapelaan de sleutel aan het kwezeltje Micaela had gegeven en dat zij daardoor allang de gelegenheid had gehad om alles weg te moffelen wat zich in de secretaire bevond. Hoe dit ook zij, er werd pas weer over deze zaak gepraat toen de omstandigheden ertoe dwongen.

Omstreeks die tijd gingen mijn oom en tante op reis naar Cuba en het duurde meer dan twee maanden voor ze terugkwamen. Van haar moeder had mijn tante Socorro namelijk onlangs een rietsuikerplantage geërfd met een groot koloniaal huis erbij, La Ceiba Grande, ergens tussen Minas en Nuevitas in de provincie Camagüey. En daar waren ze heengegaan, niet om de leiding van de plantage op zich te nemen, want die liep op rolletjes, maar om hun nieuwe bezittingen te bekijken, de filialen van de bodega op het eiland te bezoeken en ondertussen een beetje bij te komen.

De reis was erg geslaagd, ook al hadden de echtgenoten erg weinig tijd samen kunnen doorbrengen: mijn oom speelde als Romero een belangrijke rol in het sluiten van handelsovereenkomsten, of deed in ieder geval of hij tot diep in de nacht onderhandelingen moest voeren, terwijl mijn tante stikte van de hitte op de plantage, waar ze als een nukkige opzichter rondliep en onbeantwoordbare vragen stelde. Alles wijst er echter op dat mijn oom tijdens deze reis vooral aan zijn eigen genoegens dacht. Zo probeerde hij bijvoorbeeld de beste havanna's uit van het merk Por Larragaña en zorgde er meteen voor regelmatig een voorraadje ervan toegestuurd te krijgen met zijn naam op de sigarenbandjes gedrukt; hij probeerde een mulattin uit en omdat die hem beviel liet hij haar zo snel mogelijk naar Spanje sturen; hij probeerde een goede rum uit en stelde zich direct ten doel sterke drank te produceren die net zo lekker was; ten slotte probeerde hij een Amerikaanse auto uit en liet onmiddellijk een turkooizen exemplaar voor hem bestellen. De reis was dus al met al erg geslaagd voor hem.

Mijn oom kwam een stuk dikker en gezonder terug van Cuba dan toen hij vertrok en was veel minder dan voorheen bereid te accepteren dat zijn beslissingen ter discussie werden gesteld, terwijl mijn tante door haar manier van praten en bewegen regelrecht in een negerin leek te zijn veranderd. Hoewel zij haar man al zijn scharrels en leugens vergeven had, had hij haar niet toegestaan een negermeisje mee te nemen, dat niet alleen in de toekomst hun dienstmeisje had kunnen worden, maar haar ook op een fantastische manier gezelschap had kunnen houden tijdens de ritjes in de landauer. Het was mijn tante echter wel gelukt om per schip vier enorme kisten met allerlei exotische spullen en een overvloed aan onduidelijke gebruiksvoorwerpen te laten versturen. Een soort bizarre uitzet die eerlijk onder familie en dienstpersoneel werd verdeeld en die achter de schermen door jaloezie die dat opriep zelfs een paar ruzies veroorzaakte.

De afwezigheid van de heer en vrouw des huizes had geen enkele nadelige invloed op het reilen en zeilen van het huishouden en de bodega's gehad, sterker nog, dat was in bepaalde opzichten zelfs verbeterd doordat de aantallen bezoeken en defilés flink waren afgenomen en er minder overdreven op de uitvoering van huishoudtaken werd toegezien. Mijn opa leek zelfs meer dan tijdens de aanwezigheid van zijn zoon te accepteren dat hij niet langer de eerste Romero was. Slechts een enkele keer drukte hij vanuit zijn bed een beslissing door en misschien deed hij dat alleen maar om te laten zien dat hij nog altijd in staat was van zijn ondergeschikten een gehoorzaamheid af te dwingen waar zelfs mijn oma het nakijken bij had.

Mijn oom en tante waren nog niet zo lang terug toen het afschuwelijke nieuws van Cuba kwam dat een groep opstandelingen op het oostelijk deel van het eiland was geland met de snode bedoeling president Batista ten val te brengen. Mijn oom kreeg onmiddellijk een vreselijke woedeaanval waarbij hij met zijn rijzweep van zeekoeienleer alle vijanden afranselde die hij in gedachten voor zich zag. En nadat hij de Cubaanse ambassadeur had gebeld om hem alle hulp aan te bieden die nodig was, rekende hij de schade uit die hij zou lijden wanneer die roversbende zijn bezittingen inpikte. Alsof zijn eigen leven ervan afhing, of – even onzinnig – het hele bestaan van zijn bedrijf, zorgde hij er vanaf dat moment voor steeds in direct contact met Havanna te staan zodat hij de ontwikkelingen in die afschuwelijke oorlog op de voet kon volgen.

Ik bracht de weekeinden meestal in opa's huis met mijn neef en nicht door (als zij tenminste niet bij mij thuis kwamen), hoewel we ook af en toe met mijn tante Carola of mijn moeder naar een van de landerijen in de buurt gingen die de Romero's – ieder voor zich of gezamenlijk – bezaten. Ik geloof dat we het liefste naar Cerroperdigón gingen, een wijngaard, en La Valerita, een landgoed met kurkeiken, misschien omdat we daar altijd wel spannende avonturen beleefden. Vaak maakten we de tocht er naartoe in de landauer of de victoria en dan mochten we van de koetsier Epifanio op sommige stukken, waarschijnlijk ook nog de gevaarlijkste, een tijdje de teugels vasthouden. Maar het spannendste van allemaal was de zeiltocht die we op een dag maakten in de boot van een Engelsman, David Leiston genaamd, die in een naburig havenstadje woonde en getrouwd was met een vriendin van mijn tante. Die tocht in de woelige monding van de rivier en over de kobaltblauwe golven van de zee om te gaan vissen bij Argónida was echt het spannendste avontuur dat we ooit hadden meegemaakt. Mijn neef kreeg het fokzeil onder zijn hoede en ik hielp de schipper het grootzeil te gijpen terwijl ik half in de giek hing. Ik herinner me dat we in de buurt van het moeras van boord gingen, vlakbij een kurkdroge poel, en op eigen gelegenheid een ontdekkingstocht door dat spannende gebied maakten. Mijn tante ging met haar vriendin zitten op het strand vol krabbenholletjes, naast de vermolmde resten van een aanlegsteiger, om de picknickmand uit te pakken.

'Zorg ervoor in de buurt te blijven,' zei ze tegen ons, 'zodat ik jullie kan zien.'

Maar ze zou ons echter een flinke tijd niet te zien krijgen. We volgden een paadje tussen dichte bremstruiken door en ontdekten in de verte de doodstille gestalten van herten en de vluchtige schim van wat wellicht een everzwijn was dat het kreupelhout invluchtte. Het was een erg zonnige dag en doordat het zand van de in het landschap scherp afstekende duinen fel oplichtte, leek de blauwe lucht nog meer te verbleken. We lieten ons van een helling afrollen die naar een pijnbomenbos afdaalde en daarna lagen we op een open plek tussen cistusrozen die bij vloed zelfs onder water stroomde. Als door een beslagen ruit zagen we een vissende wouw over ons heen scheren en, verder weg, een zwerm meerkoeten die in de richting van de rietvelden verdween.

En het was op dat moment dat mijn nichtje Marianita totaal onverwacht en vlakbij ons op haar hurken ging zitten om te plassen. Mijn neef keek de andere kant op maar ik zag wat zij op geen enkele manier verborgen wilde houden. Ik zag vaag de gespleten glooiing van haar rozeachtige geslacht, een vlezige verdikking waar een dun laagje fijn haar op groeide en die leek te kloppen door een kracht die niets met mijn nichtje van doen had maar uit de aarde zelf kwam. Tegelijkertijd had ik het idee dat dit beeld in het diepst van mijn wezen met een duister schuldgevoel verbonden raakte. Het was alsof dat plassen van Marianita iets te maken had met het raadsel van don Ismaels secretaire, die ik plotseling met een verschrikkelijke misdaad was gaan associëren. Toen drong het tot me door dat die secretaire steeds weer in mijn dromen was verschenen sinds ik hem in zijn kamer had ontdekt. Maar meer nog dan de verschijning van die secretaire was het de herinnering aan een al even raadselachtige juwelenkist, kleverig van de lak en gebarsten van ouderdom, die me nu zo'n onbehaaglijk gevoel bezorgde, een kist die ik ooit ergens had gevonden maar die nu spoorloos was verdwenen en waarin ik iets waardevols had verstopt dat ik gestolen had.

6

De steun van de wijnboeren aan de monarchie van koning Alfonso – waarvoor de stichter van bodega Romero zich altijd sterk had gemaakt – leverde in ieder geval resultaten op bij de gemeenteverkiezingen van 1931: de plaatselijke kandidaten van de monarchisten behaalden daarbij namelijk de overwinning. Hoewel het maar een nipte zege was die verder geen praktische gevolgen had, vormde het voor don Sebastián Romero een overduidelijk bewijs van zijn persoonlijke macht tegenover de zojuist uitgeroepen Republiek. Maar zijn trots veranderde al snel in woede toen hij te horen kreeg dat een van de landerijen van Adelaida Conticinio, Bensaudejo, met een omvang van meer dan tweeduizend hectaren, werd onteigend.

Hoewel al die grond eigenlijk braak lag (niet uit laksheid maar omdat men voor de bewerking niet over voldoende mankracht beschikte), wenste don Sebastián noch zijn vrouw een dergelijke brutaliteit te tolereren die hun zoveel schade berokkende, niet alleen materieel, maar vooral geestelijk. Terwijl Adelaida Conticinio alleen maar vroeg waar die grond nu lag en of je daar eigenlijk wel iets anders had dan sprinkhanen, wenste haar echtgenoot de regering met de toorn van een priester naar de hel en vervloekte op alle mogelijke manieren die bende ketters die een wet in elkaar hadden geflanst die slechts hun eigen voordeel diende. Nadat hij uitgeraasd was, gaf hij zijn advocaten opdracht onmiddellijk alle gerechtelijk procedures te starten die maar mogelijk waren om zijn eigendom op te eisen, ook al wist hij dat hij door die procedures alleen nog maar meer vreselijke woedeaanvallen zou krijgen.

'Die klootzakken zullen nog wel merken wie ze tegenover zich hebben,' riep hij met een stalen gezicht en een triomfantelijke blik in zijn ogen. 'Als ze het wagen ook maar iets op dat land te verbouwen, krijgen ze met mij te doen. Ik laat heus geen loopje met me nemen.'

Om op zijn manier wraak te nemen voor de belediging die hij had ondergaan nodigde don Sebastián alle werknemers van zijn bodega's en landerijen uit – van bedrijfsleiders en kantoorbedienden tot opzichters en dagloners – voor een gigantisch en broederlijk feestmaal, waarop hij plechtig een reeks verbeteringen in de arbeidsomstandigheden zou aankondigen en ook nog andere, bijkomende maatregelen. De waarheid is dat die enigszins heetgebakerde wijnboer met zijn opvliegende karakter, zijn voorliefde voor cream sherry en zijn nogal merkwaardige toepassingen van de tien geboden (en die iemand even gemakkelijk als gelijke kon behandelen als arrogant beledigen), door zijn werknemers toch op handen werd gedragen. Zijn despotisme of hooghartigheid vond dikwijls een tegenwicht in erg resolute gebaren waaruit toch een duidelijk sociaal gevoel sprak, waarbij hij niet zelden – en als een heuse koning Salomon – instemde met eisen van vakbonden of persoonlijke petities van wie dan ook. Zeer waarschijnlijk droeg ook de gehoorzaamheid aan de baas, een uiting van het instinctieve verlangen naar zekerheid waardoor de zwakke ertoe komt zich aan de machtige te onderwerpen, er enigszins toe bij om een bepaalde saamhorigheid in de bedrijven van don Sebastián te creëren. In ieder geval hield het de acties en stakingen die zich als een olievlek door de streek begonnen uit te breiden een beetje buiten de deur.

Dat feestmaal vond op een zaterdag in het park naast de belangrijkste bodega plaats. En daar verenigden zich de meer dan vijfhonderd werknemers die in die tijd, tijdens het hoogseizoen, in de verschillende wijn- en landbouwbedrijven van de stichter van bodega Romero werkten. Het was een broederlijk en overvloedig banket dat tot laat in de avond doorging en waarop zo'n tweehonderd vijftig flessen droge sherry en tweehonderd flessen cream sherry, brandy en likeur soldaat werden gemaakt. Bij het nagerecht kondigde de gastheer met een lallende stem en een troebele blik in zijn ogen aan dat hij een commissie van deskundigen had benoemd om twee belangrijke plannen van de grond te krijgen: de oprichting van een coöperatieve bedrijfswinkel die goedkoop in de behoeften van het personeel zou voorzien en de bouw van een eerste complex woningen (er zouden er nog meer volgen) voor de minst bedeelden van die grote familie waarvan hij – en hij alleen – het hoofd was en waaraan hij alle zorg schonk die zij verdiende. Nadat hij een toost had uitgebracht op die zo voorbeeldige familie, waarbij hij zelfs de Heer der heerscharen aanriep, zakte hij rood aangelopen in zijn rieten stoel doordat de drank hem wat teveel geworden was. Een massaal gejubel en gejuich steeg in het park tussen de bomen op om via de erkers en balkons aan de achtergevel het huis binnen te dringen. En als dat niet door Adelaida Conticinio werd gehoord, dan kwam dat alleen maar omdat zij zo laat in de avond meestal niet thuis was.

Maar wie het wel hoorden en van de gelegenheid gebruik maakten waren de drie kinderen, of liever gezegd de drie adolescenten die nog altijd kinderen genoemd werden terwijl ze dat eigenlijk allang niet meer waren. Die zaten zich op dat moment te vervelen bij de Engelse les van de miss en toen Alfonso María merkte dat het feestgedruis door bleef gaan, keek hij eerst veelbetekenend zijn twee zussen aan om vervolgens tegen de juffrouw te zeggen dat hij hoofdpijn had en of ze misschien zo vriendelijk wilde zijn om pas de volgende dag verder te gaan met de les. Nadat de miss hem even met een raadselachtige blik had aangekeken stond ze op zonder een woord te zeggen, haar bril bungelend op haar borsten en het tweede deel van *De reizen van kapitein Cook* (London Magazine Press, 1926) onder haar zwetende oksel geklemd.

Alfonso María wachtte tot de miss weg was en stelde vervolgens aan zijn zussen voor het park in te gaan dat rondom het huis lag, niet om daar te wandelen, maar om te zien wat er op het feest gebeurde, want het park liep namelijk door tot aan de bodega. María Patricia had een slechte dag en zei dat dat haar erg saai leek: ze konden veel beter een film gaan kijken of iets nog leukers gaan doen in huis. Maar Carola wilde wel met haar broer mee op avontuur en had zelfs een nog spannender plan: niet door het park lopen maar er omheen en uiteindelijk via het kantoor, waarvan de deur vanwege het feest vast en zeker open was, de bodega ingaan. Dat leek Alfonso María een goed plan, zelfs nog beter dan zijn eigen plan omdat het gevaarlijker was. Nadat ze aan de diep teleurgestelde María Patricia hadden gevraagd hen niet te verklikken, lieten ze haar in haar eigen sop gaar koken en slopen ongezien de deur uit.

Op de esplanade was zoals gewoonlijk niemand te zien. Een zwak schijnsel, als van licht dat door matglas valt, kleurde de muren van het huis diepblauw. Langs de zijgevel liep een nauw pad, in opdracht van don Sebastián Romero betegeld met plavuizen uit Tarifa, dat broer en zus, die al hun angst inmiddels hadden overwonnen, naar een verlokkend, onbekend gebied voerde. Het pad was aan beide randen witgekalkt, alleen maar voor de sier want eigenlijk had dat geen enkel praktisch nut. Aan het einde ervan, halverwege de zijgevel van het huis, boog het scherp af en kwam het uit op een brede oprijlaan die langs de tuinmuur liep waar een laag glasscherven op was gemetseld. Aan de andere kant van de muur stonden een paar gebouwen die aanvankelijk dienst hadden gedaan als bodega's voor de beste wijnen maar die later als magazijn werden gebruikt voor zowel wijnkisten als azijnvaten.

Met de invallende duisternis begon het te dauwen en sloegen de lichtplekken die de ondergaande zon op de tuinmuur liet vallen de een na de ander op de vlucht. De gevels van de omliggende huizen veranderden in een vaag geheel van vijfhoekige witte muren en schuine daken begroeid met onkruid en korstmos. Hoewel je nog altijd contouren kon onderscheiden, was het enigszins saaie geometrische stadsgezicht van overdag, met zijn eenvormige perspectief van een voortdurend herhaalde gemeenschappelijke bouwtrant, totaal verdwenen.

De tuinmuur liep door tot aan de hoek van een groot en rijk versierd gebouw, dat don Sebastián Romero vijftien of twintig jaar geleden speciaal had laten bouwen om het hoofdkantoor van de bodega in onder te brengen. Het had twee verdiepingen en de voorgevel liep uit in een driehoek waar, boven een balkon met barokke gietijzeren spijlen, een afdakje van leisteen met consoles in de vorm van druiventrossen was aangebracht en ook een protserige porseleinen klok met wijzers die op wijnnapjes met zo'n lange steel leken. Het gebouw had twee enorme deuren en omdat eentje ervan op een kier stond, bedachten Alfonso María en Carola zich geen moment en glipten naar binnen. Daarbij renden ze zo hard dat de portier niet eens de kans kreeg om vanachter het venster zwakjes met zijn hoofd te knikken.

Ze liepen door een halfverlichte gang, waar aan de muur de portretten hingen van de zogenaamde voorvaderen van de stichter van bodega Romero, onschuldige stand-ins voor zijn kleurloze maar ongetwijfeld eerlijker voorgeslacht van winkeliers en straathandelaars. Aan weerszijden bevond zich een rij mahoniehouten deuren die onlangs gelakt leken te zijn en allemaal van een glimmend koperkleurig bordje waren voorzien waarin een naam stond gegraveerd. Terwijl Carola die één voor één aan het lezen was liep er een troep feestgangers in hun zondagse kleren voorbij naar de uitgang, waardoor broer en zus geschrokken doorliepen.

Aan het einde kwam de gang uit op een grote binnenplaats met een zandvloer en rondom sinaasappelbomen. De muren van de bodega's waren grotendeels begroeid met passiebloemen. In een van die muren was een opvallende gedenktegel aangebracht waarop de met bloemenslingers versierde naam La Purificación stond. Vlak er bij bevonden zich twee enorme poorten, elk met een klinket, waardoor je in de bodega's kwam met de beste wijnen. Alfonso María duwde een klinket open en stapte op de voet gevolgd door Carola naar binnen. En daar stonden ze plots in een angstaanjagende, duistere en hermetische wereld: een grote, doodstille bodega met zes bogen op verschillende hoogten, waar bijna geen straaltje licht binnenviel en waar de echo's van hun voetstappen wegstierven achter de zuilen en wijnvaten. De muren waren bedekt met een vreselijk dikke laag spinrag en de lucht die er hing, een doordringende, zware en onbeschrijflijke geur van gist die voor altijd aan je bleef hangen, was werkelijk om te snijden. Als je in die bodega naar binnen ging leek het dan ook of je tegen een dikke muur opliep.

Carola, die het gevoel had dat ze droomde, liep angstig door die duisternis terwijl ze het vocht van de zojuist besproeide zandvloer langs haar benen omhoog voelde kruipen en meende de wijn te horen zuchten bij het hevige gevecht van de micro-organismen op de bodem van de vaten. Ze ging dicht tegen haar broer aan lopen om door een vertrouwde, geruststellende aanraking de angst te verdrijven die haar had overmand. Maar Alfonso María keurde haar geen blik waardig en liep gewoon door: hij ging regelrecht naar een plek die hij goed moest kennen aan het einde van de bodega. Langs de lange rijen met vaten – die vier verdiepingen hoog waren gestapeld, in de onderste bevond zich de oudste wijn – liepen ze naar een zuil waaraan een reflector hing. Door het licht dat in het blik van de reflector weerkaatste waren op de zandvloer dansende schaduwen te zien, die minder angstaanjagend werden naarmate ze dichterbij kwamen. Onder de reflector stond een protserig meubelstuk, een soort console met een rek in spitsboogvorm waarin – omgekeerd – een aantal proefglazen hing. Aan beide zijden van de console hingen ook een paar zilveren wijnnapjes met een lange zwarte steel, waarvan Alfonso María de grootste uitkoos. Vervolgens pakte hij een glas en liep naar het dichtstbijzijnde vat. Hij haalde de stop eraf, rook verschillende keren als een heuse wijnkenner aan de kurk en stak het napje door het gat naar binnen waarbij hij een korte stoot gaf zodat het in één keer door de op de wijn drijvende schimmellaag heen zou gaan. Daarna haalde hij het napje, dat vanwege zijn onervarenheid trilde, meteen weer uit het vat omhoog.

Toen Alfonso María de stop uit het wijnvat trok leek de diepe stilte die in de bodega heerste werkelijk hoorbaar te worden: het was alsof die uit het binnenste van het vat naar buiten kwam. Onbeholpen goot hij de wijn uit het overlopende napje in het glas en in de intense geur die zich daarbij verspreidde rook je een hele waaier aan plantengeuren. Hij nam een flinke slok en daarna gaf hij het glas aan Carola die het met een trillende hand, zonder iets te zeggen en lichtjes kokhalzend, in één teug leegdronk. Daarop twijfelde Alfonso María of hij dat bepaald niet eenvoudige ritueel een keer moest herhalen met een ander vat of dat ze door zouden lopen. En net toen hij had besloten om maar door te lopen, hoorden ze steeds duidelijker het geschreeuw van een massa mensen dat uit een van de poorten aan het einde van de bodega kwam.

Broer en zus liepen nu haaks op de richting waaruit ze gekomen waren en staken de middengang van de bodega over tot ze bij de zijmuur met dichtgemetselde bogen kwamen waarin wat vensters waren aangebracht met uitzicht op het park. Daar probeerden ze doorheen te kijken, maar de ruiten waren zo stoffig dat ze slechts vaag een stapel kuiphout konden onderscheiden en de bocht van een pad dat tussen half uitgebloeide blauweregens doorliep. En daarlangs kwam in een lange rij en onder luid geschreeuw het grootste deel van de feestgangers aangelopen. Toen Alfonso María tegen Carola zei dat ze maar beter eventjes konden wachten, haalde zij haar schouders op, misschien omdat ze al spijt had gekregen van die ontdekkingstocht die alleen maar uit het ontwijken van die wilde bende feestgangers leek te bestaan zonder dat er iets echt spannends gebeurde.

De ruimte vulde zich met het kabaal van die stoet mensen die aan de andere kant van de bodega naar de uitgang liep. Een enorme golf die dreunend over de zandvloer kwam aangerold om zich met een woeste klap in de duisternis uit te storten en ruw de strenge orde van de bodega – met zijn diepe stilte van een klooster – te verstoren. Carola greep zonder erg de hand van Alfonso María vast, maar die maakte zich onmiddellijk los en gebaarde dat ze zich niet zo aan moest stellen en hem moest volgen. Dat deed ze uiteindelijk en zo slopen ze dan voorzichtig naar een halfopenstaande schuifdeur waardoor je via een kleine binnenplaats in een andere, nog grotere bodega uitkwam, maar waar een minder plechtige stilte heerste: een eindeloze ruimte met een hoog, recht dak waarin ze vaag wel veertien rijen met drie verdiepingen vaten konden onderscheiden.

In een flits viel het Alfonso María in dat dit de bodega van de exportwijnen moest zijn en dat hier meer dan zevenduizend vaten lagen. En omdat elk vat vijfhonderd liter bevatte, wilde dat zeggen dat hier in totaal zo'n drie en een half miljoen liter wijn lag, wijn die naar Londen zou worden verscheept om daar gebotteld en gedistribueerd te worden. Alfonso María voelde de laatste tijd bij het maken van dit soort gigantische rekensommen een steeds grotere opwinding omdat hij de implicaties ervan steeds duidelijker begon te begrijpen. Het kan dan ook best zijn dat hij precies op dat moment zich er voor het eerst echt bewust van werd dat hij, als enige zoon van de stichter van bodega Romero, bestemd was om die enorme rijkdommen in ontvangst te nemen en te beheren.

Alfonso María was trouwens tussen neus en lippen door al heel wat aan de weet gekomen over het reilen en zeilen van de wijnbouw en de paardenfokkerij. Hij zag zichzelf al als een heuse man elke keer wanneer hij zijn vader uitvroeg over de wijngaarden, de paardenstallen en bodega's, over de kneepjes van het vak, of zelf op onderzoek uitging. Ook al had zijn recente straf in een bottelarij er alleen maar toe bijgedragen dat hij nog meer van het rechte pad was afgedwaald en dat hij lichamelijke arbeid als iets minderwaardigs was gaan beschouwen. Bovendien begon het steeds meer tot hem door te dringen dat bevelen en bevolen worden twee totaal verschillende dingen waren.

En daar stond die leerjongen nu, voor het eerst in het volledige besef de enige erfgenaam van die gigantische rijkdom te zijn. Half en half herinnerde hij zich iets dat hij had opgevangen over de risico's van diefstal doordat de wijn in vaten werd geëxporteerd en niet in flessen. Hij stond net op het punt Carola daarover een wijsneuzerige uitleg te geven, toen hij plotseling iets als gezucht, sluipende voetstappen en het stilletjes sluiten van een deur hoorde, iets abnormaals in ieder geval dat de stilte in de bodega verstoorde en hun een van de mogelijke uitwegen versperde. Op de zandvloer tussen de vaten rondom hen tekende zich steeds duidelijker een wirwar van kleinere of grotere schaduwen af doordat er ergens in de bodega een steeds feller wordend licht binnenviel. Carola werd overrompeld door haar diepe angst voor de ratten in de bodega: die schimmige beesten dronken van cream sherry lagen stinkend naar sulfiet achter de vaten op de loer om zich, wanneer je nietsvermoedend langsliep, plotseling op je te storten en je een slagader door te bijten.

Aan een zijkant van de bodega lag de wijnproeverij die de stichter van bodega Romero (op instigatie van zijn vrouw) in een soort expositieruimte voor paardentuig had veranderd. De muren hingen dan ook vol met leidsels, oogkleppen en riemen, schilderijen van paarden en prenten van rijtuigen, daarnaast stond er een hele rits pak- en rijzadels waar je op kon gaan zitten en een rijtuig zonder kap waarin alle wijnen van de bodega werden gepresenteerd. Omdat het geluid vast en zeker daar vandaan kwam, slopen broer en zus stilletjes naar de deur om te zien waardoor het werd veroorzaakt. Het leek onwaarschijnlijk dat een opzichter of bewaker zich op dat tijdstip in die ruimte bevond en nog onwaarschijnlijker was dat een dronken gast had besloten om er in zijn eentje door te feesten. Carola drukte zich dicht tegen Alfonso María aan omdat ze dacht dat er elk moment vanuit een hoek een rat op hen zou kunnen springen. En precies op dat moment klonk er een heel hoog, doordringend gepiep dat zich dwars door de doodstille duisternis boorde en zich in concentrische cirkels door de hele bodega verbreidde.

Vlakbij de deur was dat gepiep sterker maar ook minder constant. Carola bleef nu een stukje achter. Ze voelde zich wat licht in haar hoofd door de sherry die ze gedronken had en met die vage gestalte van haar broer naast zich werd dat gevoel alleen maar erger. Ze bedacht zich dat haar bleke gezicht een prachtig doelwit was voor elke vijand. Alfonso María drukte intussen zijn oor uiterst voorzichtig tegen een van de oplichtende kieren in de deur. Hij hoorde een zwak gemurmel of liever gezucht, dat eerst nog praktisch onherkenbaar was maar hem steeds meer aan een zieke deed denken die zwaar ademhaalde en daarbij plotseling klagelijk kreunde. Toen Alfonso María zich al weer van de deur had afgewend zonder nu precies te weten wat er zich achter afspeelde, meende hij de stem van zijn vader te herkennen die een soort dierlijk gebrul uitstootte, zoiets als het diepe gegrom van een hond, en dat hem plots aan het kwaaie gebrom had herinnerd dat hij 's avonds vaak liet horen. Hij spitste zijn oren, maar omdat hij nieuwsgierig was geworden en ook wilde zien wat zich aan de andere kant van de deur afspeelde, zocht hij in de buurt naar iets waarop hij kon gaan staan om door het raampje te kijken dat boven de deur was aangebracht. Carola vroeg fluisterend wat hij ging doen en geschrokken voegde ze eraan toe dat als ze niet uitkeken de deur van de bodega op slot zou gaan omdat het al laat was en dat ze dan de hele nacht daar zouden moeten blijven zitten met al die ratten die overal als schimmen door de duisternis schoten. Maar haar broer gebaarde haar dat ze haar mond moest houden en begon onmiddellijk aan een soort ijzeren frame te sjorren dat hij precies voor de deur schoof. Terwijl hij met moeite houvast vond bij de muur, klom hij zonder lawaai te maken in het frame tot hij, in een uiterst ongemakkelijke houding, door het raampje kon gluren.

Het eerste wat Alfonso María zag was een erg donker meisje – ze kwam hem bekend voor – dat achteroverleunde op een pakzadel met haar rok opgeschort tot op haar buik. Haar gladde dijen waren van een schitterende weelderigheid. Hoewel het niet goed te zien was onderscheidde hij ook de rug van zijn vader die op en neer leek te schommelen tussen de gespreide benen van het meisje. Alfonso María voelde zich vuurrood worden van schaamte. Terwijl ze zich aan beide zijden van het zadel vasthield zakte het meisje loom onderuit, haar mond half open en haar ogen bijna dicht.

Dat was het dus. Alfonso María klom even voorzichtig naar beneden als hij omhoog geklommen was en fluisterde zijn zus toe dat hij niets bijzonders had ontdekt en dat ze maar beter konden maken dat ze wegkwamen. Misschien had hij op dat moment het sluwe (en misschien ook uit zijn eigen schaamte voortkomende) idee gekregen dat hij nu, doordat hij zijn vader op deze manier had betrapt, een prachtig wapen in handen had gekregen om in de toekomst tegen hem te gebruiken wanneer hij zelf zijn boekje te buiten zou gaan. Maar vanzelfsprekend zei hij daarover niets tegen Carola, die hem maar amper bij kon houden terwijl ze snel terugliepen via de bodega's, de binnenplaatsen en de gang van het kantoor. Buiten was het intussen stikdonker geworden.

7

Aangezien mijn oom Alfonso María erg vast sliep en absoluut niet tegen rinkelende wekkers kon, liet hij zich 's nachts om de drie uur wekken door een bediende die hij daarvoor speciaal had aangesteld. Dat was een behoorlijk vervelend karwei want die bediende moest precies in de gaten houden hoe laat mijn oom 's nachts thuiskwam – iets waar geen peil op te trekken viel – en hem vervolgens drie uur later wekken. Dan moest hij hem een kruikje goede cream sherry brengen en exact twee glazen inschenken, niet meer en niet minder. Daarna ging mijn oom weer slapen, althans zo leek het in ieder geval, om na precies drie uur hetzelfde ritueel uit te voeren. Hoewel dat normaal gesproken niet meer dan twee keer in de nacht plaatsvond, was het vervelendste van alles dat mijn oom soms pas bij het krieken van de dag naar bed ging waardoor de bediende ook nog een groot deel van de ochtend wakker moest blijven om zijn opdracht uit te voeren. Vandaar dat als je die bediende ergens in huis tegenkwam hij gewoonlijk half liep te slapen en een gezicht trok alsof hij elk moment zijn ontslag zou kunnen nemen. Maar dat deed hij niet want uiteindelijk paste de bediende dat sherryrecept van de heer des huizes ook op zichzelf toe en wist hij bovendien redelijk goed aan diens onvoorspelbare wakes te wennen.

Naast deze vervelende gewoonte die mijn oom erop nahield was hij ook nog een bijzonder fanatiek jager. Misschien had hij dat een beetje van mijn opa Sebastián meegekregen (of misschien was het wel het gevolg van zijn duistere verleden als militielid), in ieder geval had hij zich met een ongelooflijk fanatisme op de jacht gestort. Hij begon met jagen op klein wild, vervolgens legde hij zich toe op de valkenjacht, daarna op de jacht op groot wild en ten slotte ging hij op safari, hoewel hij toen zijn jachtmanie zich wat verder had ontwikkeld al deze varianten ervan naast elkaar beoefende. Na verloop van tijd liet hij een groot vertrek in het huis speciaal inrichten voor al zijn spullen die met de jacht te maken hadden, waardoor hij alles overzichtelijk bij elkaar en binnen handbereik kon zetten: geweren, kleding, munitie, boeken, geweerriemen, trofeeën, verrekijkers, patroongordels en wat dies meer zij. Het enige wat niet in dat vertrek terechtkwam was de opgezette luipaard die al sinds tijden op de patio stond, hoewel mijn oom daarvoor wel een vitrine liet maken om hem tegen mot en mattenkloppers te beschermen.

Mijn oom legde een erg mooie verzameling jachtboeken aan, waartoe ook een paar zeer waardevolle exemplaren behoorden. Onder meer een geïllustreerde editie uit 1698 van *Het boek van de vogeljacht* van de hofsecretaris Pero López de Ayala en daarnaast nog een paar zeldzame boeken van minstens een eeuw oud, zoals *De vogeljacht* van Lytton Camperdown, *De lange jacht* van Jacques de Fouilloux, *Verhandeling over de valkenjacht* van Gabriel Espinosa of *De jachtpartij* van Percival Claverhouse, een boek dat een geschenk was van Robert Finsbury, de architect van mijn opa's huis, die eigenlijk nog steeds in de stad was gebleven om nieuwe bodega's te ontwerpen en om ze daarna ook bijna leeg te drinken. Zeer waarschijnlijk had hij dat erg waardevolle boek aan mijn opa cadeau gedaan uit dankbaarheid voor de bouwopdracht die hij hem ooit gegeven had.

De jachtgeweren – dubbelloopsgeweren, repeteergeweren en snelvuurgeweren, met en zonder getrokken loop – stonden in vier vitrines, gesorteerd op kaliber en functie, te weten: drie Remingtons van 5 en drie Dombeys van 22 millimeter voor de vogeljacht; vier Remingtons van 24.3 en drie Alfa's van 25.5 millimeter voor de konijnen- en vossenjacht; twee Victors van 30.8 en twee Dobeys van 28 millimeter voor de herten- en everzwijnenjacht; en ten slotte drie Winchesters van 35.8 en een Victor van 37.5 millimeter voor het jagen op tijgers, leeuwen en vergelijkbare roofdieren. Ook stond er in een soort urn een oude Mauser van het leger met in één kant van de kolf de pijlenbundel van de Falangisten gebrand en in de andere de initialen MF, waarvan de letters één geheel vormden zoals de letters die bij het brandmerken van vee worden gebruikt. Mijn oma Adelaida en mijn tante Carola moesten de geschiedenis van dat museumstuk kennen en ook de reden dat het zo zorgvuldig werd bewaard, maar ze wilden me er nooit iets over zeggen. En mijn ouders gaven me al evenmin veel duidelijkheid.

'Dat geweer zal wel uit de oorlog zijn,' opperde mijn moeder. 'Maar wat kan jou dat nu eigenlijk schelen?'

En ik bracht, zonder te weten waarom ik dat deed, die voor mij zo raadselachtige oorlog in verband met het hardnekkig bewaarde geheim van don Ismaels secretaire. Of liever gezegd met die juwelenkist die steeds in mijn dromen opdook en waarvan ik niet wist of die nu iets met de kapelaan te maken had of met mezelf. Het was de steeds terugkerende wroeging over een onduidelijke zonde die ik had begaan en die ik niet eens kon biechten. Een duistere herinnering die me voortdurend bleef achtervolgen en die me een schuldgevoel bezorgde over een misdaad die ik in werkelijkheid misschien wel nooit had begaan. Ik denk dat ik door mijn hardnekkige weigering om daarover te praten ook steeds minder over andere dingen ging praten.

Met de regelmaat van de klok werden er door mijn oom of andere fanatieke jagers op verschillende plaatsen in de siërra jachtpartijen georganiseerd. Elke week was er wel eentje. En later volgden er flink wat safari's in Tanganyika en Kenia, landen die de stoutste dromen van mijn neef en mij overtroffen en die we vol opwinding opzochten op de wereldkaart. Soms nam mijn oom bij een jachtpartij de koetsier Epifanio mee als hulpje – en soms zelfs als blok aan zijn been –, vooral wanneer hij op patrijzen ging jagen of wanneer er drijfjachten op fazanten werden gehouden. De koetsier Epifanio was al niet meer zo goed ter been, maar wanneer hij echt wilde had hij nog altijd een grote handigheid in de drijfjacht met honden en kon hij het wild al op grote afstand ruiken. Alles hing er daarbij van af of er een goede wijn voorhanden was, die hem als een toverdrank plots een betere gezondheid gaf.

Epifanio zelf vertelde ons dat op een keer toen ze op een terrein in Argónida aan het jagen waren samen met wat belangrijke figuren, ze plotseling op een everzwijn waren gestuit dat tussen een paar jeneverbesstruiken lag. Iedereen stond als verlamd en mijn oom gebaarde dat ze zich doodstil moesten houden. Vervolgens liet hij twee inmiddels half dol geworden honden los, een paar erg felle foxterriërs, met de duidelijke bedoeling dat everzwijn overeind te krijgen. Inderdaad kwam het beest uit de struiken te voorschijn om zich tegen de honden te verdedigen. En in een vreselijke wirwar van schijnaanvallen over en weer dansten ze luid grommend en knorrend om elkaar heen zonder dat het tot een werkelijk gevecht kwam. De beesten draaiden rondjes, weken achteruit en vielen opnieuw aan en heel die wilde chaos had veel weg van jachttaferelen zoals je die wel op schilderijen ziet. Nog altijd stond iedereen stomverbaasd en doodstil toe te kijken maar uiteindelijk liep een van die belangrijke figuren (die zich in een heus safaripak had gestoken) een eindje van de groep jagers weg en maakte aanstalten om aan te leggen. Mijn oom stak met een duidelijk gebaar zijn hand in de lucht om hem tegen te houden.

'Af!' schreeuwde hij alsof hij een bevel aan een hond gaf.

De man in safaripak liet tegelijk met zijn geweer ook zijn hoofd zakken. Mijn oom nam een flinke teug cognac uit een veldfles en trok met een irritante traagheid twee zeemleren handschoenen aan. Daarna trok hij het jachtmes dat hij altijd bij zich droeg wanneer hij ergens naartoe ging (hetzelfde mes waar hij twintig jaar geleden als militielid al mee schermde) en liep naar de honden en het everzwijn toe die nog steeds dreigend rondjes om elkaar heen draaiden zonder dat het tot een gevecht kwam. Mijn oom maakte een omtrekkende beweging en ging tussen de twee honden in staan zonder ook maar een moment het everzwijn uit het oog te verliezen. Die had het gevaar onderkend en week geschrokken achteruit voor die dreigende, grote gestalte. Met een paar lichte klappen stuurde mijn oom de honden weg, een teken dat ze klaarblijkelijk kenden want ze werden onmiddellijk rustiger. Epifanio kon ze vervolgens bij de rest van de meute voegen, ook al stribbelden ze nog flink tegen. Daarna bukte mijn oom zich een beetje, misschien omdat hij de juiste flank zocht voor zijn aanval, en ging met het getrokken mes op het everzwijn af.

'Kom maar op, klootzak!' siste hij.

Het everzwijn deed in het begin geen enkele poging de aanvaller onder de voet te lopen. Misschien bleef hij staan omdat hij dacht dat die grote gestalte tegenover hem, die toch duidelijk naar een mens rook, een enorme hond was. Mijn oom schatte de afstand tot aan het everzwijn en stortte zich vervolgens in één keer bovenop het beest. Het was behalve een erg merkwaardige ook een erg ongelijke strijd. Mijn oom en het everzwijn rolden over de grond en kwamen onder de jeneverbessen te zitten die in een dikke laag op het fijne zand lagen. Een absurd tafereel, een mengsel van bruutheid en trots: misschien trachtte de aanvaller hiermee wel een scène uit een film te overtreffen waarin met een verschrikkelijke panter werd gevochten.

Het everzwijn moest al oud zijn want hij had afgebrokkelde hoektanden en zijn kleverige ogen zaten half dicht. Hij schudde voortdurend met zijn kop terwijl hij woest snoof en met een zinloze razernij aanviel. En dat ging zo door tot mijn oom de plek vond waarin hij zijn mes kon steken, eerst één keer in de borststreek en daarna twee keer in de nek, op de plaats waar hij dacht dat de halsslagader zat. Toen hij het mes voor de laatste keer uit het lijf van het everzwijn trok was het alsof op die plek van de wereld alles even abrupt stilviel.

Alle toeschouwers waren doodstil blijven staan. En waarschijnlijk hielden ze ook hun adem in. Het everzwijn begon op zo'n vreselijke manier te gillen dat zo goed als zeker alle dieren in Argónida het gehoord moesten hebben. Toen hij probeerde te vluchten raakte hij half verstrikt in de jeneverbesstruiken. Daarop zocht hij een goed heenkomen in het nabije kreupelhout waar hij wild spartelend instortte terwijl de bloedspetters in het rond vlogen. Terwijl hij om en om rolde liep de stront uit zijn lijf, maar uiteindelijk leek hij te kalmeren en sleepte hij zich langzaam voort tot hij stil bleef liggen. Zijn afschuwelijke gegil deed denken aan die bekende en gruwelijke rituelen van de slachttijd, alleen waren hier geen teilen om het schuimende bloed op te vangen dat uit de keel van het gedode beest gulpte als water dat plots uit een gesprongen leiding spuit. En ook waren hier geen slagers die zijn poten hadden vastgebonden om te voorkomen dat hij ging spartelen.

Mijn oom was opgestaan alsof hij een siësta had gehouden en zojuist uit een benauwde droom was ontwaakt, maar de scheuren in zijn kleren en het vuil waarmee hij bedekt was waren maar al te werkelijk. Hij had een haal in zijn nek die niet al te erg bloedde en de mouw van zijn jas was gerafeld, ongetwijfeld had het everzwijn hem een flinke knauw willen geven maar hij had daarbij slechts het uiteinde van zijn mouw losgescheurd. Maar aan zijn bloeddoorlopen ogen was nog wel het meest te zien dat mijn oom gevochten had. En misschien ook aan de vetrolletjes op zijn buik die zich krampachtig leken samen te trekken.

'Met permissie,' zei de koetsier Epifanio gedempt. 'Maar dat beestje lijkt precies op don Ismael.'

Mijn oom had dat echter vast niet gehoord. Hij trok zijn smerige handschoenen uit en slingerde die één voor één ver weg. Daarna veegde hij het lemmet van het mes schoon met een handvol planten waardoor er een doordringende geur vrijkwam en vroeg Epifanio, alleen door zijn duim omhoog te steken, om de veldfles met cognac. Hij nam twee enorme teugen, liet na elk ervan een boer en veegde met de voorkant van zijn hand zijn mond af. Pas toen wierp hij een manhaftige blik op de stomverbaasde toeschouwers en zei:

'Klaar is Kees. Dat was een fluitje van een cent.'

En hij liep naar de bosrand toe alsof hij een held was die liever onbekend wilde blijven, terwijl twee boswachters het nog altijd zwakjes knorrende zwijn afmaakten en weg sjouwden. Volgens Epifanio had het everzwijn vlak daarvoor een van hen in het gezicht gespuugd en was dat het laatste geweest wat hij bij leven had gedaan.

Dit bravourestuk van mijn oom ging weldra als een lopend vuurtje door de stad en wijde omstreken. Het leverde hem de bijnaam 'Jack the Ripper' op, wat niets aan duidelijkheid te wensen overliet. En daarmee was hij eigenlijk best tevreden, want ook al was die bijnaam nogal cru, het streelde hem dat de mensen zo de lef eerden waarmee hij alle smerige varkens (zoals hij ze noemde) afmaakte die hem voor de voeten kwamen. Mijn neef was trouwens erg teleurgesteld toen hij achter de betekenis van die bijnaam kwam, misschien omdat de gewelddadigheid waarmee die verbonden was hem naar een periode voerde die hij niet – en ik al evenmin – had meegemaakt, maar waarover we de koetsier Epifanio wel zoveel schokkende verhalen hadden horen vertellen. Dat was in de tijd dat mijn oom bij hele andere jachtpartijen betrokken was: politiek geïnspireerde zuiveringsacties (onder bevel trouwens van Fermín Benijalea, die familie van mijn tante Socorro was) waarbij hij werd gevreesd als een verschrikkelijke beul die meedogenloos optrad in de strijd voor waarheid en vaderland. Die vroeg oude, gevlekte en gerimpelde hand van mijn oom, waaraan hij die oude zegelring droeg met het wapenschild van de Malcorta's erin gegraveerd, die hand die 's morgens altijd lichtjes trilde had toentertijd ongetwijfeld al dat mes steeds binnen zijn bereik. En hoewel niemand mijn oom het ooit had zien trekken, zelfs niet in de meest gruwelijke gevechten, leek het er erg veel op dat hij dat onverwacht, wanneer de nood werkelijk aan de man kwam, nog wel eens zou kunnen doen.

Vanzelfsprekend verwierpen mijn neef en ik niet echt wat mijn oom in de oorlog had gedaan, want dat was volkomen gerechtvaardigd en was bovendien gebeurd uit naam van een heilige traditie. We hadden er wel eens, tussen neus en lippen, een paar schuchtere vragen over gesteld omdat we maar niet konden begrijpen hoe je een rechtvaardige zaak kon verdedigen met zulke gewelddadige middelen. Die vragen kwamen slechts voort uit wat spontane kritische opwellingen, of meer nog, uit een licht gevoel van onrust en bleven allemaal keurig binnen de perken van het zeer elementaire medelijden dat wij op die leeftijd kenden. Maar misschien had het met diezelfde onrust te maken dat die zomer de druivenpluk (die trouwens samenviel met een grote plaag van vliegen die zich op de most stortten) niet met dezelfde zorgeloosheid en vrolijke opwinding verliep als voorheen.

Deel twee

I

Allang voordat die een feit was had don Sebastián Romero de val van de eerste republikeinse regering voorzien. In zekere zin had hij er zelfs toe bijgedragen die te bespoedigen door zijn steun aan wat voor velen het laatste redmiddel was: de mislukte coup in 1932 van generaal Sanjurjo, onderscheiden met de titel markies van de Rif voor zijn succesvolle campagnes in Marokko. De stichter van bodega Romero had de generaal verschillende keren bezocht in gezelschap van de graaf van Rodezno in de tijd dat ook de Carlisten in Navarra en Baskenland streden tegen de door de Republiek ingevoerde, rampzalige hervormingen. Volgens de scherpe inzichten van don Sebastián was de Republiek onvermijdelijk op een totale mislukking uitgelopen en was er met de val van de regering bij de parlementsverkiezingen van 1933 een eerste, veelbelovende stap gezet om de monarchie te herstellen.

Door deze republikeinse nederlaag – waarvan de gemeenteraadsverkiezingen van 1931 al een klein voorproefje hadden gegeven op lokaal niveau – proefde don Sebastián Romero bovendien stilletjes de zoete smaak van de wraak. Ze was als een persoonlijke genoegdoening voor de onrechtmatigheden en onteigeningen die hij, in die twee schandelijke jaren dat de Republiek bestond, te verduren had gekregen zonder dat er ook maar in het minst rekening werd gehouden met zijn status. Op een zwak moment had hij trouwens alleen uit eigenbelang zonder meer diezelfde republikeinse regering gesteund in haar harde optreden tegen een anarchistische opstand in Casas Viejas, een gehucht waar hij vlak na zijn terugkeer uit Londen een paardenfokkerij had aangekocht. Van deze blunder zou hij zich echter razendsnel herstellen. Hij vergat die simpelweg – of maakte zichzelf wijs dat hij nooit achter de regering was gaan staan – want juist die slachtpartij bracht de regering flink in diskrediet. Door de vele protesten die volgden viel ze nog in datzelfde jaar en leek de weg voor het herstel van de monarchie vrij te zijn. Vandaar dat don Sebastián uiteindelijk toch erg tevreden was, ook al wist hij dat de vijand niet sliep en hij dat ook niet moest doen.

Overweldigd door jeugdige hartstocht raakte zijn zoon Alfonso María steeds meer betrokken in het politieke tumult. Al had hij nog altijd geen vaste politieke overtuiging, het werd hem steeds duidelijker dat sommige onwankelbare principes van zijn vader erg veel met zijn eigen manier van leven te maken hadden. En zelfs met het superioriteitsgevoel dat zo sterk zijn kijk op de wereld bepaalde. Hij begon meer en meer te geloven dat de orde die zijn vader verdedigde (los van zijn persoonlijke voorkeuren) onlosmakelijk met maatschappelijk aanzien en het ware geloof was verbonden. Hij maakte zich dan ook stukje bij beetje een soort fatsoensplicht eigen die uiteindelijk – wanneer de omstandigheden dat eisten – in een fanatiek en hoogdravend activisme overging.

Nadat Alfonso María van de jezuïetenschool was gestuurd – hoewel hij er nog altijd de mis in de kapel mocht bijwonen – legde hij zich neer bij de straf die zijn vader hem had opgelegd, dat wil zeggen hij beëindigde zijn slecht verlopende opleiding aan de middelbare school en onderwierp zich direct aan het effectieve en intensieve praktijkonderwijs van de bodega. Don Sebastián was er uiteindelijk van overtuigd geraakt dat de enige opleiding die zijn zoon moest volgen – zoals hij zelf ooit had gedaan – die tot wijnboer en wijnhandelaar was. Misschien dat Alfonso María zelf liever jockey was geworden, maar hij haalde het toen niet in zijn hoofd om tegen het weloverwogen besluit van zijn vader in te gaan. Eigenlijk had de wijnbouw hem van kindsbeen af aangetrokken omdat er een soort aura van toekomstige volwassenheid omheen hing. Hij begon dan ook met een behoorlijk enthousiasme op het kantoor en in de bodega te werken, waarbij hij zich in verschillende boekhoudtechnieken en wijnkundige vaardigheden bekwaamde. En toen hij eenmaal opzichter in de wijngaarden was geworden, klom hij snel op door zichzelf naar de belangrijke post van keurmeester van de wijn te promoveren.

Zonder dat het echt tot hem doordrong veranderde Alfonso María zo in een waardige – en bijzonder briljante – opvolger van de stichter van bodega Romero. Het werk dat hij moest doen, aanvaardde hij als een plezierige bijkomstigheid van de macht die er voor hem in het verschiet lag en hij vergat daarbij totaal de minachting die hij in zijn jeugd voor werken had gekoesterd. Hij toonde zelfs zo'n geestdrift dat don Sebastián zijn spruit alle vrijheid liet, trots als hij was op die jonge bodegahouder die dezelfde ambities had – maar niet dezelfde hindernissen op zijn weg vond – als hij toen hij als leerjongen in de wijnsector ploeterde. Don Sebastián deed zelfs of zijn neus bloedde toen hem het een en ander over de nachtelijke activiteiten van Alfonso María ter ore kwam (die dus ook op dit terrein in zijn vaders voetsporen trad) omdat hij begreep dat vaste werktijden en controles onnodig waren voor de stipte uitvoering van een taak die zijn zoon zelf al serieus op zich genomen had.

Toen Alfonso María opzichter in de wijngaarden was geworden paste hij ook zijn kleding aan. Zijn eerste, bescheiden garderobe van ruiterkleding breidde hij daartoe uit met een grote hoeveelheid jacks, broeken, rijlaarzen en zwepen (al jong was hij begonnen met het aanleggen van een enorme verzameling zwepen), capes, safaripakken, petten, regenjassen, beenkappen en rijbroeken, die hij altijd op zijn Engels leggings en breeches noemde. Hoewel hij die kleding in het begin alleen gebruikte waarvoor ze bestemd was, dat wil zeggen voor het werk in de wijngaarden, het paardrijden of de jacht, liep hij er uiteindelijk ook in rond wanneer hij naar de stad ging. Hij vond het echt fantastisch om zich voortdurend – ook op de meest vreemde momenten en plaatsen in ruiterkleding te vertonen, die onder de zweetvlekken zat, en zich daarbij nog lomp te gedragen ook. Het was alsof hij de begeerte om de baas te imiteren – inclusief diens kleding – had omgekeerd door zoveel mogelijk op een knecht te willen lijken. Vanzelfsprekend was dat geen aanstellerij maar een instinctieve manier om zijn superioriteit een schijn van eenvoud te geven en de arbeiders nog meer tegen hun jonge baas te laten opkijken. Door de afstand tussen meester en knecht heel erg klein te maken kreeg Alfonso María des te meer macht.

Deze populaire houding van Alfonso María uitte zich ook in zijn nauwe omgang met mensen uit het volk. Terwijl Adelaida Conticinio iedereen die niet tot haar kring van naaste verwanten en kennissen behoorde tot het volk rekende, leek hij deze lijn die zijn moeder zo resoluut trok niet zomaar te willen respecteren. Waar de stichter van bodega Romero soms al overliep van lankmoedigheid en kameraadschappelijkheid, daar overtrof zijn zoon hem op alle fronten:

hij dronk en at samen met dagloners, werd de peetvader van de zoon van een ploegbaas, ging naar de hoeren met een paar kantoorbedienden, bezocht een bottelaarster die na een arbeidsongeval aan het ziekbed lag gekluisterd, om daarbij een heel programma vol paternalisme, mooipraterij en liefdadigheid af te werken.

Adelaida Conticinio was nooit erg goed op de hoogte van deze volkse kuren van haar zoon. En als ze dat wel was geweest zou ze vast en zeker geen tijd hebben gehad om die te corrigeren. Maar wat ze Alfonso María in geen geval zou hebben vergeven was dat hij overal liep op te scheppen over dat weinig verheffende en steeds frequenter wordende gerotzooi van hem. Net zoals vroeger met het gescharrel van haar echtgenoot, kon ze erg tolerant of onverschillig zijn wat betreft de handel en wandel van haar zoon, maar op voorwaarde dat zijn avonturen – die nog niet zo ver gingen als die van zijn vader, maar ongetwijfeld wel van hem waren afgekeken – geen hinderlijke gevolgen voor haar hadden doordat ze tot vervelende praatjes of spottende opmerkingen leidden in haar kennissenkring.

In ieder geval nam Alfonso María in die tijd een geslepen, half Arabische knaap van dubieuze levenswandel in dienst, de vermoedelijke zoon van een anarchist die bij een brandstichting van akkerlanden om het leven was gekomen. Hoewel hij niet meer zo jong was als zijn jonge baas, bleek de handlanger in kwestie – die de naam of bijnaam Juan de Juana had – meer doorkneed te zijn dan verwacht in smokkelarij, oplichterij en het opsporen van maagden die bereid waren hun maagdelijkheid op te offeren in ruil voor een passende beloning. Juan de Juana wijdde zijn baas Alfonso María stukje bij beetje in in alle kneepjes die hij zich in zijn schelmenleven had eigengemaakt, waardoor de leemtes in de opleiding tot straatslijper die hij nog niet zo lang geleden van de koetsier Epifanio had ontvangen, konden worden opgevuld.

Wellicht aangemoedigd door een duistere begeerte naar een handlanger waarover hij helemaal alleen kon beschikken, zag de jonge Romero er streng op toe dat Juan de Juana zijn orders stipt uitvoerde. Ook stak hij hem in nog goede, afgedragen kleren en stelde hem een redelijke termijn waarbinnen hij korte metten diende te maken met zijn vreselijk slechte manieren en slonzige uiterlijk dat hij in de loop der tijd gekregen had. Zo bemachtigde Juan de

Juana dan de post van geheime secretaris van Alfonso María en behartigde daarbij de meest uiteenlopende zaken tegen een loon dat eigenlijk veel te hoog was. Aangezien de inhoud van zijn functie zo vaag was dat je er echt alle kanten mee op kon, was het duidelijk dat Alfonso María Juan de Juana min of meer als zijn slaaf beschouwde.

'Als je me belazert,' drukte hij hem voortdurend op het hart, 'sta je zo weer op straat, want ik schop je er zonder pardon uit. Dus gedraag je netjes.'

En Juan de Juana gedroeg zich inderdaad netjes. In het begin had hij zijn oren niet kunnen geloven toen de jonge Romero hem onverwacht en als een heuse despoot zijn genereuze aanbod deed en beschouwde hij hem met achterdocht. Maar die achterdocht verdween echter snel, vooral toen hij zag dat Alfonso María hem op missies stuurde die veel tact vereisten en hem daarvoor steevast rijkelijk beloonde. Vandaar dat hij zijn baas als tegenprestatie zo goed diende als hij kon, zonder hem ooit echt te bedriegen. Hij wachtte zich er natuurlijk wel voor om met zijn oude gewoonten van corruptie en oplichterij door te gaan en zo een luizenbaantje op het spel te zetten dat geen zware of uitputtende arbeid vergde, maar voornamelijk inhield dat hij uitspattingen van allerlei slag voor zijn baas – en zichzelf – moest organiseren.

Haast zonder het echt te kunnen geloven zag Juan de Juana hoe hij in een wereld terecht was gekomen waarvan hij in zijn grote armoede alleen maar had kunnen dromen. Dat was in die vreselijke tijd geweest dat zijn vader nachten achter elkaar de petroleum aansleepte die hem uiteindelijk zelf in een enorme fakkel zou veranderen, terwijl hij, zijn zoon, over eeuwige paradijzen vol luxe droomde. Eindelijk had hij zich nu van de altijd knagende honger, de opgekropte woede en de geniepigheid van de dief verlost. En hij herkende zichzelf dan ook nog maar amper wanneer hij in – weliswaar duidelijk tweedehandse – jagerspakken of ruiterkleding rondliep, kwaliteitswijnen dronk, verrukkelijke delicatessen at en met belangrijke mensen omging, al was dat dan slechts in de bijrol van de knecht.

Voordat Juan de Juana zijn gretige baas in nog meer en nog duisterder wijsheden inwijdde, voerde hij hem mee door de nauwe stegen van een vreselijke krottenwijk waar arme, bereidwillige mensen woonden die een enorme waardigheid kenden, al stond die door hun verpaupering zwaar onder druk. Nadat Alfonso María zijn aangeboren weerzin tegen deze onvermoede, pijnlijke realiteit overwonnen had, werd hij door zijn secretaris aan een paar bijzonder knappe meisjes voorgesteld, van wie hij er twee, de meest opvallende, uitkoos om voor hen als hun beschermheer op te treden. Hetzij uit noodzaak, hetzij omdat ze zich gewoon graag lieten beschermen, gingen die meisje daarin mee. Maar omdat het Alfonso María nog aan het nodige geld ontbrak, kon hij hen niet in een appartementje onderbrengen. Nadat hij eerst een gepaste maandtoelage met hen was overeengekomen, bleven ze dan ook thuis wonen op voorwaarde dat ze steeds beschikbaar zouden zijn wanneer hij hun via zijn secretaris een seintje gaf. En op deze goed doordachte wijze begon de jonge Romero er in het geheim seksuele relaties op na te houden die die van zijn vader verre overtroffen, zo niet door de uitgaven die er mee gemoeid waren, dan toch in ieder geval door de jonge leeftijd waarop hij ermee begon en door de grote variatie ervan.

Maar niet alles verliep even glad en gemakkelijk als Alfonso María had gedacht. Volkomen onverwacht moest hij de bevrediging van zijn begeertes op een iets lager pitje zetten. Alles begon op een middag dat Juan de Juana zijn baas naar een wijngaard meenam waar hun volgens zijn zeggen een werkelijk uitzonderlijke uitspatting te wachten stond, die bovendien niets zou kosten. Dat was het enige wat hij erover kwijt wilde, wellicht om de verrassing niet te bederven. Alfonso María en zijn handlanger gingen er, in jachtkleding gestoken, zonder aankondiging naartoe, al ruimschoots voordat de dagloners die de wijnstokken moesten snoeien aan de slag zouden gaan.

De wijngaard, Cerroperdigón geheten, bleek van de familie Conticinio te zijn en was officieel nog niet in handen van de stichter van bodega Romero. Het ging om een schitterende wijngaard van meer dan veertienduizend aren kalkgrond die zich over vier heuvels uitstrekte, helemaal tot aan de moerassen van Argónida, en waarop zo'n zeshonderdduizend wijnstokken groeiden. Alfonso María had zich deze gegevens al als adolescent erg goed ingeprent vanuit de gedachte dat naarmate hij ouder werd hij steeds meer van dit soort kennis paraat moest hebben. Hoewel hij hier intussen heel anders tegen aankeek dan vroeger, schoten hem die cijfers nu toch weer dwangmatig te binnen terwijl hij half achterover lag in het zijspan van de motor die hij voor zijn secretaris had aangeschaft, waarschijnlijk met het idee dat die zo sneller zijn koeriersdiensten zou kunnen verrichten. Hij zag hoe de zwarte vlekken van de kale wijnstokken afstaken tegen het matte wit van de kalkgrond: geraamtes die met hun kronkelende takken naar de vaal blauwe hemel reikten. Ze reden door de poort van de wijngaard die hij in de toekomst van zijn moeder zou erven en aan zijn bezittingen zou toevoegen. Zo'n veertig wijnstokken van de soort Mantuo en Palomino per are (dacht hij terwijl ze de wijngaard inreden), bijna driekwart miljoen liter most.

Ze lieten de motorfiets naast de hoeve achter en liepen over een groot erf naar een binnenplaats waar aan de zijkant, in het tegenlicht van een openstaande poort, een donkere gedaante afstak. De binnenplaats was enorm en het licht van de laagstaande zon dat door de witte muren werd weerkaatst benadrukte de diepe stilte van de middag. Aan een kant van de binnenplaats lag de schuur met werktuigen en de druivenpers, aan de andere kant een opslagplaats en de woning van de opzichter, half verborgen achter weelderige gardeniastruiken die tegen de muur groeiden. Het eigenlijke huis besloeg de hele achterzijde van de patio. Het was een sierlijk gebouw met twee verdiepingen en een schuin pannendak. In het midden van de witgekalkte gevel zat op de bovenverdieping een balkon met een deur en verschillende ramen. Van buiten kreeg je een indruk van schemerige vertrekken, van bedompte lucht die waarschijnlijk al jarenlang tussen muren en rolgordijnen gevangen zat. Boven de voordeur bevond zich een door weer en wind aangetast stenen wapenschild van de graven van Malcorta, een titel die Adelaida Conticinio als enig kind had geërfd. Achter het dak waren de half verbrokkelde kantelen zichtbaar van een toren in Arabische stijl en recht voor het huis stond een put waarvan de rand zo fel wit was gekalkt dat deze wel van sneeuw leek.

De opzichter heette Alvarito Lalín, een klein mannetje met X-benen en dicht bij elkaar staande ogen. Terwijl die zijn ruwe handen aan zijn smerige broek afveegde boog hij houterig voor Alfonso María.

'Goed om u hier te zien,' zei hij zonder hem aan te kijken.

Alfonso María vroeg zich ongetwijfeld af wat ze nu bij Alvarito Lalín te zoeken hadden. Daarop liep Juan de Juana naar de opzichter toe en legde zachtjes zijn hand op zijn schouder. Een gebaar waarmee hij de minzaamheid van een baas trachtte te imiteren.

'En je dochter?' vroeg hij zonder enig omhaal.

De opzichter keek eerst Alfonso María aan met een benauwde en weifelende blik en staarde vervolgens in de verte.

'Fernanda,' zei hij en wees met zijn arm naar een onduidelijk en ver verwijderd punt. 'Ik zou niet weten waar die uithangt.'

'Ik heet Juan de Juana,' zei Juan de Juana. 'Ik ken haar.'

'Fernanda doet waar ze zin in heeft,' zei Alvarito Lalín hakkelend. 'Zo gauw het licht wordt trekt ze erop uit. Ze doet waar ze zin in heeft.'

'Op de muilezel?' vroeg Juan de Juana.

'Zou best kunnen,' antwoordde de opzichter terwijl hij zich beschroomd tot Alfonso María richtte. 'Hebt u trek in een glaasje? Ik heb een heerlijk wijntje van vorig jaar dat ik u kan aanraden.'

Alfonso María rook onmiddellijk de doordringende geur van pas geperste druiven. Hij tikte met zijn wijsvinger op zijn horloge en zei:

'Straks.'

'Straks,' herhaalde Juan de Juana. 'Eerst gaan we een beetje rondkijken. We willen wel eens zien of er hier iets uitgevoerd wordt.'

En hij stak zijn handen in zijn broekzakken om die, in een stuntelige imitatie van Alfonso María, uitdagend heen en weer te bewegen. De opzichter ging vervolgens op een nogal vreemde manier achter de bezoekers staan alsof hij wilde voorkomen dat ze weg zouden gaan.

'Beneden, daarginds bij La Berdeja, zijn ze aan de slag,' zei hij. 'Tot zes uur.'

'Nou, en?' bromde Juan de Juana.

'Een rotklus, ze zijn aan het snoeien,' ging de opzichter voort terwijl hij met zijn tong langs zijn boventanden streek. 'Hoewel het nu niet meer zo zwaar is als vroeger doordat ze overal makkelijk bij kunnen.'

'Het is half vijf,' onderbrak Juan de Juana hem.

‘Je moet die dagloners wel onder de duim houden,’ zei de opzichter. ‘Ze pikken niets door al die anarchisten die onder hen zijn.’

‘Is dat tuig hier ook al verschenen dan?’ vroeg Alfonso María terwijl hij een dreigende houding aannam.

‘Ik zou niet kunnen zeggen hoeveel het er zijn,’ zei de opzichter behoorlijk vaag. ‘Maar hier komt niet meer schorem dan op andere plekken.’

‘Als het aan mij lag zou er niet eentje overblijven,’ zei Alfonso María. ‘Ik zou dat gespuis gewoon uit de weg ruimen.’

‘Heel dat zooitje opstandige Arabieren,’ voegde Juan de Juana – zelf half en half van Arabische afkomst – eraan toe.

Alvarito Lalín was nog altijd erg beduusd. Maar aan het gesprek kwam plots een eind, want Alfonso María vertrok zonder ook maar te groeten. Toen hij naar buiten liep stopte hij even om naar een sulfaatspuit te kijken die op het erf stond: misschien was hij wel op het lumineuze idee gekomen dat je dat tuig goed kon uitroeien met hetzelfde insecticide als waarmee de schimmelplagen van de druiven werden bestreden. Gevolgd door Juan de Juana liep hij vervolgens door naar de motor terwijl hij denkbeeldige gifresten uit zijn haar schudde.

Nadat ze op de motor waren geklommen en Juan de Juana die had gestart verstoorde het vreselijke lawaai ervan de diepe stilte die er in de wijngaard heerste. Eerst reden ze over een smal pad naar beneden waarbij het zijspan bijna de takken van de druivenplanten raakte en vervolgens reden ze een helling op waar aan beide kanten van het pad gerooide wijnstokken op stapels lagen. Alfonso María zei tegen Juan de Juana dat hij moest stoppen, waarna ze de heuvel verder te voet opgingen. Op de top ervan zagen ze een ploeg dagloners die vlakbij aan het snoeien waren. Alfonso María keek met het oog van de expert naar de afstand die ze tussen de rijen druivenplanten lieten. Hij schatte op welke hoogte ze de stammen van de wijnstokken afsnoeiden – minder dan een halve meter, zoals was voorgeschreven – en hoeveel scheuten er overbleven na het snoeien: precies vier, waarvan er twee om het jaar vrucht zouden dragen. Sommige dagloners zetten gaffels onder de niet gesnoeide takken.

‘En leg me nu godverdomme eens snel uit wat we hier eigenlijk doen,’ zei Alfonso María geïrriteerd terwijl hij plotsklaps stopte. ‘Als dit een geintje van jou is, laat ik bij jou ook iets snoeien.’

'Ik geloof dat ze er al aan komt,' antwoordde Juan de Juana. 'Daarginds, die stoet.'

Alfonso María wroette met de hak van zijn laars in de kalkbodem. Terwijl hij botweg vlak naast zijn secretaris op de grond spuugde zei hij:

'Heb je me gehoord of ben je soms doof?'

Maar Juan de Juana zei niets, hij wees alleen maar naar beneden, de wijngaard in. Daar kwam inderdaad een nogal merkwaardige stoet aan die in die omgeving wel heel erg vreemd afstak: iemand op een muilezel omgeven door een grote groep gebarende mensen. Door de neveligheid van de namiddag was nog niet precies te zien waar het nu om ging. Die stoet leek echter niets met de werkzaamheden in de wijngaard te maken te hebben en een volkomen zinloze optocht te zijn, want de muilezel liep doelloos tussen de wijnstokken, om af en toe te stoppen wanneer een van de dagloners naderbij kwam. Aan de vernietigende blik waarmee Alfonso María zijn secretaris aankeek was te zien dat hij hem elk moment de laan uit zou kunnen sturen, maar desondanks liep hij achter hem aan in de richting van de zich steeds duidelijker aftekenende stoet.

Schrijlings op die muilezel, haar jurk tot boven haar dijen opgeschort, zat een hoogblond, erg bruin meisje met een stevig lichaam, een klein hoofdje en een extatische uitdrukking in haar ogen. Terwijl de stoet doorliep kwamen sommige dagloners naderbij om haar bruingebrande dijen en haar diep in het zadel weggezakte kruis aan te raken. Het meisje onderging dit ogenschijnlijk alledaagse ritueel uitermate gewillig. Terwijl ze de muilezel voortdreef schommelde haar lichaam op monotone wijze heen en weer en liet ze zich onverschillig betasten: haar enige reactie bestond uit een gelukzalige glimlach.

Alfonso María voelde eerst opwinding en vervolgens werd hij voor de eerste en laatste keer in zijn leven overrompeld door een heuse beschermingsdrang. Of waarschijnlijk meer nog door een mengeling van medelijden en weerzin waarvan de oorzaak hem grotendeels ontging. In een flits vroeg hij zich af of het de moeite loonde om die stakker tegen die vunzige troep belegeraars te beschermen, of dat hij er maar beter zo snel mogelijk vandoor kon gaan. En hij koos voor het laatste. Zonder ook maar naar Juan de Juana om te kijken beende hij de helling af naar de motorfiets, startte die woedend en reed bijna weg zonder zijn secretaris, die op het laatste moment kwam aangerend. Boven het kabaal van de motor uit hoorde hij het spottende of enthousiaste geroep van een stel dagloners.

Tegen alle verwachtingen in schopte Alfonso María zijn secretaris niet op straat omdat hij hem naar die idiote stoet had meegenomen. Hij zette hem slechts tijdelijk op non-actief zonder loon uit te betalen, een strafmaatregel die echter bijna evengoed onbeperkt had kunnen voortduren omdat Alfonso María na wat er in Cerroperdigón was gebeurd plots door heel andere zaken in beslag werd genomen waarbij hij zijn hulp niet nodig had. Hoewel Juan de Juana erg was geschrokken, besloot hij toch geduldig af te blijven wachten. En dat was niet voor niets want twee weken na wat hij zelf slechts als een onbeduidende misstap beschouwde, werd hij door zijn baas gesommeerd zich zo snel mogelijk te melden. Hij had hem echter niet laten komen om die waarschijnlijk nuttige straf in te trekken. Evenmin om nieuwe uitspattingen voor hem te organiseren, maar met heel andere bedoelingen die – op het eerste gezicht – niets van doen hadden met de specialiteiten van Juan de Juana. Alfonso María legde zijn geheime secretaris slechts half en half uit waarin hij hem wilde betrekken en die ging vervolgens akkoord zonder echt te begrijpen waarin hij nu had toegestemd.

Klaarblijkelijk had het bezoek aan Cerroperdigón de sluimerende politieke ambities van Alfonso María gewekt. Iets in die zin moest hem in ieder geval al tijdens dat vervelende bezoek overkomen zijn, want de dag erna was hij al volledig bereid zich in de strijd voor het vaderland te werpen. Eerst verzamelde hij alle informatie die hij vinden kon over de slinkse – of openlijke – aanvallen die op de heilige huisjes van de traditie werden uitgevoerd. Daarna vroeg hij zijn vader om praktisch advies en deze – die nog altijd monarchistische connecties had – bracht hem in contact met een aangetrouwd lid van de familie Conticinio dat zich volledig voor de redding van het vaderland inzette. Dat aangetrouwde familielid – Fermin Benijalea, eveneens wijnboer en paardenfokker – behoorde tot de oprichters van een nieuwe politieke partij, de Falange, aangevoerd door de zoon van wijlen dictator generaal Primo de Rivera, een omstandigheid die don Sebastiáns vertrouwen in deze partij aanzienlijk vergrootte. Het enige probleem was – zei hij op gedempte toon – dat deze partij, behalve dat ze niet koningsgezind was, onlangs met een wel heel erg verdachte vakbond was samengegaan. Iets wat ongetwijfeld afbreuk deed aan de ideologische positie van deze afsplitsing van de Nationaal Monarchistische Unie, ook al kon de Unie deze partij, die min of meer een kopie van het Italiaans fascisme leek, nog altijd als een serieuze bondgenoot beschouwen.

Alfonso María verspilde echter niet veel tijd aan ideologische haarkloverijen. Hij nam enthousiast deel aan de samenkomsten ten huize van Benijalea – waar hij zelfs op een gedenkwaardige avond aan de leider van de partij werd voorgesteld –, zwoer trouw aan de zevenentwintig programmapunten en stelde zich met heel zijn vechtersmentaliteit in dienst van het falangistische ideaal. Eenmaal in vuur en vlam geraakt door de geest van de falangistische regeneratie en voorzien van onwankelbare overtuigingen, droeg Alfonso María voortaan altijd wapens en een leren jack en zou hij ook steeds achter het partijprogramma blijven staan, ook al werden de hechte rangen van de beweging niet lang daarna door meningsverschillen verbroken. En zo waren toen vader en zoon Romero voor de eerste keer vervuld van hetzelfde patriottische vuur, terwijl de bodega onstuitbaar groeide.

Toen hij Juan de Juana met de nodige omzichtigheid had ingelicht over wat er op politiek gebied bekokstoofd werd, accepteerde deze zonder tandenknarsen alles wat zijn baas hem beval. Omdat hij op straat was opgegroeid kon hij inderdaad erg nuttig zijn om bepaalde missies uit te voeren. Na eerst een doortrapte handlanger van Alfonso María te zijn geweest, werd Juan de Juan zo tot een betrouwbare contactpersoon van arbeidersorganisaties en conservatieve ondernemers gebombardeerd. Door zijn nauwe omgang met lokale machthebbers wist hij zich volledig van zijn afkomst te bevrijden en zich meer dan voldoende kwaliteiten eigen te maken om tot boven de status van eenvoudig partijlid uit te groeien. Zelfs don Sebastián Romero bezag dit alles welwillend. Vooral omdat hij er vast van overtuigd was dat het enige wat zijn gelijken en ondergeschikten kon verenigen hun gemeenschappelijke bestemming van de verdediging van het vaderland was.

2

Toen alle vliegen die gewoonlijk bij de wijnoogst op de most afkwamen het loodje hadden gelegd door alcoholvergiftiging, deed de koetsier Epifanio een indrukwekkende onthulling aan mijn neef Aurelio. Hij zou met twee vrienden een leeuw op gaan halen bij La Valerita, een landgoed met kurkeiken dat nog altijd aan de Romero's toebehoorde. Het klonk werkelijk ongelooflijk, maar die leeuw bevond zich daar heus en was door mijn oom Alfonso María zelf in Afrika gevangen en daarna samen met andere roofdieren naar het landgoed overgebracht met het idee om daar een soort safaripark te beginnen. Dit project was echter nooit van de grond gekomen omdat de interesse van de initiatiefnemer volledig was verflauwd en die beesten waren uiteindelijk dan ook óf aan de plaatselijke dierentuin geschonken óf bezig in hun provisorische kooien op het landgoed weg te kwijnen.

Toen een zekere Agustín Gallareta – kroegbaas en natuurliefhebber – dit alles van zijn vriend Epifanio had gehoord, had die hem meteen mijn oom laten polsen of hij die leeuw niet kwijt wilde. Agustín Gallareta was een robuuste, stugge en eigenwijze kerel. Met zijn pubergezicht en kolenschoppen van handen oogde hij als het type dat altijd zijn eigen zin wilde doordrijven. Hij had dan ook tot vervelens toe tegen Epifanio herhaald dat de leeuw zijn lievelingsdier was en dat mijn oom er dus zeker van kon zijn dat hij dat beest uitstekend zou verzorgen. Ook al kwam het voorstel van de kroegbaas mijn oom op zich erg goed uit, het overtuigde hem niet in het minst en in eerste instantie wees hij het dan ook resoluut van de hand met een voor hem gebruikelijke sneer. Toch gaf hij uiteindelijk tandenknarsend toe, misschien alleen maar om van het voortdurende gezeur van Epifanio af te zijn. Hij ging op het voorstel in, maar verbond daar wel enige bescheiden voorwaarden aan: de kroegbaas moest het roofdier persoonlijk komen ophalen en niet alleen de kosten en het risico van het transport op zich nemen, maar ook de volledige officiële verantwoordelijkheid dragen voor alle eventuele gevolgen ervan. Agustín Gallareta stemde daar onmiddellijk mee in en zei dat hij vanzelfsprekend voor het transport zou zorgen, waarna hij voorbereidingen begon te treffen om de leeuw bij La Valerita op te halen en naar zijn kroeg te vervoeren, waar hij dat beest met een geëigende verzorging veilig in een kooi zou opsluiten.

Mijn neef moest Epifanio op de een of andere manier hebben omgekocht want hij was meteen bereid ons naar het landgoed mee te nemen. Bovendien zorgde hij ervoor dat de reis – waarvoor hij een mooi smoesje had bedacht – op een donderdag na het middageten zou plaatsvinden, de enige middag dat wij vrij hadden van school. Mijn ouders noch mijn ooms en tantes kwamen dan ook iets te weten van ons uitstapje. En mijn nichtje Marianita al evenmin, haar hadden we namelijk thuisgelaten, want als zij met ons meeging liepen we het risico dat ze alles zou verraden. Dus vertrokken we op een halfbewolkte, erg drukkende dag stiekem naar La Valerita in de vrachtauto van een boezemvriend van de kroegbaas – Orlando Mardeleva geheten – die zijn brood verdiende met het transport van vis en die evenals hij een grote natuurliefhebber was.

Het landgoed lag niet zo erg ver weg. Je moest een paar kilometer de hoofdweg door de siërra volgen en daarna een lokale weg langs een inmiddels opgedroogd meer. Mijn neef en ik lagen boven in de kooi van de vrachtauto, waarbij we zo nu en dan flarden van het geklets van de drie vrienden opvingen dat grotendeels overstemd werd door het gerammel van de laadbak waarin een stapel steigerplanken lag. We waren erg onder de indruk van de eindeloze velden met suikerbieten, katoen, wikke en haver die we onderweg zagen. En toen we al bijna op het landgoed waren strekte er zich na wat heuvels vol afrasteringen werkelijk een onafzienbare vlakte voor ons uit van weides die al aan het verschroeien waren. Daar lag een kudde schonkige stieren in de buurt van de drenktroggen terwijl een andere kudde stieren, die echter weldoorvoed waren, met een trage, onverstoorbare gang de velden doorkruiste.

La Valerita kwam je binnen door een poort met twee grote pilaren van natuursteen met een dakje van geglazuurde pannen. Op beide pilaren zaten tegeltjes met inscripties: aan de ene kant een jaartal – 1912 – en aan de andere de initialen R-B in twee ovalen, met boven het rechtse ovaal kantelen. Dat jaartal stond ook nog een keer iets kleiner onder de naam La Valerita, op de gietijzeren boog tussen de twee pilaren. Over een licht stijgende zandweg waarlangs hoge venkelstruiken en platanen groeiden, kwam je door het kurkeikenbos bij een hoeve uit die enigszins op een kazerne leek.

De vreselijk schuddende vrachtauto maakte een enorme herrie en veroorzaakte een smerige stofwolk die de rode stammen van de kurkeiken, waar de schors al afgepeld was, er als verroest deden uitzien. Soms onverwachts onderbroken door open plekken, trok het bos aan ons voorbij als een met schokken afgespeelde film terwijl de wolken hun geelachtige schaduwen over het ruige landschap wierpen. Agustín Gallareta hield zich met fonkelende ogen vastgeklemd aan het portier. Terwijl hij half uit het raam hing roffelde hij zenuwachtig op de carrosserie alsof hij die leeuw allang geroken had. Door de broeierige plantenlucht die de kurkeiken verspreidden dacht hij ongetwijfeld dat hij in het oerwoud was.

Naast een paar oleanderstruiken, aan de rand van het open terrein rondom de hoeve, stond de opzichter al op ons te wachten. Het was een enorme kerel die er met zijn dikke, weldoorvoede lichaam en edele kop met grijs haar precies uitzag als een kardinaal. Hij had ogen die even traag bewogen als die van een kameleon, een pruimenmondje en een stierennek. Voor we de poort door reden met die stokoude rammelkast die de diepe stilte van het bos ruw verstoorde, wist hij waarschijnlijk al dat we eraan kwamen omdat hij een onrustig gevoel had gekregen, zo'n soort gevoel dat even ongrijpbaar is als een herinnering die je steeds ontglipt.

'Ik dacht al dat jullie een ongeluk hadden gekregen zonder dat iemand eraan had gedacht me te waarschuwen,' zei de opzichter terwijl we naar hem toe liepen. 'Het is al meer dan een week geleden dat don Alfonso María me heeft gewaarschuwd.'

En hij staarde verbaasd naar de kroegbaas en de vrachtwagenchauffeur, alsof hij zich afvroeg hoe het in vredesnaam mogelijk was dat die twee zo kalm bleven terwijl ze een leeuw gingen ophalen. Nadat hij een paar keer langzaam met zijn uitpuilende ogen had geknipperd, schudde hij de bezoekers met een vluchtige hartelijkheid de hand. Epifanio vergiste zich bijna toen hij zijn vrienden aan de opzichter voorstelde en die gaf mijn neef en mij een knipoogje dat zowel verstandhouding als verbazing kon betekenen. Daarop wees hij met zijn duim naar achteren en zei terwijl hij zijn neus ophaalde:

'Nou dat beest zit daar en heeft een vorstelijk leven. Er zijn ook nog een paar zebra's.'

Agustín Gallareta keek vol verwachting naar de plek die de opzichter aanwees, maar zag alleen de cirkel van het zonovergoten bos rondom waar in het tegenlicht de silhouetten van de kurkeiken scherp afstaken. Ook Orlando Mardeleva observeerde de omgeving aandachtig. Ongetwijfeld hoopte hij de prachtige wilde dieren te spotten die er in dat nooit van de grond gekomen safaripark moesten rondlopen. Maar de opzichter onderbrak hun getuur abrupt want hij wilde dat we met hem meeliepen naar de andere kant van de hoeve.

'Deze kant op,' zei hij. 'Laten we maar eens gaan kijken wat die leeuw ervan vindt. Misschien heeft hij wel helemaal geen zin om te verhuizen.'

Agustín Gallareta stootte een klank uit die het midden hield tussen een lach en de roep van een uil. En terwijl ik het landgoed een stukje op liep werd het stil rondom. Opnieuw zag ik de beelden voor me van de dag dat ik hier ooit met mijn moeder en mijn tante Carola was geweest tijdens de kurkoogst. Die dag had een diepe indruk op me gemaakt doordat mijn tante me plots bij de hand had genomen om de heuvel af te rennen, haar hoed in de nek, vastgehouden door een lichtblauwe band, van hetzelfde lichtblauw als haar ogen, als de glans van haar vochtige lippen, en ik haar wild opspringende borsten zag, symbool bij uitstek van het begeerlijke lichaam van de vrouw. In het indrukwekkende landschap rondom me zag ik nu alleen maar dat beeld van mijn tante terug. Maar dat verdween even snel als het opgekomen was.

De leeuw zat opgesloten in een kraal die omheind was door betonnen palen en prikkeldraad. Dommelend naast een stinkende modderplas, zijn kop met wilde manen tussen zijn voorpoten, had hij het trotse voorkomen van een koning die naar een hem volkomen vreemd land is verbannen. Agustín Gallareta keek met een overduidelijk enthousiasme over de afrastering.

'De koning der dieren,' zei hij met het air van een kenner en zonder zich om te keren.

'Hij wordt erg goed verzorgd,' zei de opzichter. 'Hij doet de hele dag niets anders dan eten.'

'En wat eet hij zoal?' vroeg Orlando Mardeleva.

'Als je hem een mens zou voorschotelen,' antwoordde de opzichter onverschillig, 'dan peuzelde hij die vast en zeker ook op.'

Verzadigd als hij was, knipperde de leeuw loom met zijn ogen.

'Een jonkie is het bepaald niet,' zei Epifanio.

'En hebt u al een kooi voor hem?' vroeg de opzichter enigszins bezorgd.

'Ja, hoor,' antwoordde Agustín Gallareta, 'die leeuw krijgt een plekje in mijn café.'

'Wat een vliegen,' zei Orlando Mardeleva terwijl hij naar de zwerm keek die rond de leeuw danste.

'Ik heb namelijk een café,' ging Agustín Gallareta verder terwijl hij met zijn handen door de lucht sloeg, 'en daar heb ik een mooie kooi voor hem gemaakt. Hij zal er zich gegarandeerd op zijn gemak voelen, daar zorg ik wel voor.'

'De opzichter haalde zijn schouders op. Het vertrouwen dat hij in de bezoekers had, had zojuist een flinke deuk opgelopen. Hij zei:

'Ik dacht dat u een circus had, of zoiets.'

'Zijn er hier ook wijngaarden?' vroeg Orlando Mardeleva, die behalve niet zo snugger ook een vraagal was.

'Dat dacht ik niet,' antwoordde de opzichter diplomatiek, 'hier heb je alleen maar kurkeiken.'

Agustín Gallareta bleef maar herhalen hoe goed hij alles wel niet voor elkaar had.

'Ik heb het precies uitgekiend,' zei hij terwijl hij met een wijsvinger even aan zijn ooghoek trok. 'Je moet de dingen gewoon goed bekijken. U zult het vast met me eens zijn.'

De vier mannen liepen zonder te overleggen naar de vrachtauto terwijl mijn neef en ik naar de leeuw bleven staan kijken. Die was nog altijd even onverschillig voor wat er rond hem gebeurde en keek geen moment om zich heen. Het stonk naar rottende ingewanden en het leek er zelfs sterk op dat die stank van die verbannen koning zelf afkomstig was. Een jongetje stak voorzichtig zijn hoofd om de hoek van de hoeve om met de heimelijke jaloezie van de buitenstaander te kijken wat wij aan het doen waren.

'Kom,' riep mijn neef bijna op hetzelfde moment als dat het jongetje er weer vandoor ging.

En ik geloof dat ik zei:

'Die leeuw ziet er echt smerig uit. Volgens mij is hij al stokoud.'

Nieuwsgierig maar schuw, verscheen er daarop een wittige hond: dat was een taks die aan één oog blind was doordat hij ooit een trap van een paard had gekregen en waarbij mijn oom een glazen oog had laten inzetten. Sindsdien had hij een kwaaie, valse, haast menselijke blik die dwars door je heen boorde. Dat zei men althans. Maar we konden die hond niet aanhalen want hij rende onmiddellijk weg toen de vier mannen weer terugkwamen. Ze duwden een grote kist op wielen (zo'n box voor veevervoer) voor zich uit die ze uit de vrachtauto hadden geladen. Ik keek naar het treurige, getraliede luchtgat, dat loodgrijze venstertje waar de verf grotendeels af was. En op dat moment moest ik onwillekeurig aan de secretaire van de kapelaan denken, of nee, aan die juwelenkist die ergens diep in mijn dromen zat weggestopt en waarvan ik vermoedde dat die ook ergens in de werkelijkheid te vinden zou zijn. Maar ik was die kist kwijt en moest me hoe dan ook zien te herinneren waar hij was gebleven, want daarvan hing het af of me een zonde zou worden vergeven die ik waarschijnlijk niet echt had begaan. De vier mannen hadden de box intussen naar de kraal geduwd.

Agustín Gallareta gedroeg zich als een heuse korporaal en leidde met een enorme zelfverzekerdheid de manoeuvres. De box werd dicht tegen een soort poort in de kraal aan gereden. De opzichter leek niet zo op zijn gemak te zijn, of misschien voelde hij zich zelfs wel ronduit ongemakkelijk. Maar dat viel niemand op. Orlando Mardeleva klom bovenop de box en riskeerde daarmee dat die het onder zijn gewicht zou begeven. Hij probeerde een paar keer het valluik uit terwijl Epifanio muisstil en doodsbenauwd toekeek. Het stond de kroegbaas niets aan dat er aan beide kanten wat ruimte overbleef omdat de poort breder was dan de box, hoewel de leeuw daar met geen mogelijkheid doorheen kon wanneer ze hem naar binnen zouden jagen.

'Ik weet niet of dit me wel bevalt,' zei de opzichter. 'Of liever gezegd, het bevalt me helemaal niet.'

Agustín Gallareta was al evenmin helemaal tevreden. Hoewel hij altijd zijn zin doordreef, hield dat nog niet in dat hij roekeloos was. Hij haalde een smerige lap uit zijn broekzak en veegde daarmee het zweet van zijn nek. Vervolgens begon hij zonder ook maar iets te vragen van onder een afdak, waar hout lag opgestapeld, palen aan te sjouwen (mijn neef en ik hielpen hem daarbij) om de ruimte aan weerszijden van de box te dichten. Die palen bond hij met een touw aan elkaar en zo te zien was dat geen slecht idee.

'Het uur van de waarheid,' zei Orlando Mardeleva die nog altijd op de box stond en in zijn handen wreef, waarin hij eerst had gespuugd. 'Kunnen we nu dan eindelijk aan de slag?'

En dat konden ze. De opzichter zwaaide wild met zijn armen alsof hij een horzel verjoeg, zuchtte diep en maakte het ijzerdraad los waarmee de poort dichtzat. Dat deed hij niet door het los te knopen maar door het met een hamer en beitel door te slaan, iets wat even tijd kostte. De klappen die hij gaf veroorzaakten zo'n enorm lawaai dat de leeuw duidelijk verstoord overeind kwam en voor de eerste keer aandachtig naar zijn toeschouwers keek. Hij schrok zelfs flink toen de poort, eenmaal los, naar binnen zwaaide en de ingang van de box grotendeels vrij liet. De opzichter en Agustín Gallareta liepen kalm naar de andere kant van de kraal, waar ze gewapend met lange stokken en zonder wilde bewegingen te maken probeerden de leeuw de box in te jagen.

Nadat de leeuw een tijdje behoorlijk kalm die stokken had ontweken, bleef hij plots naar de bovenkant van de box staan staren. Orlando Mardeleva keek heel even vanachter het valluik naar de leeuw en toen het tot hem doordrong dat het beest hem had ontdekt viel hij van schrik bijna naar beneden. De leeuw bleef hem doodstil aanstaren, iets wat erg vreemd was, zelfs voor een leeuw in gevangenschap. Pas toen de opzichter hem met de stok sloeg draaide hij zich bliksemsnel om en haalde fel uit met zijn klauw, iets waar de opzichter helemaal niet op had gerekend. Het beest, dat nu echt uit zijn lome toestand leek te zijn ontwaakt, liep vervolgens een rondje langs de omheining van de kraal en stopte drie keer: eerst om aan de palen te snuffelen die de ruimtes tussen de box en de betonnen palen van de poort afsloten, vervolgens om in resten van rottend slachtafval te wroeten en ten slotte om te plassen vlakbij de plek waar mijn neef en ik werkeloos toekeken omdat Epifanio ons nadrukkelijk had gezegd dat we ons op geen enkele manier met het vangen van de leeuw mochten bemoeien. Nadat hij geplast had liep de leeuw op zijn dooie gemak naar de ingang van de box. Daar stak hij zijn kop meer beduusd dan woest naar binnen en nadat hij opnieuw een klap op zijn kont had gekregen, maakte hij een volkomen belachelijke sprong en rende met een wild zwiepende staart naar binnen. Orlando Mardeleva liet daarop het luik zo snel vallen dat het bijna op de achterpoten van de leeuw terechtkwam. Het scheelde weinig of hij was kreupel geweest – zou Agustín Gallareta later zeggen – en een kreupele leeuw is bepaald geen attractie.

'Ik heb hem met gemak verslagen,' riep Orlando Mardeleva bovenop de box terwijl hij bijna tegelijkertijd een houterig vreugdesprongetje maakte.

Nadat de leeuw zonder problemen gevangen was, moest hij alleen nog op de vrachtauto worden geladen, iets wat duidelijk veel minder spannend was dan hem in de box krijgen. Met behulp van schuin tegen de laadbak gezette steigerplanken en dikke touwen slaagden ze erin om de box met vereende krachten – ook twee dagloners hielpen nog een handje – op de vrachtauto te krijgen. De box hoefde echter niet erg ver omhoog geduwd te worden want de vrachtauto was in een grote kuil geparkeerd. Tijdens het laden was er echter een moment waarop de leeuw een angstaanjagend gebrul liet horen, een soort keiharde boer die wel uit de aarde leek op te stijgen. En daardoor ontstond er even een hachelijke situatie omdat Agustín Gallareta, die met zijn rug tegen de box duwde, van schrik bijna viel en de box naar beneden dreigde te storten. Hij moest een balk van de box die plotseling op zijn schouder terechtkwam voor een klauw van de leeuw hebben gehouden. Maar verder verliep alles goed en de groep dagloners die had staan toekijken of die zware klus wel geklaard zou kunnen worden, verspreidde zich. De kroegbaas en de chauffeur sjorden de box ten slotte op de laadbak vast.

'Dat beestje heeft zich netjes gedragen,' zei Epifanio terwijl hij een zucht van verlichting slaakte.

De opzichter trok een doodernstig gezicht. Terwijl hij heel traag met zijn kameleonogen knipperde boog hij zich naar Epifanio over. Daarbij kwam hij zo dicht in zijn buurt dat hij hem bijna met zijn dikke buik raakte en zei vervolgens met een priemende vinger in de richting van Agustín Gallareta en Orlando Mardeleva:

'En denkt u dat die twee vrienden van u hier goed over hebben nagedacht? Ik bedoel, weten ze eigenlijk wel waar ze aan begonnen zijn?'

Epifanio murmelde eerst iets onduidelijks waarmee je alle kanten op kon en zei meteen daarop:

'Nou, volgens mij niet.'

'Dat beest is overigens wel erg sloom,' ging de opzichter voort. 'Maar met een leeuw weet je het maar nooit, dat heb ik ook al tegen Alfonso María gezegd.' En hier boog hij zich nog verder naar Epifanio over om in zijn oor te fluisteren: 'Een leeuw wordt snel woest en een woeste leeuw die aai je niet zomaar even over zijn bolletje, als u begrijpt wat ik bedoel.'

Epifanio begreep het echter niet helemaal. Hij knikte vaagjes terwijl hij aan de opdringerige nabijheid van de opzichter trachtte te ontkomen. Maar die leek van geen wijken te willen weten. In de verte zong er iemand en die zware, trillende stem riep een aangenaam droevige sfeer op.

'U zegt het maar als ik me vergis,' ging de opzichter verder. 'Maar volgens mij kan dit niet goed gaan.'

'Kalm maar,' zei Epifanio kortaf en niet bepaald kalm.

Nadat de box goed was vastgesjord wilde Agustín Gallareta onmiddellijk vertrekken. Het afscheid was lauw en werd abrupt verstoord door het harde geronk waarmee de vrachtauto werd gestart. Het jongetje en de halfblinde takshond hadden zich achter de oleanders verstopt om ons vertrek gade te slaan. Het zonlicht legde een gouden zweem over de zijmuur van de hoeve. Terwijl we over de zandweg naar de poort van het landgoed reden stelde Orlando Mardeleva op de valreep nog een laatste vraag. Hij keek naar het bos en vroeg zonder op antwoord te wachten:

'Hoeveel kurken zullen al die eiken wel niet opleveren?'

Opnieuw ontvouwde zich voor onze ogen het wonderbaarlijke landschap: een schitterende ondergaande zon tussen enorme, mauve wolken, de rechthoekige velden van de olijfgaarden, een zwerm spreeuwen die bij een irrigatiekanaal was neergestreken, de diepe indruk die de stilte van elke hoeve, elke eenvoudige schuur, elk weemoedig makend levensteken bij ons achterliet. En we hadden het enigszins onbestemde, moedeloze gevoel – wellicht opgewekt door het lome gebrom dat de leeuw soms liet horen – een avontuur te hebben beleefd dat helemaal niet zo spannend was geweest als we hadden verwacht.

3

Nadat Adelaida Conticinio zich eerst een tijd met hart en ziel op de liefdadigheid had gestort, wierp ze zich met een even overweldigende hartstocht op rijtuigen en alles wat daarmee samenhing. Niet dat deze belangstelling, gezien de familietraditie, nu zo bijzonder of onverwacht was maar sinds ze als klein meisje met het mennen van paarden was begonnen, had ze echter niet meer zo'n enorme geestdrift voor rijtuigen getoond. Het was duidelijk dat ze na zolang met een Romero getrouwd te zijn geweest (weliswaar zonder een echt huwelijksleven) besmet was geraakt met dat ziekelijke exhibitionisme van de familie, fanatieke verzamelaars van alles wat hun hartje begeerde, inclusief geld. Ook kon in deze plotselinge herleving van haar belangstelling voor rijtuigen een verborgen verlangen naar machtsvertoon een rol hebben gespeeld.

Om haar wensen te vervullen liet Adelaida Conticinio de drie prachtige rijtuigen thuisbrengen die haar vader haar ooit cadeau had gedaan, en waarvan er twee in een schuur op een haciënda stonden weg te roesten. Vervolgens drong ze er bij haar echtgenoot op aan om een van de daarvoor geschikte bodega's als paardenstal annex koetshuis in te richten, of als die te klein was, er een nieuw gedeelte aan te laten bouwen. En zo gebeurde het. De rijtuigen afkomstig uit haar ouderlijk huis – twee faetons en een landauer, met het grafelijke wapenschild op de portieren – kwamen naast die van de familie Romero te staan – een victoria en nog een landauer. De verzameling werd uiteindelijk ook nog uitgebreid met een tilbury, die Adelaida Conticinio altijd al had willen hebben, en die ze zich dan ook in een handomdraai aanschafte. Vervolgens liet ze die zes rijtuigen opknappen, gaf aan teugel- en zadelmakers opdracht nieuw tuig te maken, schafte twee extra spannen aan en benoemde Epifanio tot opzichter van koetshuis en paardenstallen.

Hoewel sulky's toen nog niet echt populair waren, gedroeg Adelaida Conticinio zich alsof ze met haar rijtuigen werkelijk voor paardenrennen aan het trainen was. Meer dan op haar eigen plezier en op pronken tijdens ritjes en feesten (in haar visie slechts een aardige bijkomstigheid), was ze erop uit om de bewondering in haar directe omgeving te wekken. Dat probeerde ze met al die rijtuigen en paarden voor elkaar te krijgen en ze wilde ook dat haar kinderen daar aan meededen. In ieder geval María Patricia en Carola, aangezien Alfonso María in die tijd bij min of meer slinkse of zelfs ronduit smerige politieke praktijken betrokken was geraakt. Hoewel die houding in haar geval niet geheel onbegrijpelijk was, getuigde ze van het behoorlijk idealistische idee dat de wereld echt schitterend kon zijn, vol van een eeuwigdurend geluk, als je het zelf maar wilde – en als je daarbij maar Gods hulp aanvaardde.

Omdat Carola dol was op paarden en al een zekere handigheid in het mennen had, was ze in het begin erg blij met die herleefde liefhebberij van haar moeder. Maar haar belangstelling verflauwde echter even snel als die bij María Patricia opleefde. In eerste instantie merkte Adelaida Conticinio dat ingezakte enthousiasme van Carola niet op. En dat gold nog eens te meer voor de oorzaken ervan, die best wat met de eerste liefdesavontuurtjes van haar dochter te maken konden hebben. Ze nam allebei haar dochters dan ook gewoon elke middag mee naar de lessen zonder dat ze iets in de gaten had en eiste dat ze alles op alles zouden zetten om het mennen van verschillende bespanningen onder de knie te krijgen, vooral die met één en twee paarden, maar soms zelfs met vier. Naast Epifanio – die het nog al eens te druk had met andere dingen – nam Adelaida Conticinio als leraar ook een jonge pikeur in dienst die eerst op een fokkerij veulens had afgericht en nu zelf dressuurlessen gaf. Het was een erg voorkomende, nette en handige knaap voor wie voetgangers simpelweg niet leken te bestaan.

'Je zou niet zeggen dat hij maar een gewone volksjongen is,' zei Adelaida Conticinio minzaam. 'Hij is erg slim en ik heb gehoord dat de beenkappen die hij draagt zelfs zijn eigendom zijn.'

'Er zijn nu eenmaal ook arme mensen die beenkappen hebben,' zei María Patricia op billijkende toon.

'Dat weet ik ook heus wel,' snauwde haar moeder. 'Denk maar niet dat ik achterlijk ben.'

Die jonge pikeur werd dus uiterst welwillend behandeld en hij probeerde op zijn beurt alle vaardigheden die hij bezat op zijn begaafde leerlingen over te dragen. Alles liep gesmeerd tot ze op een dag, toen ze van hun dressuurlessen op het trainingsveld of in de omtrek terugkwamen, iets in het koetshuis zagen wat ze nooit meer zouden vergeten. Adelaida Conticinio had namelijk een groot deel van het eigenlijke koetshuis tot een soort ontspanningsruimte laten ombouwen. Voor de inrichting en decoratie ervan had ze zelf tot in de kleinste details zorggedragen. In plaats van direct naar huis te gaan na de dressuurlessen bleef ze vaak met haar dochters in die ruimte zitten om na te praten over dingen die niet goed waren gegaan, of, als er niets bijzonders was gebeurd, om over koetjes en kalfjes te kletsen, in een soort totale verveling die door vermoeidheid werd overheerst. En dat dachten ze ook op die dag te gaan doen nadat ze de landauer tot aan de banken hadden gereden waar de stallen begonnen en ze vriendelijk afscheid hadden genomen van de jonge pikeur.

María Patricia deed de deur open en bleef onmiddellijk als aan de grond genageld staan. Ook Adelaida Conticinio die vlak achter haar liep verzette geen voet meer. Daarop keek Carola naar binnen en zag hetzelfde gruwelijke beeld als haar zuster en moeder: een paard dat morsdood was en half op de divan lag. Omdat een dood paard er doder uitziet dan welk ander dood dier ook, staarden ze elkaar hevig ontzet aan en bleven als verlamd staan. Ook gillen of gebaren deden ze niet want ze waren echt totaal overrompeld. Uiteindelijk wankelden ze totaal aangeslagen weg. Eerst begon Carola heel zachtjes te huilen en vervolgens María Patricia terwijl Adelaida Conticinio verdwaasd op zoek ging naar Epifanio of een stalknecht.

Alsof ze opnieuw een hulpeloos kind was geworden verdwaalde ze een paar keer doordat ze zich in het schemerduister in de weg vergiste maar ten slotte vond ze Epifanio achterin in het koetshuis, een van de vage gestalten die tegen een grauwe muur afstaken. Epifanio was samen met een knecht bezig om de paarden van de landauer uit te spannen en ze een dekkleed om te doen. Nog voordat hij haar aankeek wist hij al dat ze volkomen in paniek was en zonder een woord uit te kunnen brengen om hulp vroeg. Misschien staarden ze elkaar eerst een ogenblik machteloos aan voordat Adelaida Conticinio kon reageren en hem met een slap handje meetrok door de stallen, terwijl hij tevergeefs aan haar vroeg wat er gebeurd was en zij met haar andere hand langs de muren tastte alsof ze door een stikdonkere ruimte liepen. María Patricia en Carola stonden nog altijd doodstil op dezelfde plek in het tegenlicht dat door het deurgat viel, opgesloten in dat gruwelijke aura waarvan de uitstraling zich steeds verder uitbreidde.

Epifanio ging alleen naar binnen en het eerste wat hij zag deed hem vaag aan een droom denken. Maar dat paard was geen droom: het was echt en zag er verschrikkelijk uit met die uitpuilende ogen als van een enorme, dode vis en dat gele schuim op zijn bek. Er sloeg een stinkende walm – precies zo'n walm als die in slachthuizen hangt – van het dier af, dat op de divan lag als iemand die doodvermoeid was onderuitgezakt. Epifanio keek om zich heen op zoek naar iets maar wist niet wat en kreeg het angstaanjagende gevoel dat hij leegbloedde terwijl hij naar die onbegrijpelijke wreedheid van de dood staarde.

Hij liep naar het paard toe zonder het aan te raken. Het was een prachtig veulen, dat Pretty heette, iets ouder al en met een blauwzwarte vacht waarin de witte vlekken al begonnen door te schemeren, en dat ze van plan waren voor de tilbury af te richten. Plotseling ontdekte hij een gaatje in de schedel van het dier, een gaatje omringd door groenachtige schuimbelletjes en waarvan nog altijd de rook van de dodelijke kogel leek af te slaan die erdoor naar binnen moest zijn gedrongen. Door dat zinloze spoor van zijn dood raakte Epifanio alleen nog maar meer onthutst, want het vormde het onomstotelijke bewijs dat het veulen op afschuwelijke wijze was vermoord. Tussen hem en het dier ontstond plots een dreigende stilte, een nieuwe, angstaanjagende stilte. En hij haastte zich naar buiten alsof hij uit de droom ontwaakte die hij zich meende te herinneren toen hij binnengekomen was.

Hij kon Adelaida Conticinio niet meteen vinden doordat die samen met haar dochters bij de poort van het koetshuis was gaan staan, waarschijnlijk om buiten afleiding te vinden. In de schemer weerklonk een dof geluid en er verspreidde zich een geur van hooi. Maar dat geluid en die geur vormden slechts zwakke tekens van de voortgang van het leven. Epifanio wilde op dat moment nog niets tegen Adelaida Conticinio zeggen over wat hij had ontdekt maar zijn ontzette, haast lijkbleke gezicht sprak boekdelen. Hij riep de stalknecht die daar ergens aan het werk was en ze begonnen opnieuw de paarden voor de landauer te spannen om de zwaar aangeslagen vrouw en haar dochters naar huis te brengen.

Alfonso María hoorde eerder dan zijn vader wat er was gebeurd. Hij had geen enkel bewijs nodig voor zijn stelling dat het hier om een gruwelijke wraakactie ging, ongetwijfeld beraamd door hetzelfde gespuis dat de heilige tempel van het vaderland met de grond probeerde gelijk te maken en dat daartoe zonder enige scrupule gebruikmaakte van de scheuren die het gebouw begon te vertonen. Epifanio snapte totaal niet hoe en wanneer die gruweldaad begaan kon zijn. De twee stalknechten – op wie geen enkele verdenking viel – al evenmin: ze hadden gedacht dat het veulen onverwacht mee was genomen naar het trainingsveld om afgericht te worden. Epifanio was die dag pas halverwege de middag naar het koetshuis gekomen en hij noch de stalknechten waren voor Adelaida Conticinio in de ontspanningsruimte geweest. Dus volgens deze eerste aanwijzingen moest het veulen 's nachts zijn vermoord en waren de daders via een van de hoge raampjes die gewoonlijk openstonden de paardenstallen binnengedrongen. Het moesten er minstens twee of misschien zelfs drie zijn geweest, want het spoor in de zandvloer gaf duidelijk aan dat het veulen uit de box naar de ontspanningsruimte was versleept en één persoon zou daar nooit toe in staat zijn geweest. Niemand had het schot gehoord en al evenmin waren er lichten gezien of was er vreemd lawaai of gehinnik gehoord. De meedogenloze gruweldaad was werkelijk zonder enige scrupule begaan.

Nog diezelfde avond ging Alfonso María met twee bevriende partijgenoten naar het koetshuis. Wat hij wilde was niet zozeer de toedracht van de misdaad onderzoeken, als wel zijn eigen woede opwekken als stimulans voor een meedogenloze afstraffing van de onbekende daders. Vanuit die gedachte begon hij de feiten te reconstrueren. Hij stelde zich voor hoe de daders zich door een van de raampjes hadden gewurmd, hoe ze langs de balen waren geslopen die in de duisternis op de vloer lagen opgestapeld, hoe ze zich hadden laten leiden door de warmte die de paarden afgaven, hoe ze wellicht een stompje kaars hadden aangestoken. Daarna moesten ze langs alle boxen zijn gelopen om het paard uit te zoeken waarvan het verlies het hardste aan zou komen en stilletjes in die van het veulen zijn geklommen, dat ze op een of andere manier eerst gekalmeerd hadden alvorens de loop van het geweer tegen zijn kop te drukken.

Omdat er geen hulzen waren gevonden, was het was nog onduidelijk wat voor een soort geweer ze hadden gebruikt en van welk kaliber, maar naar het spoor te oordelen dat de kogel had achtergelaten kon het best een jachtgeweer zijn. Het veulen moest op slag dood zijn geweest, maar Alfonso María durfde toch nauwelijks aan dat gruwelijke ogenblik te denken. Het dier moest een lichtflits hebben gezien, een wilde sprong hebben gemaakt en met een harde klap tegen de vlakte zijn gegaan, zijn hersens doorboord door een dodelijke horzel. Vervolgens probeerde hij zich voor te stellen hoe ze het kreng hadden versleept en, om die weerzinwekkende misdaad nog iets luguberder te maken, op de divan hadden gelegd. De moordenaars hadden twee flessen sherry achterovergeslagen, waarvan er eentje tussen de achterpoten van het veulen lag terwijl ze de andere tegen een schilderij met een jachttafereel kapot hadden gegooid. Na dit alles te hebben vastgesteld kookte Alfonso María werkelijk van woede en begon met zijn twee partijgenoten een gepaste represaille te beramen.

Hoewel ze niet het bed hoefde te houden was Adelaida Conticinio in een vreselijke depressie geraakt, een toestand waar ze iedereen in huis, inclusief de bedienden, deelgenoot van maakte, maar María Patricia, aan wie ze voortdurend al haar nachtmerries en angstaanvallen vertelde, was toch wel haar belangrijkste slachtoffer. Haar diepe wens om het veulen te laten balsemen en een grafmonument voor hem te laten bouwen in het park bij de bodega werd echter geen werkelijkheid. Don Sebastián stond weliswaar aanvankelijk behoorlijk welwillend tegenover dat plan, maar stelde de uitvoering ervan steeds uit waardoor het uiteindelijk vergeten werd. Ook al zou Adelaida Conticinio geen voet meer in het koetshuis zetten, ze nam al snel en slagvaardig haar paardenliefhebberij weer op: elke ochtend beval ze welke rijtuigen en paarden er aan het einde van de middag voor de deur klaar moesten staan.

Carola maakte echter van deze hele toestand gebruik om steeds minder bij de dressuurlessen te verschijnen. Ze voerde daarvoor als excuus aan dat ze zich sinds de verschrikkelijke dood van het veulen erg depressief en vermoeid voelde. Iets wat weliswaar op zich klopte maar haar toenemende afwezigheid was toch vooral te wijten aan haar geheime liefdesavontuurtjes, waarvoor ze tijdens de ritten van haar moeder uit huis ontsnapte. Adelaida Conticinio moest daarvan lucht hebben gekregen want op een goede dag gaf ze de huishoudster Remedios opdracht de gangen van Carola na te gaan en haar nauwkeurig op de hoogte te houden van het doen en laten van haar dochter. En Remedios (aan wie Carola altijd als eerste haar zorgen toevertrouwde) briefde dan ook alles wat Carola haar vertelde in een gekuiste versie door.

Terwijl ze zich steeds bleef afvragen wanneer en waar Carola haar aanbidder toch kon hebben ontmoet, was het Adelaida Conticinio meteen duidelijk dat deze niet tot haar directe kennissenkring behoorde, noch tot de mensen daar omheen. Vandaar dat ze eerst snel met haar echtgenoot overlegde voor haar dochter op het matje te roepen. Voor don Sebastián Romero was de vermoedelijke aanbidder, – Jean Claude Vallon, de zoon van een Franse wijnexpert die bij een concurrerende bodega werkte – een volslagen vreemde. Hij had zelfs nooit over hem horen praten.

‘Stel je toch eens voor,’ zei Adelaida Conticinio bezorgd tegen haar echtgenoot, ‘een eenvoudige volksjongen die alles van wijn af weet.’

Adelaida Conticinio had namelijk toen ze bij haar ouders thuis woonde altijd opvattingen horen verkondigen over gedragsregels die in acht dienden te worden genomen en die min of meer het tegendeel waren van hetgeen ze daarover hoorde beweren toen ze getrouwd was, maar desondanks waren de opvattingen die haar in haar jeugd waren bijgebracht nog altijd doorslaggevend voor haar. Ze was er dan ook van overtuigd dat een adellijke afkomst onmogelijk samen kon gaan met handel, inclusief de wijnhandel, of dat het simpele feit dat iemand uit het buitenland kwam – vooral uit Engeland dan – geen enkel pre mocht zijn voor hem om (zoals gebruikelijk was) door bepaalde families geaccepteerd te worden. Zowel een welwillende houding tegenover vreemdelingen als handelsgeest was voor de moeder van Adelaida – die tot de achtste generatie van de graven van Malcorta behoorde – een ondeugd die, voortkomend uit minachting voor de traditie, een slecht beheer van bezittingen en een enorm winstbejag, de fundamenten van de adellijke huizen steeds verder ondergroef. In die tijd begreep de jonge Adelaida deze opvattingen van haar moeder maar half, maar ze was er vast van overtuigd dat ze toch goede redenen had om ze er op na te houden. In ieder geval waardeerde ze de opvattingen van haar moeder meer dan haar vader dat deed. Deze was een wat vage figuur die ondernemersinstinct bezat terwijl hij zich tegelijkertijd als een gentleman gedroeg. Na het fortuin van zijn vrouw verveelvoudigd te hebben, permitteerde hij zichzelf dan ook slechts een paar kleine persoonlijke grillen, zoals het laten strijken van zijn overhemden door een bedrijf in Chelsea, de aankoop van een fantastisch Engels-Spaans-Arabisch raspaard, het onderhouden van een Baskische hoer, zich in een soort draagstoel over zijn landerijen laten vervoeren en elk jaar de Derby bijwonen. Dat soort onbenullige dingetjes.

De moeder van Adelaida Conticinio bleef altijd een lichte weerzin tegen haar echtgenoot houden. Haar trots stond echter een objectief oordeel over hem in de weg. Behalve dat ze altijd al volkomen frigide was geweest, was ze ook nog onvruchtbaar geworden na de geboorte van haar enige dochter en sinds die tijd zag ze in die fat eigenlijk alleen nog maar een doortrapte parvenu. Ze verdroeg hem zoals je een zich voortslepende kwaal verdraagt. Haar moeder was een dame met een aangeboren verfijning, vooral aantrekkelijk door haar breekbare gestalte, die alles van tuinen en heraldiek afwist. Als een echte Malcorta hield ze haar leven lang de houding van de adellijke dame in stand die tegen haar wil de decadentie van de wereld moet verdragen en toen ze voelde dat ze ging sterven, sloot ze zich op in een afgelegen kamer van haar huis opdat niemand haar zou zien. Ze beschouwde ingetogenheid en in stilte liefdadigheid bedrijven als een wezenlijk onderdeel van deugdzaam gedrag. Ze betaalde en beschermde het dienstpersoneel dan ook alsof het haar arme familie was. Adelaida had van haar moeder niet alleen deze elegante barmhartigheid en verfijnde levensinstelling meegekregen, maar ook haar gebrek aan praktische zin, de plechtige verering van haar afstamming en een instinctieve weerzin tegen boekhouders. Aan haar vader had ze haar overige eigenschappen te danken en het huwelijk met Sebastián Romero, dat hij voor haar had georganiseerd.

Geheel in de lijn met deze van huis uit meegekregen normen riep Adelaida Conticinio haar dochter op het matje en nadat ze te horen had gekregen hoe de vork in de steel zat, ruziede ze onder vier ogen met haar echtgenoot waarbij ze door haar eigen angst ook nog eens het laatste restje kalmte verloor. Dit onderonsje kon zo voor een huwelijksscène uit een toneelstuk doorgaan: beschuldigingen over een blamage die het resultaat was van een slechte opvoeding vlogen over en weer en ondanks de overstelpende vloed aan verwijten vond er toch een onverwachte ontknoping plaats. Carola zou tegen die ongezonde liefdesavontuurtjes worden beschermd door haar binnen te houden, aangezien de andere mogelijkheid, haar op een internaat doen, niet alleen contraproductief was maar ook ongeschikt voor een meisje van haar leeftijd. Ze kreeg dus een heus huisarrest opgelegd dat onmiddellijk van kracht werd.

Anders dan zijn vrouw, die er erg strenge normen op nahield, was don Sebastián Romero helemaal niet zo gealarmeerd door die eigenlijk heel normale liefdesavontuurtjes van zijn dochter. Maar waarover hij zich wel grote zorgen maakte, dat verzweeg hij tijdens het onderonsje met zijn vrouw. Niet uit voorzichtigheid maar omdat zij het ongetwijfeld niet belangrijk had gevonden. Zijn zorgen vloeiden voort uit de levensbeschouwing van de aanbidder van Carola die – don Sebastián had het op eigen houtje uitgezocht – meer dan eens blijk had gegeven van sympathie voor de Liberale Partij, in ieder geval al sinds die gelegaliseerd was. Voor don Sebastián was dit feit meer dan voldoende om Jean Claude Vallon zonder meer af te wijzen. Dat die halve Fransman de bastaardzoon van een wijnexpert was, kon daaraan niets veranderen. Integendeel, zijn onvergeeflijke politieke voorkeur bracht don Sebastián ertoe vastberaden de onbuigzame houding van zijn vrouw te steunen, want elke afwijking van zijn ideologische opvattingen nam hij als een persoonlijke belediging op.

Maar er waren nog meer verwikkelingen rond Carola. Op een avond namelijk toen Adelaida door het huis dwaalde dat ze in een gevangenis voor haar dochter had veranderd (ze wilde haar geen moment meer uit het oog verliezen, ook al ging dat ten koste van de tijd die ze aan haar paarden kon besteden), hoorde ze plots een verdacht lawaai in een kamer op de benedenverdieping. Half geschrokken ging ze erop af, slingerde de deur met een voor haar ongekende kracht open en het eerste wat ze zag was Juan de Juana die met Carola aan het rollebollen was, waarbij hij probeerde haar te overmeesteren zonder dat het nu om een verkrachting ging, omdat zij slechts halfhartig tegenstand bood. Adelaida Conticinio viel weliswaar niet flauw, maar het leek haar wel even zwart te worden voor de ogen. En pas nadat ze een ogenblik besluiteloos had gestaan, reageerde ze resoluut: zonder een woord te zeggen maakte ze het plechtige gebaar van een tribuun en wees Juan de Juana – haar ogen op haar trillende, niets aan duidelijkheid te wensen overlatende wijsvinger gericht – met gestrekte arm de deur. Het enige wat nog aan die despotische gestalte ontbrak om in een standbeeld te veranderen was de verschijning van de geest van het vermoorde veulen.

Even zag Juan de Juana in Adelaida Conticinio het vleesgeworden symbool van de onrechtvaardigheid. Roerloos en met een schaapachtig gezicht probeerde hij nog de vermoorde onschuld uit te hangen, maar uiteindelijk accepteerde hij toch haar vonnis. Hoewel hij misschien niet zo overhaast afdroop als Jozef uit het huis van Potifar, leek het toch of hij regelrecht naar de achterbuurt terugging waaruit Alfonso María hem had gehaald. Intussen was Carola naar haar moeder toegelopen, natuurlijk niet om bescherming te zoeken – daaraan had ze geen behoefte, terwijl Adelaida Conticinio die op dat moment ook helemaal niet zou willen geven – maar om zich door de lome bewegingen van haar lichaam een zelfverzekerde houding aan te meten. Doordat Carola de familie-eer op deze schaamteloze manier had aangetast, was de kloof tussen moeder en dochter alleen nog maar groter geworden.

Juan de Juana was sluw genoeg om Alfonso María een gekuiste versie van het gebeurde op te dissen voordat die het hele verhaal van zijn moeder te horen zou krijgen. En dat deed hij nog diezelfde nacht door met een gelegenheidsinformant naar de sociëteit te gaan waar zijn baas gewoonlijk met een groot aantal partijleden samenkwam. Alles liep zoals Juan de Juana had gedacht. Hij bood Alfonso María niet alleen de mogelijkheid om wraak te nemen voor de moord op het veulen, maar sleep ook de scherpe kantjes af van wat er tussen hem en Carola was gebeurd door het kletsverhaaltje op te dissen dat hij plotseling willoos was meegesleept door een enorme hartstocht.

'De volgende keer pak je dat klerewijf van je moeder maar,' beet Alfonso María hem toe zonder zijn stem te verheffen. 'En nu opgedonderd.'

Alfonso María was een beetje uit de buurt van zijn gespreksgenoten gaan staan en keek zijn secretaris met een vreselijke walging aan. Tegen elke verwachting in trok hij niet dat jachtmes waarmee hij steeds vaker zijn argumenten kracht bijzette. Juan de Juana zag dan ook zijn kans schoon om hem in de val te laten lopen die hij voor hem had opgezet.

'Ik wilde u aan Jacinto Manotriste voorstellen,' zei hij terwijl hij zijn gelegenheidsinformant, die uiterst discreet bij de deur was blijven staan, met een vinger gebaarde dichterbij te komen. 'Die verkoopt van alles.'

De informant kwam met ferme stappen naderbij en sprong bij wijze van groet in de houding, maar Alfonso María bekeek hem onverschillig. Kokend van woede richtte hij zich opnieuw tot zijn secretaris:

'Ik weet niet of je me begrepen hebt,' zei hij. 'Maar als je niet opdondert dan vil ik je levend. Jij mag kiezen.'

'Maar er zijn ook dingen die Jacinto Manotriste gratis weggeeft,' ging Juan de Juana stug door, hoewel hij besefte dat Alfonso María best wel eens de daad bij het woord zou kunnen voegen. 'Aanwijzingen over bepaalde klootzakken, plaatsen waar ze vaak komen, dat soort dingen,' hij wuifde een paar keer met zijn hand. 'Luistert u maar eens wat voor nieuwtjes hij heeft, doet u me in ieder geval dat plezier.'

Jacinto Manotriste knikte gedwee. Hij was vel over been en had een enorm litteken op zijn ene wang.

'Donder op,' herhaalde Alfonso María en voor de eerste keer keek hij de informant aan: 'En jij, wat moet jij hier?'

'Hij weet zelfs hoe laat sommige van die klootzakken gaan slapen,' zei Juan de Juana in een laatste poging Alfonso María te overtuigen. 'Hij weet alles af van dingen die u zullen interesseren, begrijpt u? Hup, vertel eens op.' En hij porde de informant met een elleboog in zijn zij.

Jacinto Manotriste deed daarop een stap naar voren en terwijl hij zijn sluwe ogen samenkneep zei hij:

'Ik weet ergens een gozer te zitten die een veulen heeft gekild.' Hij haalde even diep adem. 'Voor als u dat soms interesseert.'

Het gezicht van Alfonso María klaarde onmiddellijk op en terwijl hij de informant welwillend aankeek kreeg hij vlinders in zijn buik.

'Nou als je die een kopje kleiner maakt,' bromde Alfonso María, 'dan geef ik jou een ander veulen cadeau.'

'Geen enkel probleem,' zei Juan de Juana beslist. 'Hij is echt nergens bang voor: hij zet zo zijn tanden in de ballen van een stier en vreet die met huid en haar op.'

Een van de mannen met wie Alfonso María eerst had zitten praten, een oerlelijke kerel die wel een gorilla leek, kwam plotseling overeind en terwijl hij zijn handen in pistolen veranderde richtte hij zijn wijsvingers op hen.

'De partijleiding wil je zien,' zei hij tegen Alfonso María terwijl hij Jacinto Manotriste langzaam van top tot teen opnam. 'En waar heb je trouwens deze schoonheid vandaan gehaald?'

Alfonso María gaf geen antwoord. Zijn secretaris ook niet en de schoonheid in kwestie al evenmin. Gedurende enige ogenblikken leek er alleen maar een vaag geluid van triomfantelijk in de wind klapperende vlaggen hoorbaar. Voordat Alfonso María vertrok maakte hij naar Juan de Juana een ondubbelzinnig gebaar door snel met zijn vinger langs zijn nek te gaan. Al met al mocht Juan de Juana niet mopperen: het vervelende probleem dat hij zich op de hals had gehaald met Carola was de wereld uit in ruil voor een simpele wraakactie voor die moord op het veulen. De engel der wrake zou nog diezelfde nacht voor de familie Romero in het krijt treden.

4

Mijn neef Aurelio ging die herfst naar een school in Wimbledon, vlakbij Londen. Een tijd in Engeland doorbrengen was namelijk een ijzeren wet binnen de familie geworden, een vereiste voor een goede opvoeding dat niet alleen maar een aangename bijkomstigheid was maar ook vele maatschappelijke en economische voordelen met zich meebracht. Zoals indertijd mijn opa Sebastián en mijn oom Alfonso María hadden gedaan – al was het niet exact uit dezelfde motieven – zou ook mijn neef zich in Engeland laten inwijden in de complexe wereld van de wijn- en drankhandel en tegelijk Engels en ook nog zoiets als bedrijfskunde leren.

Natuurlijk wilden mijn neef en ik er samen heen gaan en hoewel we dat op alle mogelijke manieren voor elkaar probeerden te krijgen zou ik, zoals voorzien, nog een jaar moeten wachten – tot ik mijn middelbare school afhad – voor ik de Engelse 'dienstplicht' kon vervullen die de familie Romero zo noodzakelijk vond. Bovendien kwam de familie van mijn vader, de Hardy's, uit Swansea en dat maakte het meer dan waarschijnlijk dat wanneer het eenmaal zover was, ik bij een van mijn vage ooms in Wales zou komen wonen. Mijn broer Gregorio, die vier jaar jonger was dan ik, woonde daar al en het leek er erg sterk op dat hij in Swansea zou blijven. Vandaar dat ik voortdurend het idee had dat me een geweldig onrecht was aangedaan en ik met zo'n rotgevoel rondliep dat erg veel van verkapte jaloezie wegheeft. Eenmaal terug uit Wimbledon, zou Aurelio ongetwijfeld gaan lopen opscheppen over hoe volwassen hij wel niet was en me voortdurend het verschil laten voelen tussen zijn fantastische bereisdheid en mijn benauwde provinciaalse geest.

Volgens mij vond net nadat mijn neef vertrokken was een gebeurtenis plaats die enorme consequenties voor de Romero's zou hebben: de Cubaanse revolutionairen behaalden de overwinning in de strijd tegen het Batistaregime. Mijn oom had dit slechte nieuws al ontvangen nog voor die overwinning, na een kort kerstbestand, op nieuwjaarsdag 1959 werd geproclameerd. Mijn tante Carola kende maar al te goed de vreselijke woedeaanvallen van haar broer die, hoe vervelend ze ook waren, in ieder geval nog nooit met geschreeuw gepaard waren gegaan, maar ditmaal ging hij echt als een dolleman tekeer en was zijn geschreeuw al op grote afstand te horen. Het klonk zelfs zo hard dat ze er kippenvel van kreeg terwijl ze loom en met haar ogen gesloten naar liefdesliedjes lag te luisteren die ze helemaal op haar eigen situatie betrok. Die onverwachte woedeaanvallen van Alfonso María verstoorden de orde en regelmaat in huis diep en veelvuldig. Mijn tante vreesde dat als gevolg daarvan haar vader een geweldige zenuwinzinking zou krijgen en de kindsheid van haar moeder nog erger zou worden dan ze al was. Toen ze haar kamer uitkwam ving ze op een hoek van de galerij nog net een glimp op van haar broer. Ze bleef staan wachten en even later kwam de huishoudster Remedios met onzekere pasjes aanlopen die, helemaal van slag door de onrust in huis, druk in zichzelf aan het praten was.

Mijn oom was inderdaad erg woedend, of liever gezegd, zijn woede steeg naarmate het verder tot hem doordrong welke gevolgen de overwinning van Castro had. Hij begreep dat die rampzalige gebeurtenis niet alleen een ernstige bedreiging voor zijn bezittingen op het eiland (de suikerfabriek, het filiaal van de bodega en de villa in Camagüey) kon betekenen, maar ook de nekslag voor de wijnexport naar Cuba zou kunnen zijn. Hij probeerde daarom op alle mogelijke manieren – zowel via via als rechtstreeks – betrouwbare informatie over de stand van zaken te krijgen. Maar niemand wilde of kon hem die geven. Zijn vermoedens dat de bezittingen van mijn tante Socorro (die door hun huwelijk ook zijn eigendom waren geworden) zouden worden geconfisqueerd, leken echter toch meer en meer te worden bewaarheid. In zijn pogingen om het tij te doen keren besloot hij de meest bizarre weg te bewandelen die je maar bedenken kon. Eerst slaagde hij erin zich tot officier van het Legioen van Eer en ridder de gracia magistra van de Orde van Malta te laten benoemen, vervolgens liet hij zich door de Cortes tot procurator van de familiebezittingen aanstellen en ten slotte bemachtigde hij voortijdig en door slinkse manoeuvres de titel van graaf van Malcorta, Op deze wijze trachtte mijn woedende oom het haast onmogelijke doel te bereiken: paal en perk stellen aan de Cubaanse revolutie door een grotere persoonlijke macht en invloed. Maar al deze verschillende titels en functies, hoe eervol en belangrijk ze ook waren, konden hem op geen enkele manier helpen om de loop van de geschiedenis te veranderen.

Doordat mijn neef ver weg zat kwam mijn nichtje Marianita me van de weeromstuit steeds vaker opzoeken. Op een gegeven moment zagen we elkaar zelfs bijna elke dag. Als zij niet bij mij thuis kwam of ik bij haar, dan zagen we elkaar wel ergens anders. Sinds we waren wezen zeilen in de buurt van Argónida en ik tersluiks een glimp van haar vrouwelijkheid had opgevangen, was Marianita in het symbool van de begeerte veranderd die ik tot dan toe voor het verboden lichaam van mijn tante Carola had gevoeld. Marianita was in die tijd de hartsvriendin van de naaister Custodia – het nichtje van de huishoudster Remedios – en als ze niet samen liepen te smiespelen beneden, dan verdwenen ze wel naar de zolder van het huis, waar de kamers van het dienstpersoneel waren. Hoewel mijn tante Socorro deze ongepaste omgang had verboden – vooral intieme vriendschap met bedienden was uit den boze – wisten Custodia en Marianita dit verbod zonder veel problemen te ontduiken. Hun steeds hechtere vriendschap diende de jonge naaister om ontboezemingen over haar liefdesleven te doen en bracht voor mijn nichtje de ontdekking van een voor haar geheel onbekende en aanlokkelijke sociale relatie met zich mee.

Op een namiddag vroeg mijn nichtje of ik aan een schijnbaar onschuldig spelletje wilde meedoen. Het ging om een soort verstoppertje en het spannende ervan was klaarblijkelijk dat zij – mijn nichtje en Custodia – zich verkleed zouden verbergen terwijl ik hen in het donker moest zoeken en moest raden, als ik iemand vond tenminste, om wie van de twee het ging. Als me dat niet lukte kreeg ik een straf die ze niet vooraf wilden verklappen. Het speelveld werd gevormd door het koetshuis (dat toen alleen nog maar als opslagplaats voor meubels diende) en de in onbruik geraakte huiskapel die aan de achterplaats lag.

Ik wachtte op de galerij tot ze me zouden roepen en had het gevoel dat ik aan een echt heel spannend spel mee ging doen. Het duurde erg lang en ik vreesde al dat er iets vervelends was gebeurd, toen Marianita me plots uit de verte riep. Ik rende daarop naar de kapel maar bedacht me om de een of andere reden en maakte rechtsomkeert naar het koetshuis, dat aan de patio lag. Terwijl ik mijn hart in mijn keel voelde kloppen duwde ik de poort open en het eerste wat ik zag was een enorme duisternis. Ik kon in dat pikdonker nauwelijks de zwarte silhouetten van de meubels onderscheiden die er stonden opgestapeld.

Terwijl ik geen hand voor ogen zag liep ik tussen stapels dozen door en voelde het vocht omhoog kruipen tot in mijn plusfour. Er was geen enkel geluid te horen behalve misschien het zachte gezoem van die dreigende stilte, even geruisloos als het trippelen van een rat over de vloer. Ik stopte voor een kast waarvan de deuren half uit hun voegen hingen en waarvan de kapotte spiegel zelfs een nog diepere duisternis weerkaatste dan die pikzwarte massa rondom mij. Daardoor werd mijn angst alleen nog maar heviger en begon het me te duizelen. Ik spitste mijn oren en meende ergens het zwakke geluid van wrijven langs een ruw oppervlak te horen. Maar ik bleef doodstil staan want ik had het gevoel dat dat alles slechts bedoeld was om me op een dwaalspoor te brengen en me in de val te laten lopen.

Na verloop van tijd veranderde de diepe duisternis in een schemerdonker vol stof dat als een fijn weefsel door de lucht zweefde. Ik liep tot achterin het koetshuis en hoorde gemompel of gefluister dat naar alle waarschijnlijkheid van achter een stapel kisten kwam die daar stond. Het leek me een teken, een signaal dat van Marianita of Custodia afkomstig was, maar de bedoeling ervan bleef me voorlopig volstrekt onduidelijk. Ik sloop dan ook voorzichtig in de richting van waar ik dacht dat een van hen verborgen zat. Vaag ving ik een glimp op van een figuur die ineengedoken achter een van de stapels zat. In afwachting van een nieuw signaal hield ik mijn adem in. En dat signaal kwam inderdaad, maar was volkomen onverwacht want een figuur in zo'n boetekleed met kap dat bij processies gedragen wordt, greep plots mijn hand en dwong me te bukken. Ik kon nauwelijks de ooggaten in de kap onderscheiden, laat staan dat ik vaststellen kon wie het was die me aankeek, en ook de vormeloze massa van het lichaam onder het boetekleed was voor mij onherkenbaar. Met een beduusd gestamel legde die figuur vervolgens een hand op mijn mond alsof er geheimhouding of medeplichtigheid van me werd geëist, iets wat absoluut niet overeenkwam met wat we van tevoren hadden afgesproken en mijn keel werd plots kurkdroog door de enorme angst die ik voelde.

Wie van de twee meisjes het ook mocht zijn die daar verborgen zat, ze was bepaald niet van plan zich aan de spelregels te houden. Zij leek niet te willen dat ik haar identiteit ontdekte, iets waar ik trouwens helemaal niet toe in staat was. De lucht die het boetekleed verspreidde was een tegelijk weerzinwekkend en aangenaam mengsel van kamfer en groene zeep en riep bij mij herinneringen aan een andere plaats op. Terwijl ik naar een aanwijzing zocht of het nu om Custodia of mijn nichtje ging, dwong de gemaskerde me ertoe op haar te komen liggen. En meteen daarop voelde ik hoe ze haar blote benen om mijn benen strengelde en haar harde buik tegen mijn heupen drukte. Ik wilde de kap van haar hoofd trekken om te zien wie er onder zat, maar terwijl ze met een wilde ruk aan me ontsnapte greep ze tegelijk mijn handen beet en kreunde diep.

Toen ze vervolgens met haar lichaam ritmisch onder mij op en neer begon te bewegen, deed ik beduusd hetzelfde als zij. Zonder een woord te zeggen en zonder goed te beseffen dat ik me daarmee op het gladde ijs van de verboden begeertes begaf. Ik streelde die gloeiend hete dijen terwijl ik snakkend naar adem verstrikt raakte in een warboel van kleren. Maar zij, wie ze ook was, slaagde er op dat moment in mijn geslacht bij haar in te brengen en begon zo furieus op en neer te bewegen dat mijn middel pijnlijk werd afgekneld door mijn broeksband. Opnieuw hoorde ik haar gekreun, dat nu van verder weg leek te komen en op dat van een angstig dier leek. Een smartelijke jammerklacht die de duisternis doorkliefde en me even kippenvel bezorgde. En zo ontdekte ik dan wat een orgasme was. De tot dan toe onbekend gebleven mogelijkheden van het lichaam overweldigden me terwijl mijn geest werd meegesleurd in een maalstroom van genot. En meteen daarna, als de plotselinge keerzijde ervan, voelde ik een enorme loomte en slapheid, een uitputting die onder schuldgevoelens werd bedolven. Want er maakte zich een verschrikkelijke schaamte van me meester zonder dat ik er iets tegen kon doen.

Ik herinnerde me opnieuw die dag dat we door de duinen van Argónida liepen en ik tersluiks een glimp van de vrouwelijkheid van Marianita opving. Ik zag weer voor me hoe ze kalmpjes vlak in mijn buurt plaste, alsof ze werkelijk wilde dat ik het zag, of in ieder geval aan me wilde laten zien dat we op de een of andere manier alles met elkaar konden delen. En dat stelde me gerust zonder dat ik goed wist waarom, waarschijnlijk omdat ik behoefte had aan een teken waaruit bleek dat we een intiem bondgenootschap met elkaar hadden gesloten en dat alles wat we samen deden door dat verrukkelijke bondgenootschap werd bepaald. Maar was Marianita nu degene die nog altijd naast me lag, al weer helemaal verborgen onder dat stinkende boetekleed zodat ik niet zou ontdekken wie ze was?

Ik stond al op het punt om die boeteling de kap van het hoofd te trekken toen ik plots de vage gestalte van een andere figuur ontdekte. Gehuld in een soort soldatencape en met een tulband rond haar hoofd en gezicht gewikkeld, stond die doodstil naast een van de kisten. Ze vormde de vleesgeworden geheimzinnigheid, het trieste toonbeeld van de gemaskerde misdadiger. Al die oude meubels die daar opgestapeld stonden schiepen een spookachtige sfeer waardoor mijn angst en verbazing alleen nog maar groter werden. Ik dacht dat die onbekende figuur, die alles wat er zojuist was gebeurd gezien moest hebben, op het punt stond ons bestraffend toe te spreken en die onbetamelijke boeteling te ontmaskeren. Maar niets van dat alles gebeurde. Ze ging alleen doodkalm een stukje van ons af staan, in afwachting dat de boeteling naar haar toe zou komen. Ongetwijfeld was geen van beiden wie ik dacht dat ze was. Ik hoorde ze op venijnige toon fluisteren en precies toen ik naar hen toe wilde lopen renden ze weg. Ze moesten door de poort naar buiten zijn gevlucht want er boorde zich plots een felle lichtbundel door de duisternis die enorme schaduwen, afkomstig van de opgestapelde meubels, op de vloer en de achtermuur van het koetshuis wierp.

Toen ik naar buiten liep had ik het gevoel uit een ijldroom te ontwaken en zocht even naar Marianita zonder dat ik haar vinden kon. Ook Custodia was niet waar ik dacht dat ze zou zijn. Het ontbrak me gewoon aan de wilskracht om hen op dat moment te gaan zoeken. Waarschijnlijk zou ik niet eens durven praten over wat me zojuist overkomen was en wat ik nog altijd niet geloven kon. Toen ik al op het punt stond naar huis te gaan liep ik op de galerij boven mijn tante Carola tegen het lijf. Het was alsof zij gezien had wat ik in het koetshuis had gedaan, alsof het haar lichaam was geweest dat ik onder het kleed van de boeteling had betast. Na deze geheime inwijding voelde ik me echter stoer als een volwassen man en dacht dat mijn neef nog onmogelijk tegenover mij zou kunnen opscheppen over hetgeen wat ik nu zelf ook had meegemaakt en nog wel op zo'n enorm spannende manier. Mijn tante gaf me een kus en zei:

'Ik dacht dat je al verdwenen was.'

'Hoe laat is het dan?' vroeg ik.

Mijn tante keek me aan alsof mijn vraag een soort schuldbekentenis inhield.

Daarop streek ze even met haar hand langs mijn wang: een streling die altijd iets opwindends voor me had maar waardoor ik op dat moment het vage gevoel kreeg dat ze me vergiffenis schonk.

'Ik moet met je praten,' zei ze op gedempte toon en zonder dat het ook maar even als een bevel klonk. 'Kom je morgen weer?'

Ik knikte en voor ze zich omdraaide en wegliep woelde ze zacht door mijn haar. De schemer, die onder de nog niet opgerolde luifel begon door te dringen, gaf de vensterruiten een droevige, opalen glans. Ik bleef even besluiteloos staan terwijl ik naar de vage gestalte van mijn tante keek die steeds achter een volgend venster verscheen. Volkomen verslagen liep ik de trap naar de patio af, maar ik snapte niet waar dat gevoel vandaan kwam omdat ik niets vervelends had meegemaakt. Toen ik de kamer passeerde die van de kapelaan was geweest keek ik slechts terloops naar binnen. Alles leek normaal in die kamer die nog altijd erg muf rook, behalve dan dat de secretaire weg was.

5

Het onrecht en de intimidaties die de familie Romero steeds al te verduren had gekregen namen werkelijk onrustbarende vormen aan toen het Volksfront begin 1936 de parlementsverkiezingen won. Voor Alfonso María, die altijd het ergste vreesde, werd alles daarmee in één klap duidelijk. Tussen de aankoop van een kudde koeien of een grote partij wijnvaten door, besloot hij elke kans aan te zullen grijpen om die afschuwelijke regering ten val te brengen. De enorme verontwaardiging die hij voelde wakkerde zijn patriottisme opnieuw aan: hij was er heilig van overtuigd dat al dat krankzinnige geweld binnen de kortste keren met een ander, rechtvaardig geweld zou worden afgestraft. Het leven leek zich voor hem dan ook al in een loopgraaf af te spelen. En zoals de zaken er nu voorstonden was er geen andere keus dan óf zelf het initiatief nemen en de strijd aangaan óf zich op een laffe en smerige manier laten afslachten.

De brandstichtingen van akkers, de bezettingen van landerijen, de overvallen en allerlei andere gewelddadigheden (die zelfs de conservatieve regering niet had kunnen indammen) namen zoals te voorzien was geweest op schrikbarende wijze toe. Alfonso María vond dat het tijd werd voor harde represailles want nu de beer los was – in zijn ogen althans – kon je je niet willoos als de eerste de beste lafbek of slapjanus over de kling laten jagen. Hij regelde dus zo goed mogelijk de bescherming van de verschillende familiebezittingen en stelde met herleefde hartstocht al zijn tijd, macht en geld ten dienste van de redding van het vaderland.

Tot Adelaida Conticinio drong het nooit echt goed door wat er nu eigenlijk gaande was. Met groeiend ongeduld had haar echtgenoot geprobeerd haar duidelijk te maken dat ze ernstig gevaar liepen, maar dat had niets uitgehaald. Hoewel don Sebastián Romero het keiharde optreden van zijn zoon beslist niet afkeurde, wilde hij zich toch liever niet direct met de vuile zaakjes van het ondergrondse verzet bemoeien. Maar ook hij was politiek actief. Hij stelde acties voor – en financierde die zelfs – die in zijn ogen beter doordacht en effectiever waren dan die van zijn zoon. Hij bleef echter erg onrustig. Ondanks zijn sluwe houding had hij toch ergens diep in zichzelf het idee dat hij door terughoudend op te treden de acties tegen hem zou kunnen beperken. Een gedachte die hem steeds bleef achtervolgen.

Ondertussen verzamelde hij veel informatie over zijn vermoedelijke medestanders en tegenstanders uit de hele streek. Nadat hij eerst eens goed het loon had bekeken dat hij zijn arbeiders betaalde, kwam hij tot de conclusie dat dat behoorlijk hoog was door alle loonsverhogingen die hij hun zelf, vanuit zijn rechtvaardige en liefdadige instelling, in de loop der jaren had gegeven. Bijna alle kantoorbedienden en arbeiders van de bodega stonden dan ook loyaal tegenover hem. Of die loyaliteit ook aanwezig was bij die enorme massa losse seizoensarbeiders en dat ongrijpbare troepje beroepsagitatoren dat ongestraft op de meest onverwachte plekken toesloeg, was echter een heel andere zaak. Maar het meest onrustbarende van alles waren nog wel de rampzalige plannen die door die smerige regering werden bekokstoofd.

Nadat hem een tijd geleden was beloofd dat hij zijn onteigende landerijen zou terugkrijgen, zag don Sebastián nu met stijgende woede dat niet alleen die belofte werd gebroken maar dat hij zeer waarschijnlijk ook nog maatregelen kon verwachten die veel harder waren. Die vrees en woede gecombineerd met een machteloos gevoel zorgden er zelfs voor dat hij erg serieus overwoog om naar het buitenland te vertrekken. Als hij zijn bezittingen verkocht zou hij genoeg geld hebben om met zijn hele familie naar Londen te verhuizen. Dat was misschien wel een briljant idee. Hij zei er echter niets over tegen zijn zoon, want die voelde er vast helemaal niets voor zijn rol in de strijd voor het vaderland op te moeten geven. In een democratische bevlieging, die misschien met zijn onrust te maken had, hield don Sebastián dan ook in het geheim familieberaad met alleen zijn vrouw en dochters.

Adelaida Conticinio, die er helemaal niet aan gewend was dat haar man dergelijke beraadslagingen hield, snapte niet echt waar het over ging.

'Als jij naar Londen moet,' zei ze afwezig en met een diepe zucht, 'begrijp ik totaal niet waarom wij dan ook zo nodig mee moeten.'

Onder normale omstandigheden zou don Sebastián beslist in woede zijn uitgebarsten, maar nu wist hij zich goed in te houden.

'Het is niet zo dat ik per se naar Londen moet,' probeerde hij haar uit te leggen, 'maar zoals de zaken er hier nu voorstaan is het misschien maar beter dat we een tijdje van het toneel verdwijnen.'

'Voor zover ik weet,' antwoordde Adelaida Conticinio, 'valt er in Londen tot oktober niet veel te beleven.'

'Dat ligt er aan,' bracht María Patricia naar voren. 'Want de Derby wordt in mei of juni gehouden, de woensdag voor Pinksteren.'

Met het beklemmende gevoel dat hij meer had moeten drinken staarde don Sebastián naar een rij ivoren beeldjes op de console.

'De eerste keer dat ik met papa naar Londen ging,' zei Adelaida Conticinio, 'vloog die schitterende hoed die ik op had plotseling van mijn hoofd. Dat is natuurlijk al lang geleden, in de tijd dat ik nog hoeden verloor.'

'Mama,' fluisterde Carola.

'Wat ik nooit goed heb begrepen,' ging haar moeder echter stug door, 'is dat er alleen maar volbloeden van drie jaar aan de Derby mogen meedoen. Ik snap niet waarom dat zo is.'

'Wil je eens even naar me luisteren?' onderbrak don Sebastián haar zonder ook maar een moment zijn stem te verheffen.

'Ik heb niet anders gedaan in de afgelopen vierentwintig jaar,' antwoordde Adelaida Conticinio terwijl ze met een droevige uitdrukking haar ogen sloot. 'Zeg het maar.'

'Zullen we een glaasje nemen?' vroeg Carola. 'Zal ik bellen dat ze wat brengen?'

'Nu niet,' zei don Sebastián weifelend. 'We gaan het nu eerst even over die reis hebben, als dat tenminste niet teveel gevraagd is.'

'Niemand heeft me gevraagd of ik wel wil,' zei María Patricia op zielige toon.

Nadat don Sebastián met zijn blik naar het glas sherry had gezocht dat niet was gebracht, greep hij wanhopig naar zijn hoofd als iemand die probeert uit een vervelende droom te ontwaken.

'Verdomme nog aan toe,' zei hij terwijl hij een sigaar opstak en zonder zich speciaal tot iemand te richten. 'Dat van die reis heb ik alleen maar bedacht omdat de dingen gewoon niet slechter kunnen gaan dan nu het geval is. Ze zullen me vast en zeker proberen te pakken.'

'Daar hoor ik je anders nu pas voor het eerst over,' zei Adelaida Conticinio.

'Ik dacht dat het beste zou zijn als we ver weg gingen,' ging don Sebastián voort terwijl zijn bedrukte gezicht iets uitdagends kreeg. 'Een paar maanden in Londen en daarna weer terug, wanneer alles over is.'

Carola kwam overeind en terwijl ze met haar hand wuifde alsof ze rook verdreef, zei ze op een overdreven zelfverzekerde manier zonder haar vader aan te kijken:

'Jou doen ze helemaal niks.'

'Het spijt me maar ik moet zo gaan,' zei Adelaida Conticinio. 'Epifanio staat vast al op me te wachten met de tilbury.'

'En wat weet jij daar nu van?' snauwde don Sebastián tegen zijn dochter.

Er viel een ijzige stilte waarin ze elkaar even argwanend en achterdochtig aankeken.

'Dat denk ik zo,' antwoordde Carola. 'Ze komen je heus niet zomaar even pakken.'

Omdat hij rood werd van woede duurde het even voordat don Sebastián antwoord gaf:

'Als ik erachter kom dat die klootzak van een Fransman jou die dingen influistert, kun je erop rekenen dat ik hem kom pakken. Begrijp je?'

'Zo praat je niet tegen je dochter,' zei Adelaida Conticinio beslist. 'Dus als je me het plezier wilt doen om het ergens anders over te hebben. Je weet best dat ik van bedreigingen hartkloppingen krijg.' – Ze streek langs haar slapen. – 'Carola heeft die knul niet meer gezien en hij zal het ook niet nog een keer in zijn hoofd halen om haar weer op te zoeken.'

'Daar ben ik anders niet zo van overtuigd,' antwoordde don Sebastián. 'Het is een gladde vogel.'

Het leek of Carola iets ging zeggen maar er kwam geen woord over haar lippen.

'Volgens Remedios zijn er vogels die achteruit kunnen vliegen,' zei María Patricia zonder dat iemand ook maar enige acht sloeg op deze opmerking die ze zelf blijkbaar nogal geestig vond.

'Met die volksjongens weet je het maar nooit,' gaf Adelaida Conticinio toe terwijl ze voorzichtig haar kapsel op orde bracht en naar Carola keek. 'Maar dit is definitief voorbij. Verder niets meer, toch?'

Er viel inderdaad verder niets meer te bespreken. Het familieberaad eindigde dan ook zoals het begonnen was, dat wil zeggen zonder dat er een besluit was genomen over een eventueel vertrek naar Londen en zelfs zonder dat er goed naar de verschillende argumenten was geluisterd. Maar vooral zonder dat don Sebastián en Adelaida Conticinio hadden ontdekt wat Carola in haar schild voerde die zich, pas meerderjarig geworden, in het geheim met Jean Claude Vallon had verloofd en van plan was binnenkort met hem te trouwen. Als Adelaida Conticinio er achter was gekomen wat haar dochter aan het bekokstoven was, zou ze ongetwijfeld meer bereidheid hebben getoond naar Londen te vertrekken en – eenmaal bijgekomen van de schrik – zelfs met alle plezier akkoord zijn gegaan met hun vertrek. Het was echter een stuk moeilijker te voorspellen hoe don Sebastián zou hebben gereageerd.

Op een avond een paar weken later kwam Alfonso María thuis met een gezicht alsof hij de duivel in eigen persoon had ontmoet. Zijn vader, die uit voorzichtigheid binnen was gebleven, had zich al die tijd niet laten zien terwijl zijn moeder zich gedroeg alsof haar, door de positie die ze innam, gewoon niets kon overkomen. Toen hij verscheen waren ze ieder al in hun eigen kamer, iets wat nogal ongewoon was: zij aan het bidden of bezig met heraldiek en hij door alle zorgen ook nog klaarwakker. Ze wisten van niets en het nieuws dat hun zoon bracht sloeg dan ook in als een bom.

En dat nieuws was dat hij die dag, tijdens de paar vrije uren die de strijd hem liet, in een tentje buiten de stad was geweest waar hij met een van zijn beste kameraden van de militie was gaan eten. Dat etentje had echter een behoorlijk vervelende afloop gekregen want ook Claude Vallon was daar met een paar maatjes, klaarblijkelijk om iets te vieren. In het begin hadden Jean Claude Vallon en Alfonso María net gedaan of ze elkaar niet hadden herkend en waren zonder ook maar iets te laten merken aan elkaar voorbijgegaan. Totdat een tafelgenoot van Jean Claude Vallon, een rossig, gedrongen kereltje, op een overduidelijk provocerende manier een opmerking had gemaakt:

'Volgens mij ruik ik paarden,' zei hij terwijl hij de lucht rondom zich opsnoof. 'Wat een vreselijke stank.'

Alfonso María en zijn kameraad deden net alsof ze niets hadden gehoord, niet omdat ze geen antwoord durfden te geven, maar omdat die reactie hun op dat moment het beste leek.

Daarop maakte dat rossige kereltje opnieuw een opmerking, deze keer tegen de waard:

'Hebt u haver?' vroeg hij terwijl hij met zijn smerige vingers aan zijn tanden pulkte. 'Misschien is er hier iemand die dat als toetje wil nemen. Dat zou goed kunnen.'

De waard staarde met een doodsbenauwde blik de verte in.

En dat had nog wel even zo kunnen doorgaan als Jean Claude Vallon niet plots was opgestaan om zijn hand op de schouder van dat rossige kereltje te leggen met de duidelijke bedoeling hem tot kalmte te manen, want Jean Claude Vallon leek behoorlijk geschrokken te zijn.

'Geen flauwekul,' zei hij kort maar krachtig. 'Dus geen woord meer.'

'Nou, die weet van wanten,' fluisterde de kameraad van Alfonso María.

Tegen alle verwachting in mompelde dat rossige kereltje slechts iets onverstaanbaars en ging verder met eten. Daarop bleef een andere tafelgenoot van Jean Claude Vallon, een magere, schijnbaar gedistingeerde jongen in zwarte kleren, een tijdje naar Alfonso María staren en vroeg vervolgens met een buitenlands accent:

'Zeg, is dat niet jouw zwager?'

Alfonso María moest dat hebben gehoord want hij sprong overeind en stond met een paar passen bij de andere tafel. Zijn ene hand hield hij vlak bij zijn broeksriem, klaar om zijn jachtmes te trekken. De waard begon plotseling zenuwachtig met potten en pannen te rammelen.

'Moet ik me eerst voorstellen of zal ik maar meteen laten voelen wie ik ben?' vroeg Alfonso María met een aplomb dat niets aan duidelijkheid te wensen overliet.

'Pardon,' antwoordde Jean Claude Vallon. 'Ik ben Jean Claude Vallon. Ik weet niet of u mij kent.'

'Laat me eens even denken,' zei Alfonso María terwijl hij doodkalm nog een stap naar voren deed. 'Volgens mij ben jij die klootzak die mijn zuster steeds lastigviel.'

Jean Claude Vallon maakte in één beweging een afwijzend en een sussend gebaar: het eerste om de woorden van Alfonso María te ontkennen, het tweede om zijn tafelgenoten tot kalmte te manen. Hij leek niet kwaad te zijn, waarschijnlijk voelde hij zich alleen ongemakkelijk.

'Het spijt me, maar het is niet anders,' zei hij zelfverzekerd. 'Uw zuster en ik zijn donderdag getrouwd. Binnenkort gaan we op huwelijksreis.'

Hij wilde eigenlijk nog iets zeggen maar daar kreeg hij de kans niet meer toe. Alfonso María sprong met gebalde vuisten op hem af precies toen zijn kameraad overeind was gekomen om tussenbeide te komen. Jean Claude Vallon wist de slagen af te weren in die paar seconden voordat twee van zijn maatjes de aanvaller konden vastgrijpen.

'Laat hem los,' beval Jean Claude Vallon. 'Die zal me niets doen.'

En Alfonso María deed inderdaad niets. Of in ieder geval deed hij niet wat het meest voor de hand lag. Want toen ze hem weer hadden losgelaten ging hij, tegen elke verwachting in, Jean Claude Vallon niet opnieuw te lijf. Zijn gezicht was bleek en hij hijgde vreselijk alsof hij zojuist na een zware worsteling een veulen had overmeesterd. Iedereen ging weer aan zijn eigen tafel zitten, van waar men elkaar te midden van de rondzwermende vliegen en het goudgele stof, dat in het zonlicht dwarrelde, angstvallig in de gaten hield. De waard liep plots met een ogenschijnlijk besliste pas en zonder ook maar iemand aan te kijken naar de tafel van Alfonso María om lege glazen op te halen. Hij liet duidelijk merken dat hij geen stennis in zijn zaak wilde en dat ze maar beter konden vertrekken. Nadat hij met een smoezelige doek het stof van een stoel had geklopt keek hij een ogenblik aandachtig naar zijn eigen spiegelbeeld in de ruiten.

'We gaan sluiten,' zei hij zonder zich om te keren.

Alfonso María, die nog steeds een beetje aangeslagen was, blafte plotseling:

'Deze tent sluit pas wanneer ik het wil. Dat heb ik je al vaak genoeg gezegd. Dus hoepel op.'

De waard – of zijn dappere spiegelbeeld in de ruiten – droop af zonder tegen te sputteren. Alfonso María had zijn lef nu duidelijk hervonden en richtte zich tot Jean Claude Vallon:

'Waar zei je ook al weer dat je heen ging, behalve naar de bliksem?'

'Zal ik hem even een toontje lager laten zingen?' vroeg het rossige kereltje terwijl hij zich met een obsceen gebaar bij zijn kruis vastgreep. 'Ik ga hier niet weg zonder dat ik die klootzak een knietje heb gegeven. Ik ken hem donders goed en laat me door hem niet opnaaien.'

'Hou je mond,' zei Jean Claude Vallon.

Het rossige kereltje dacht even na. Eerst keek hij naar de deur en vervolgens liep hij terug naar de tafel van waar hij net was opgestaan. Hij pakte een glas, vulde dat tot de rand met cognac en liep ermee naar de tafel van Alfonso María. Iedereen hield doodstil zijn adem in.

Het rossige kereltje hief het glas en nadat hij het bij wijze van toost in een halve cirkel door de lucht had bewogen, stak hij zijn enorme kokker erin, die erg veel van een maïskolf weg had. Door zijn uitdagende gedrag leek hij Alfonso María en zijn kameraad, die hem bijna met respect aankeken, welbewust te willen provoceren. Vervolgens hield hij een neusgat dicht en het glas een beetje schuin zodat het andere neusgat onder de cognac verdween. Met een hard geborrel, als van een verstopte afvoerbuis, begon hij de drank op te zuigen. Er was echter niets opvallends aan hem te zien, behalve dan dat zijn rode wangen langzaam pimpelpaars werden. Het duurde wel even voordat hij alle cognac met een vreselijk hard gerochel had opgezogen. Al met al was het een behoorlijk vreemde actie waardoor het rossige kereltje duidelijk wilde laten zien dat hij net zo gemakkelijk door zijn neus als door zijn mond drank achterover kon slaan. Hij barstte dan ook geen enkele keer in een hoestbui uit doordat hij zich verslikte en toen hij klaar was haalde hij alleen maar zachtjes zijn neus op.

Pas toen het rossige kereltje zijn lege glas op tafel had gezet en een nieuw volschonk, bewogen sommige aanwezigen weer en een paar klapten er zelfs. De drinker (als je hem tenminste zo noemen kon) had praktisch niets in het glas achtergelaten. Nadat hij een paar keer met zijn tong had geklakt alsof hij nog steeds de exquise smaak van de cognac savoureerde, stak hij zijn duim in zijn ene neusgat en zijn wijsvinger in het andere en begon die met zichtbaar genot heen en weer te bewegen. Terwijl hij zich vervolgens tot Alfonso María richtte speelde er een glimlach rond zijn mond die zowel minachting als sarcasme kon uitdrukken:

'Nu u,' zei hij en reikte hem het glas vol cognac aan. 'Ik trakteer.'

En bijna op hetzelfde moment dat de kameraad van Alfonso María een pistool trok kwam als een zware moker een goedgeplaatste vuistslag op diens hand neer. Het pistool schoot als een rat over de plavuizen weg en werd onmiddellijk door de in het zwart geklede jongen van de vloer gegraaid.

'Verdomd,' zei een van de andere maatjes van Jean Claude Vallon. 'Dat tuig durft ook nergens zonder pistool te komen.'

'Nou, ik doe het echt in mijn broek van angst,' zei Alfonso María zonder zich tot iemand speciaal te richten.

'U mag door dezelfde deur naar buiten gaan als waardoor u binnen gekomen bent,' zei Jean Claude Vallon op een waarschijnlijk nog beledigender, quasi hoffelijke toon, 'de voorstelling is afgelopen.'

'De voorstelling is anders nog maar net begonnen,' corrigeerde Alfonso María hem. 'Want als ik erachter kom dat je echt met mijn zuster bent getrouwd dan weet ik je te vinden, desnoods met honden.' – Hier wees hij met een trillende wijsvinger, die hij met schokkende bewegingen door de lucht op en neer liet gaan, naar Jean Claude Vallon. – 'Ik zweer dat je zelfs geen tijd meer krijgt om je te verstoppen.'

'Wegwezen,' antwoordde Jean Claude Vallon.

'Het pistool,' zei Alfonso María terwijl hij zijn hand met de palm naar boven openhield om duidelijk te maken dat hij pas zou vertrekken wanneer hij het wapen terughad.

'Wegwezen,' herhaalde Jean Claude Vallon.

Ergens kon je de wind door een kier horen fluiten en dat onschuldige geluid leek de enorme spanning die er in het etablissement hing even te breken.

'Dat pistool hou ik,' zei de in het zwart geklede jongen. 'Dat breng ik naar de politie, dan hoef ik tenminste niet bang te zijn dat ik op een dag de loop in mijn rug krijg gedrukt.'

'Ik zal je eens even wat vertellen,' zei Alfonso María terwijl hij zich met een ongebruikelijke trilling in zijn stem opnieuw tot Jean Claude Vallon richtte. 'We komen elkaar weer tegen en eerder dan jij denkt. Wij tweeën alleen, onder vier ogen.' Hij maakte een vaag gebaar naar de maatjes van Jean Claude Vallon. 'Dus je kunt maar beter zorgen dat je er klaar voor bent want ik maak je kapot.'

'Oké,' antwoordde Jean Claude Vallon zonder een spier te vertrekken. 'Maar nu opgedonderd.'

Het vertrek van Alfonso María en zijn kameraad had nog het meeste weg van een afgang. Hoewel ook die laatste een wat beteuterde en verwarde indruk maakte, leek de zoon van don Sebastián Romero pas echt aangeslagen te zijn. Eerst was hij lijkbleek geworden en zei geen woord, vervolgens liet hij alle opgekropte woede over de vernedering die hij door Jean Claude Vallon had moeten ondergaan de vrije loop. Hij kon maar niet begrijpen waarom hij zijn jachtmes niet getrokken had op het moment dat dat door zijn gedachten schoot. Alleen zo zou hij duidelijk hebben kunnen laten zien wat hij waard was en zich die verbittering, die kwelling, die wroeging hebben bespaard die hem achtervolgde doordat hij niet had durven doen wat hij eigenlijk had moeten doen. De wrok over deze frustratie vrat aan hem als een ziekte die meedogenloos het gestel ondermijnt. En verder – of voor alles – voelde hij een diepe schaamte over de verschrikkelijke smet die op zijn naam was geworpen. Hij kon gewoon niet geloven dat zijn eigen zuster, een Romero, een Conticinio – een Malcorta uiteindelijk –, de vuile streek had uitgehaald om te trouwen met iemand die de vijand was van alles wat hij als onaantastbare levensregels beschouwde. Het moest hier gewoon wel om een smerige valstrik gaan, een walgelijke leugen, zo niet zou hij in staat zijn als wraak zijn eigen zuster te vermoorden.

Maar het was echt waar. Toen Alfonso María die avond thuiskwam en aan zijn ouders vertelde wat hij over zijn zuster had gehoord, koelde don Sebastián zijn woede bijna onmiddellijk op het meubilair – nadat hij eerst een paar seconden als verlamd was blijven staan –, waarbij hij onder zwaar gevloek en gehoest met één trap een hoekkastje omverschopte. Vervolgens beende hij met de onaantastbare autoriteit van het clanhoofd naar de kamer van Carola, op de voet gevolgd door zijn onthutste vrouw en zijn woedende zoon. Nadat ze het halve huis hadden doorkruist en elkaar bijna kwijt waren geraakt op de galerij rond de patio, kwamen ze eindelijk in de hier en daar schemerachtige gang die naar de kamer van Carola leidde.

Benauwd en snakkend naar adem stormden ze alle drie zonder te kloppen naar binnen. Ze stonden echter meteen weer stil. Door stomme verbazing of totaal ongeloof aan de vloer genageld staarden ze naar die praktisch onherkenbare en verschrikkelijk lege kamer. En die leegte, die vreemdheid werd nog versterkt door de vage geur van lavendel die er hing, door het lichtblauw van de muren en het zachte geritsel van de gordijnen. Vragen was niet nodig, één simpele blik was voldoende om te begrijpen dat Carola was gevlucht. Op het bed slingerden kleren, er stond een la open, op de vloer lagen papieren verspreid. Alle drie bleven ze verdwaasd staan kijken totdat Alfonso María uiteindelijk naar de kaptafel liep, waar hij een envelop oppakte. Dat was het onomstotelijke bewijs van de oneer, de schande die een heel geslacht werd aangedaan. Don Sebastián kreeg opnieuw een woedeaanval, terwijl zijn vrouw stilletjes en angstig begon te huilen en zijn zoon zo hard in het heft van zijn jachtmes kneep dat al het bloed uit zijn hand verdween.

Carola werd onmiddellijk uit de familie Romero gestoten en

niet langer als een telg van de Malcorta's beschouwd. Het was zelfs verboden over haar te praten en het dienstpersoneel kreeg strenge orders haar te vergeten. Maar wie de schande nog wel het minst verdroeg was vanzelfsprekend Adelaida Conticinio, en dat niet zozeer omdat ze zelf nu zo bedroefd was door het gedrag van haar dochter, maar vanwege de afgang en blamage die het inhield tegenover anderen. Uit schaamte gaf ze dan ook een deel van haar liefdadige activiteiten buitenshuis op, ging bijna nergens meer op bezoek en maakte ook geen ritjes in haar rijtuigen meer. Ze overwoog zelfs opnieuw het plan naar Londen te vertrekken – zoals don Sebastián eerder had voorgesteld – of – nog erger – in een klooster te gaan. De reactie van Alfonso María was even extreem maar van heel andere aard. Nadat hij zichzelf eerst een tijd had gekweld door te piekeren over die stomme fout niet naar huis te zijn gegaan voordat Carola zou kunnen vluchten (die ongetwijfeld door Jean Claude Vallon was gewaarschuwd onmiddellijk te vertrekken), begon hij een fanatieke maar zinloze zoektocht in de hele streek naar de beide voortvluchtigen. Meer nog dan de smet die ze op de familienaam hadden geworpen zuiveren, wilde hij zo wraak nemen op de vrijer van zijn zuster omdat die hem in zijn eer van patriot en militieleider had aangetast.

Maar de tijd heelt alle wonden. Op langere termijn accepteerde Adelaida Conticinio het pijnlijke vertrek van haar dochter dan ook. En stukje bij beetje verdwenen de littekens, vooral toen ze er via de huishoudster Remedios achterkwam dat haar dochter een gelukkig leven leidde op een weliswaar onbekende plaats en dat het enige wat haar ontbrak de vergiffenis van haar familie was. Een mogelijkheid die inderdaad niet geheel denkbeeldig was ondanks de keiharde opstelling van de familie Romero. De eerste die dat haar zou kunnen vergeven was María Patricia, Alfonso María zou dit echter nooit doen.

7

'Mijnheer de deken stuurt me,' was het eerste wat het kwezeltje Micaela zei. 'Vandaar dat ik hier ben.'

Ze was op een erg ongelegen tijdstip bij ons langsgekomen en mijn moeder twijfelde dan ook of ze haar nu in de ontvangstkamer zou laten wachten of weg zou laten sturen. Maar het kwezeltje Micaela drong zo sterk aan en verzekerde dat ze zo'n belangrijk bericht had, dat mijn moeder uiteindelijk naar beneden kwam om te horen waar het om ging.

'Don Ismael ligt op sterven,' zei ze.

Mijn moeder moest gedacht hebben dat het er meer op leek dat die oude vrouw zelf ging sterven, die al dienster was geweest in het huis van mijn opa toen die trouwde en die nu terwijl ze praatte er met de minuut afgeleefder en kleiner uitzag. Als een soort habijt droeg ze een grijs-zwart, wollen overkleed dat door al het knielen bij het bidden flink was versleten.

'Iedereen gaat een keer dood,' zei mijn moeder.

Het kwezeltje Micaela sloeg een kruis en antwoordde:

'Pardon, doña María Patricia,' – het was voor het eerst dat ze mijn moeder zo aansprak – 'maar don Ismael had me wat papieren uit zijn secretaire in bewaring gegeven.' Hier zuchtte ze diep voor ze weer verder ging. 'Mijnheer de deken heeft me gezegd die aan u te geven. Hij zal het er nog wel met don Alfonso María over hebben. Dat is alles.'

'Aan mij?' vroeg mijn moeder verbaasd. 'Waarom aan mij?'

'Dat heeft hij tegen me gezegd,' herhaalde ze terwijl haar ogen vuur schoten met de woede die goeierds soms overvalt. 'Niet aan don Alfonso María en niet aan doña Carola: maar aan u.'

Een vlieg – die waarschijnlijk met het kwezeltje Micaela die smetteloze ruimte was binnengekomen – ging op de hand van mijn moeder zitten en ze verdreef hem met een weerzin die een gevolg leek van wat de oude dienster haar zojuist had gezegd.

'Ik begrijp niet wat ik met dit alles te maken heb,' zei mijn moeder.

'Hier heb ik ze,' zei het kwezeltje Micaela terwijl ze een niet zo dikke en enigszins verfrommelde envelop uit haar overkleed te voorschijn haalde. 'Gisteren heeft mijnheer de deken don Ismael de biecht afgenomen. Maar hij is nog steeds bij kennis.'

Mijn moeder pakte de envelop aan, die open was, en streek hem nauwkeurig glad voordat ze hem op haar schoot legde. Omdat ze niets meer te zeggen wist, zei ze:

'Doe hem maar de groeten van ons.'

'Die arme stakker heeft niet zoveel meer aan groeten,' murmelde het kwezeltje Micaela terwijl ze in een hard gesnik uitbarstte. 'Hij is op sterven na dood.'

'De arme stakker,' herhaalde mijn moeder. 'Heb je iets nodig, Micaela?'

'Zielenrust,' zei ze en snoot haar neus in een lichtgele zakdoek. 'De ochtend zal hij niet meer halen.'

Mijn moeder vond dat het tijd werd om afscheid te nemen en stond op. Ook het kwezeltje Micaela kwam overeind. Ze keek naar alle kanten om zich heen, ongetwijfeld op zoek naar iets wat haar troosten kon, maar omdat ze dat niet vond schuifelde ze met kleine pasjes naar de deur. Pas daar draaide ze zich met moeite om en probeerde trillend te buigen:

'Dat God het u mag lonen,' murmelde ze.

Klaarblijkelijk had mijn moeder niet veel zin om meteen die papieren te lezen of had ze die vergeten, want toen ik de ontvangstkamer binnenkwam lag daar de envelop met nog alles erin op een tafel. Ik had het kwezeltje Micaela zien binnenkomen en weggaan en alleen haar gestalte al was voldoende geweest om me opnieuw die secretaire van de kapelaan in herinnering te brengen waarvan het beeld ergens diep in mijn geheugen moest staan gegrift. Ook zag ik weer die juwelenkist voor me waarin ik een schat had verstopt die evengoed echt als vals kon zijn. Dat hersenspinsel, dat waandenkbeeld hield me zo in de greep dat ik niet meer goed kon denken. Maar had dat waandenkbeeld me nu overvallen op het moment dat ik de secretaire van de kapelaan voor me zag of was het pas later die dag gebeurd, toen ik vóór de rest van de familie de bekentenis van don Ismael las?

Net nadat mijn moeder weer naar boven was gegaan, liep ik de trap af naar de ontvangstkamer en daar werd mijn aandacht meteen getrokken door die envelop. Ik dacht er niet aan wie die kon hebben achtergelaten noch wat erin kon staan en ik was bovendien ook niet erg nieuwsgierig. Toch pakte ik hem simpelweg op en omdat hij niet dicht zat haalde ik de papieren eruit. In het begin was ik een beetje beduusd want het eerste wat ik zag waren wat vergeelde krantenknipsels over een of andere misdaad. Ook vond ik een pagina uit het Staatsblad waarop een onderstreept bericht stond dat de titel graaf van Malcorta officieel op don Alfonso María Romero y Conticinio was overgegaan. Bovenaan deze pagina – die om een paar velletjes briefpapier heen was gevouwen – stond in waterige blauwe inkt en trillend handschrift het volgende: *Persoonlijk aan uw zuster doña María Patricia te overhandigen.*

Ik ging zitten en keek de velletjes eerst vluchtig door, zonder dat ik goed begreep waar het over ging, ofwel doordat het handschrift soms onleesbaar was, ofwel doordat sommige passages behoorlijk verwarrend waren. Maar daarna las ik ze opnieuw, nu kalmer, en hoe verder ik kwam, hoe meer het tot me doordrong dat het een soort nagelaten bekentenis van don Ismael was. Ik kreeg een vreselijke steek in mijn liezen, vervolgens keerde mijn maag zich om en werd ik heel erg misselijk. Ik legde de brief op zijn plaats terug en liep de ontvangstkamer uit met het beklemmende gevoel in de duistere afgrond van de afgrijselijkste misdaden te hebben gekeken.

Don Ismael stierf inderdaad diezelfde nacht en toen mijn ouders daarop enigszins bedrukt de brief begonnen te lezen sloeg ze de schrik om het hart. Mijn moeder stond bijna op het punt flauw te vallen, terwijl mijn vader hals over kop naar mijn oom Alfonso María belde om dat verschrikkelijke verhaal onder vier ogen met hem te bespreken. Want het ging niet bepaald om een akkefietje. Die eigenhandig door de kapelaan geschreven brief was de bekentenis van een gruweldaad die hij zijn leven lang met zich mee had gedragen en waarvan niemand – of bijna niemand – ooit had kunnen vermoeden dat hij die had begaan. Dit was wat er in die brief stond:

Mijn naam is Ismael Navarro Codolat en ik schrijf deze bekentenis terwijl ik over mijn volledige verstandelijke vermogens beschik en in de hoop dat God in zijn grenzeloze goedertierenheid en de mensen in de beperking van de hunne bereid zullen zijn deze ellendige zondaar vergiffenis te schenken.

Het is mijn laatste wens dat deze brief aan doña María Patricia Romero wordt overhandigd omdat zij zich, samen met haar moeder, altijd het meest welwillend tegenover deze onwaardige dienaar van de Heer heeft opgesteld toen hij nog huiskapelaan van de familie was. Nu ik op het punt sta voor de rechterstoel van God de Vader te verschijnen doe ik haar deze brief toekomen opdat de misdaden en zonden die ik tijdens mijn ellendige leven heb begaan in de eerste plaats aan haar bekend zullen worden en smeek haar daarbij deze bekentenis ten dienste van het christelijk geloof de meest nuttige bestemming te geven. Als het Gods wil is, dan moet zij beslist niet schromen mijn vreselijke misdaden ten voorbeeld te stellen aan andere zondaars.

Ik weet maar al te goed dat mijn fouten onvergeeflijk zijn, maar als ik boete heb gedaan in dit tranendal, dan is het wel doordat mijn geweten me vreselijk heeft gekweld vanaf het moment dat ik tot priester werd gewijd en me zal blijven kwellen tot aan de dag van mijn dood, die naar ik hoop niet ver weg meer is. Ik wil me dan ook in het openbaar volledig schuldig verklaren aan een misdrijf dat me gedurende al deze jaren volkomen terecht zo vreselijk heeft achtervolgd. Nu ik op het punt sta voor God te verschijnen, en na te hebben gebiecht en de communie te hebben ontvangen, open ik mijn hart voor mijn zeer geliefde medebroeders opdat zij, als ze me geen vergiffenis willen schenken, dan toch in ieder geval voor me willen bidden.

Ik ben erg jong getrouwd met een negentienjarig meisje uit Castilië, Marcela Retortillo genaamd. Ze had een zachtaardig karakter en bleef altijd op tot ik van mijn werk als nachtwaker bij een flessenfabriek terugkwam. Marcela schonk me geen kinderen, misschien omdat ze daar de tijd niet voor kreeg, maar bezorgde me wel erg veel vreugde, die echter al snel in verbittering omsloeg. Omdat alles goed ging in ons huis was het laatste waaraan ik dacht dat er iets vreselijks zou kunnen gebeuren. Maar op een gegeven moment echter gaf mijn vrouw haar gewoonte op om op te blijven tot ik thuiskwam en bleef ze zelfs in bed liggen wanneer ik opstond, en dat terwijl ze altijd bijzonder ijverig was en het huis altijd erg graag aan kant had. Ook begon ze steeds slordiger te worden en weigerde aan haar – pardon – huwelijkse plichten te voldoen wanneer ik dat aan haar vroeg. Een ontwikkeling die me veel zorgen baarde en het begin van mijn lijdensweg was. Nadat ik vele dagen had getwijfeld zonder de feiten onder ogen te willen zien, hakte ik de knoop ten slotte door en besloot te onderzoeken of wat ik zo erg vreesde inderdaad waar was. Het eerste wat ik deed was ons huis in de gaten houden terwijl ik eigenlijk op mijn werk moest zijn en daarmee verdween al mijn twijfel en begon mijn haat. Mijn vrouw bedroog me met de zoon van een zadelmaker uit onze eigen straat, de Calle Alcau-

ciles. Ik zag hem twee keer ons huis in- en uitgaan en nog altijd wilde ik niet geloven dat het om overspel ging. Tot ik op een nacht erg dichtbij sloop om hen te bespioneren: ook al zag ik niets, ik hoorde overduidelijk hoe ze hun smeerlapperij bedreven.

Sindsdien voelde ik me als een woest roofdier dat opgesloten zit. Ik verdroeg mijn ongeluk en wachtte op het juiste moment om wraak te kunnen nemen. En die kans kreeg ik op een nacht dat zelfs het weer tegen deze arme stakker samenspande. Toen ik in het holst van de nacht thuiskwam verstopte ik me in een hoek onder de trap, vanwaar je alles kon horen wat er in huis gebeurde. Mijn hart klopte in mijn keel. Plotseling klonken er harde stemmen en een lawaai dat op rennen en bonken leek. Voor zover ik het kon opmaken, was de zoon van de zadelmaker buiten zinnen van woede, hij schreeuwde in ieder geval en het leek erop dat hij mijn vrouw aan het afranselen was. En dat kon ik niet verdragen, dat God het me voor altijd vergeve. Ik stond dan ook al op het punt me blindelings de slaapkamer in te storten toen ik een harde klap en een vreselijke gil hoorde. Ik bleef als aan de grond genageld staan en meteen daarop zag ik de zoon van de zadelmaker wegrennen. Ik twijfelde even of ik de achtervolging in zou zetten of op die slet af zou gaan, maar toen voelde ik dat er iets vreselijks moest zijn gebeurd. Ik rende naar onze slaapkamer en vond mijn vrouw aan een kant van het bed terwijl het bloed met dikke stralen uit haar hoofd gutste. Het enige wat ik hoorde was het harde gulpen van dat bloed. Verblind als ik was door mijn woede, ontdekte ik pas daarna een met bloed besmeurde stamper op de vloer. En toen fluisterde de duivel me iets in. Want nadat ik naar het lichaam van mijn vrouw was gelopen en zag dat ze nog steeds leefde, pakte ik met een zakdoek die stamper op en sloeg haar daarmee net zolang op het hoofd, op dezelfde plek waar het bloed uit gutste, tot ze ophield te ademen en dood was. Om degenen die dit lezen te ontzien zal ik hun de verdere details besparen. Ik wil er alleen nog aan toevoegen dat ik daarna de hele tijd heb gehuild en nu ik erover nadenk moet dat wel het werk van de Heilige Maagd zijn geweest, hoewel ik indertijd nog niet gelovig was.

Ik liep het huis uit en dwaalde rond zonder te weten waarheen en zonder dat er iets tot me doordrong tot ik met het eerste zonlicht zelf het licht zag. Dat was het tijdstip waarop ik gewoonlijk van de fabriek terugkwam: ik liep dan ook naar huis alsof er niets aan de hand was en begon om hulp te roepen waarop de buren, die daardoor wakker waren geworden, de nachtwaker waarschuwden. Niemand twijfelde eraan dat de minnaar van mijn vrouw haar vermoord had want men had hem vaak bij het huis zien rondhangen. Ook hijzelf twijfelde daar niet aan omdat hij dacht dat ze dood was toen hij wegrende. Wat er daarna is gebeurd, vormt een afgrond van kwaad waarin ik gevallen ben door mijn verschrikkelijke daad te verzwijgen. Bij deze brief heb ik wat krantenknipsels over het misdrijf gevoegd die ik al deze jaren heb bewaard om me aan mijn eeuwige verdoemenis te herinneren. Mijn wroeging heeft net zo lang geduurd als mijn straf en mijn lafheid. De enige moordenaar hier ben ik en bovendien heb ik een dubbele moord begaan, want ik heb toegestaan dat aan een onschuldige, al was die dan niet volkomen onschuldig, de doodstraf werd voltrokken. Het enige wat me nu nog rest is te biechten voor ik sterf en u in alle nederigheid te vragen voor mijn ziel te bidden. Dat Onze-Lieve-Heer en de Heilige Maagd me vergiffenis schenken en me in hun genadige armen sluiten. Amen.

Tot zover de eigenhandig door de kapelaan geschreven bekentenis van zijn verschrikkelijke misdaad. Maar dat was niet alles wat er in de envelop zat. Behalve de erg verkreukelde krantenknipsels, zat er een notitieboekje in waarvan de gelinieerde velletjes met een sierlijk krullend handschrift waren beschreven. Het leken dagboekfragmenten te zijn waarin de kapelaan zijn ellendige leven als weduwnaar beschreef, zijn herinneringen aan de tijd dat hij in de falangistische militie aan het front streed onder bevel van een zekere commadant Romero (nog een erg bijzonder nieuwtje) en zijn besluit priester te worden. Ook werden zijn laatste dagen in mijn opa's huis aangestipt, vooral dan die na dat ongeluk waardoor hij verlamd was geraakt.

Het leek al met al nog het meest op een haastig in elkaar geflanst compendium van tamelijk vage herinneringen en op een soort berouwvolle bezwering en filippica tegen de vijanden van de ziel. Maar het meest interessante was ongetwijfeld wat hij over zijn val en zijn daaropvolgende zelfkwelling vertelde.

De krantenknipsels bevatten nieuws over die misdaad in de Calle Alcauciles, die zelfs de huishoudster Remedios zich nog erg goed herinnerde. Ze gingen bijna allemaal over de omstandigheden waaronder de moord gepleegd was, de getuigenverklaringen van de buren en de onomstotelijke bewijzen die aantoonden dat de zoon van de zadelmaker de dader was. De rest bestond uit artikelen over het snelle verloop van het proces, de persoonlijkheid van de moordenaar – die zichzelf had aangegeven en schuldig verklaard – en de veroordeling tot de doodstraf. Kortom, een smerige zaak omgeven door een geweldige sensatiezucht. Iets wat nog werd versterkt door de ernst van de misdaad zelf, het overspel en de krokodillentranen.

Het had er alle schijn van dat don Ismael tegelijk spontaan en weloverwogen de perfecte misdaad had begaan. Echt alle feiten – inclusief de feiten die slechts zijdelings met de misdaad zelf te maken hadden – wezen de zoon van de zadelmaker als schuldige aan, die overigens stierf in de vaste overtuiging de vrouw van don Ismael te hebben vermoord. Mijn oom Alfonso María hield zelfs staande, zo'n beetje lijnrecht tegen de mening van mijn ouders en tante Carola in, dat volgens het natuurrecht de minnaar van don Ismaels vrouw de eigenlijke schuldige aan de moord was. Hoewel mijn oom met geen enkel woord repte over die raadselachtige opmerking van de kapelaan over het oorlogsfront, verdedigde hij koppig dat don Ismael niets anders had gedaan dan zijn vrouw uit haar lijden verlossen: ze was immers al op sterven na dood door de klap die ze van haar minnaar had gekregen. Zelfs de kapelaan, wiens haarkloverijen nogal belachelijk waren, was niet in staat gebleken om voor zijn misdaad een dergelijke onverwachte verzachtende omstandigheid aan te voeren. Trouwens, of er nu uit opzet of in een opwelling was gehandeld, don Ismael had zijn vrouw slechts uit rechtvaardigheid gedood.

Nadat de minnaar van Marcela Retortillo terechtgesteld was kreeg de weduwnaar – volgen zijn eigen zeggen – last van een verschrikkelijke achtervolgingswaanzin. Overal ontdekte hij verborgen vijanden, als straathoeren verklede spionnen en huurmoordenaars. Hij droomde zelfs van een gigantische vijzel waarin alle zadelmakers van de wereld het gif fijnstampten waarmee ze hem zouden doden. Tot hem op een nacht het gezicht van God verscheen. Geen allegorie, noch een soort hersenschim of een drogbeeld, maar exact het gezicht van God. En God zei hem dat hij alles moest opgeven en priester moest worden, want alleen zo zou hij zich enigszins van de last van zijn verschrikkelijke zonden kunnen verlossen. Don Ismael gaf daarop inderdaad alles op om priester te worden en de enige paranoia waar hij sindsdien nog last van had was een behoorlijk gangbare, dat wil zeggen de angst door de duivel achtervolgd te worden. Niemand wist wanneer of waar hij als priester begon te werken. Onduidelijk was ook of hij andere biechtvaders met zijn gewetenswroeging de schrik op het lijf had gejaagd of dat hij juist aan niemand ooit iets over zichzelf had verteld. Het enige wat mijn oom aan dit verhaal toe te voegen had was dat hij don Ismael ooit een keer in het klooster had ontmoet: hij was daar onderdiaken en had totaal niets om handen. Vandaar dat hij hem met een merkwaardige doortastendheid de onbezette (want tot op dat moment niet bestaande) post van huiskapelaan aanbood. Don Ismael accepteerde dit aanbod onmiddellijk en deed niet lang daarna het verzoek bij de Romero's in huis te mogen komen wonen zodat hij beter en van meer nabij zijn schaapjes kon hoeden. Tot zover het eerste deel van het verhaal.

In zijn dagboek had de kapelaan het weinig, maar wel nadrukkelijk, over de dagen vóór en na zijn ongeluk. Plotseling, alsof het slechts terloops gebeurde, vertelde hij dat de Duivel – met hoofdletter – hem bleef achtervolgen en dat hij over duidelijke bewijzen beschikte dat die tegen hem samenspande. Maar hij liet zich hierdoor niet uit het veld slaan, integendeel, hij was maar al te graag bereid de strijd met het kwaad aan te gaan en voor eens en altijd een einde te maken aan zijn zondige leven, wat de eerste stap zou zijn op weg naar de gelukzaligheid etc. Er stonden erg verwarrende passages in het dagboek, met flagrante fouten in de grammatica. Maar desondanks was het voor het grootste deel wel begrijpelijk. Nadat hij in de kapel over een traptrede was gestruikeld was de kapelaan doorgegaan met het schrijven van zijn dagboek, daarin ging hij om de haverklap tot zelfkastijding over terwijl hij er zich als gelovige maar amper over durfde te beklagen dat zijn val niet dodelijk was geweest. Hij zwoer echter ook dat hij net zou doen of hij zijn spraak had verloren, als een symbolische straf voor het verzwijgen van zijn misdaad. Daarmee, en met de rest van de straffen die hij zichzelf had opgelegd (hij zei niet welke), hoopte hij de weegschaal in evenwicht te hebben gebracht wanneer hij straks voor de stoel van de hoogste rechter moest verschijnen. Verder had hij het nog zijdelings over de verlokkingen van het vlees, over zijn haat voor mijn oom omdat deze hem uit huis had gezet en over andere zaken die nogal onbegrijpelijk waren.

De gesprekken over het turbulente leven van don Ismael brachten – voor het moment althans – niets nieuws en hielden bovendien ook al weer redelijk snel op. Misschien dat alleen mijn tante Carola en de huishoudster Remedios (en in iets mindere mate mijn moeder) hun redenen hadden om met die warboel van verrassende en schokkende zaken uit het verleden bezig te blijven. Mijn neef Aurelio en mijn nicht Marianita waren bijna net zo onder de indruk als ik toen ze van die geheime bekentenis van de kapelaan hoorden, maar voor mij was dat zoiets als een geheim dat ik alleen met mijn tante deelde. Misschien speelde daarin mee dat ik de geschiedenis van don Ismael gewoon niet wilde of kon vergeten, vooral dan omdat ik nog steeds door dat mysterieuze beeld van zijn secretaire werd achtervolgd.

8

Ondanks de voorzichtige opstelling van don Sebastián Romero – die steeds behoedzamer was geworden en tegelijk hardnekkig de monarchie bleef verdedigen – besloot zijn zoon de voorbereidingen voor de militaire opstand tegen de Republiek volledig te steunen. Meer nog, hij bood zelfs aan om persoonlijk als verbindingsman tussen generaal Quiepo de Llano en luitenant-kolonel Yagüe op te treden, de twee militairen die respectievelijk de opstand in het zuiden van Spanje en Marokko leidden. Dat was niet alleen zwaar en uitputtend werk maar ook nog eens gevaarlijk, een gevaar dat hij echter door zijn roekeloosheid niet leek te onderkennen. Door zijn geweldige inzet werd hij uiteindelijk de leider van het regionale comité dat de voorbereidingen van de opstand coördineerde. In die functie bezocht hij regelmatig en vol ontzag de eettentjes en haciënda's waar generaal Quiepo in het geheim de samenzwering organiseerde en reisde hij ook verschillende keren naar het Spaanse Protectoraat in Marokko om met luitenant-kolonel Yagüe besprekingen te voeren.

Vaak, wanneer hij zichzelf nauwkeurig in de spiegel bekeek, ontwaarde hij in zijn eigen gezicht de trekken van een held. Op zulke momenten voelde hij heel duidelijk dat hij zijn eigen leven zou durven op te offeren voor het vaderland, ook al wist hij dat hij met een onwaardige tegenstander streed. Vandaar dat toen de regering de Falange verbood en zijn leider opsloot, Alfonso María hieruit de conclusie trok dat de goden hem voor drie ongelooflijk belangrijke taken hadden uitverkoren. In één klap bombardeerde hij zichzelf tot voorvechter van de rechtvaardigheid, vaandeldrager van het geloof en rechterhand van de Heer der heerscharen. Desondanks bleef hij zich gedragen als een eenvoudige volksjongen – die in vuile werkkleren rondliep – om die zelfopgelegde, verheven plichten te kunnen vervullen. Onmiddellijk liet hij zijn ex-secretaris Juan de Juana en de wraakengel Jacinto Manotriste opdraven en benoemde hen tot zijn adjudanten. Hij had de pistolen, munitie en petroleum al klaar. Alleen de overste van het jezuïetenklooster moest hem, hij bleef tenslotte een kind van de kerk, nog zijn zegen geven. Op het laatste moment besloot hij ook nog een van zijn ploegbazen in te schakelen, een vreselijke pummel die ooit zijn schoolkameraad was geweest. Aan alle drie vertelde hij dat ze als vrijwilligers werden ingezet en dus konden weigeren als ze niet wilden meedoen.

Het partijlokaal van de socialisten bevond zich op de hoek van een brede, doodlopende straat met acacia's. Het was bepaald geen plaats waar je rond kon lopen zonder argwaan te wekken. Maar Alfonso María had de omgeving al eerder in de gaten laten houden en wist dat er vanaf twaalf uur 's nachts geen kip meer te bekennen viel, want in die dagen dat er overal zoveel geweld op straat heerste durfden zelfs de hoeren 's nachts niet meer naar buiten. Hij ging dan ook pas om twee uur 's nachts tot actie over. Bovendien was er op dat tijdstip niemand meer in het partijlokaal zelf aanwezig zodat er geen slachtoffers zouden vallen, iets wat hij in dit geval namelijk om tactische redenen nog wilde vermijden. Het lag slechts in zijn bedoeling een duidelijk antwoord te geven, voor eens en altijd te laten zien dat die absurde vervolging van de Falange de leiders ervan niet dwong hun verzet te staken maar hen er juist toe bracht om dit verzet verder op te voeren. Vanuit zijn fanatisme bereidde hij een represaille voor die de grootst mogelijke schade aan moest richten.

Ze hadden zich in twee groepjes gesplitst die langs verschillende wegen naar de afgesproken plek zouden gaan. Het ene groepje bestond uit Alfonso María en Juan de Juana en het andere uit die vroegere schoolkameraad en Jacinto Manotriste. Verkleed als dagloners of landarbeiders (en wel zo overdreven dat je meteen zag dat ze het niet waren), liepen ze door de verlaten straten tot elk groepje van een andere kant een klein pleintje naderde dat lag ingeklemd tussen de witte muren van een paar bodega's. Er was nauwelijks licht, alleen een lantaarnpaal op een hoek verspreidde een zwak schijnsel in de vochtige nachtlucht, een vage halo waarin de stippen van muggen ronddansten. Juan de Juana droeg een grote zak op zijn rug en Jacinto Manotriste een rieten mand aan zijn schouder. De twee anderen droegen alleen het vuur van de wraak.

Vanaf het pleintje naar het partijlokaal was het niet meer dan honderd passen. Het was zo donker dat ze bijna niet konden zien waar ze liepen. Alfonso María deelde zonder iets te zeggen zijn bevelen uit: hij gaf Juan de Juana een seintje met zijn hoofd en Jacinto Manotriste met zijn ogen. Nog stiller dan tijgers slopen die naar het lokaal. Alfonso María en zijn schoolkameraad kwamen achter hen aan en posteerden zich nog voor de hoek ieder aan een kant van de straat. Er heerste zo'n enorme stilte dat ze hun eigen, angstvallig ingehouden adem konden horen. Alfonso María voelde de seconden traag voorbij tikken en daarbij leek het hem of de tijd ook een vijand was die daar ergens verborgen zat. Maar even later al sloeg een enorme steekvlam naar buiten, de geheel verlaten, donkere straat in. Terwijl het vuur loeiend en knetterend de diepe stilte verbrak, vermenigvuldigde het op de muren de schaduwen van de wegrennende brandstichters.

Maar niet alles liep zoals Alfonso María het in zijn woede en overmoed had uitgestippeld. Je kon zelfs wel stellen dat die brandstichting mislukte. Klaarblijkelijk had Juan de Juana de lessen van zijn vader vergeten, die anarchistische pyromaan, want het was een van de twee: óf ze hadden niet genoeg petroleum gebruikt, óf het lokaal dat ze hadden willen platbranden was brandveilig gemaakt. Want behalve dat de gevel zwart was geblakerd, had het vuur slechts twee vertrekken op de benedenverdieping lichtjes beschadigd. Dat was alles. Toen Alfonso María rustig over de op het eerste gezicht mislukte actie nadacht kwam hij tot de conclusie dat die desondanks – het ging tenslotte om een waarschuwing – toch nog een beetje in de lijn van zijn oorspronkelijke bedoeling lag. Maar hoe dan ook, hij riep Juan de Juana op het matje en gaf hem duidelijk te verstaan dat als hij ooit nog een keer zo klungelig te werk ging, hij meteen op straat zou komen te staan en weer de verschoppeling zou worden die hij altijd was geweest. Juan de Juana zwoer en vloekte dat hij voldoende en erg goede petroleum had gebruikt en dat het onbegrijpelijk was dat niet het hele huis samen met de belendende percelen was afgebrand. Maar omdat Alfonso María nog erg veel te doen had en geheel door de turbulente politieke ontwikkelingen in beslag werd genomen, kwam die brandstichting al snel op het tweede plan te staan en raakte deze uiteindelijk zelfs vergeten.

Aangezien Alfonso María als verbindingsman zo vaak geheime missies moest uitvoeren, dacht hij dat het verstandig zou zijn de meest luxe en betrouwbare auto aan te schaffen die er bestond teneinde autopech zo goed als uit te sluiten. Hij voegde dan ook meteen de daad bij het woord en bestelde in Londen de beste auto die hij kende, een Bentley 3.5 liter met zes cilinders, erg solide en bijzonder stil, hetzelfde model als door koning George de zesde onlangs was aangeschaft. Dat was zonder meer een vorstelijke auto, maar een Bentley paste natuurlijk niet erg goed in de geheime missies die Alfonso María ging uitvoeren omdat die door zijn luxe veel te opzichtig was. Als je daarmee door de stad of over landwegen zoefde betekende dat min of meer dat je je aanwezigheid van de daken schreeuwde terwijl die nu precies verborgen moest blijven. Maar toch was Alfonso María nu ook weer niet zo roekeloos: hij wist ook dat die auto over gordijntjes met electrische bediening beschikte en dat hij zich dus op elk moment aan nieuwsgierige blikken kon onttrekken. Alfonso María bleef de Bentley gebruiken totdat generaal Quiepo hem hoogstpersoonlijk te kennen gaf dat hij met die opvallende auto een grote vergissing beging en dat hij kon kiezen tussen óf die Bentley laten staan, óf zijn functie verliezen. Een verbindingsman die op geheime missies ging in het meest opzichtige voertuig dat men ooit in die streken had gezien was op zijn zachtst gezegd nogal vreemd. Vandaar dat Alfonso María onmiddellijk zijn hang naar pracht en praal terzijde schoof en de Bentley achter slot en grendel in het koetshuis zette, waarbij hij wel aan Epifanio de opdracht gaf hem elke dag te wassen en te laten glanzen alsof het een raspaard was. Wellicht dacht hij dat hij binnenkort met dezelfde snoeverigheid in zijn auto kon rondrijden als zijn moeder in haar rijtuigen, maar met het enige verschil dat hij dan de triomftocht zou aanvoeren van de troepen die een glorieuze overwinning hadden behaald.

Ook al leidde Alfonso María door zijn drukke strijd voor het vaderland een jachtig bestaan, thuis functioneerde de familie Romero bijna precies zo als vroeger. Don Sebastián bleef net doen alsof hij van niets wist hoewel hij natuurlijk precies op de hoogte was van alle ontwikkelingen terwijl Adelaida Conticinio zoals altijd geen enkele poging deed om te begrijpen wat er gaande was. Al weer enigszins hersteld van de pijnlijke vlucht van Carola, verdeelde ze haar tijd tussen de ochtendlijke ritjes in de tilbury, het ondersteunen van de door de parochie georganiseerde inzamelingen van oude kleren en de preken en kuiperijen waarmee ze María Patricia tot een huwelijk trachtte te bewegen. Misschien dacht ze zo de enorme schade te kunnen inhalen die het huwelijk van Carola had veroorzaakt, als je een huwelijk dat alleen voor de burgerlijke stand gesloten en typisch iets voor ongelovigen was, überhaupt wel een huwelijk kon noemen.

Omdat María Patricia door een aangeboren willoosheid altijd aan haar moeder gehoorzaamde, accepteerde ze als verloofde graag een Welshman die al enige jaren in de streek woonde en min of meer in de plaatselijke samenleving was geïntegreerd. Het ging om een jongeman van onbesproken gedrag – de wijnhandelaar Gregory Hardy – die de volledige instemming van de familie Romero kon wegdragen. De bruid, die meer nog dan haar moeder op geraffineerde wijze overdrijven kon, zag in het huwelijk eigenlijk niet veel meer dan een kwelling die gewoon niet te vermijden was en die je daarom maar het beste lijdzaam kon ondergaan. Misschien kwam die houding voort uit het feit dat ze als kind weinig had gespeeld:

ook in dat opzicht verschilde ze van haar zuster. Want terwijl Carola het toonbeeld was van een krachtige telg ontsproten aan de kruising van twee verschillende geslachten, kwam in María Patricia onweerlegbaar de inteelt tot uitdrukking waaraan de familie Malcorta zich eeuwenlang had overgegeven.

Adellijke families die alleen direct onder elkaar trouwden of steeds weer met de leden van bepaalde andere adellijke geslachten hadden van generatie op generatie nakomelingen voortgebracht die meer en meer verwant met elkaar waren. Deze vormden een kaste die vanuit hun eigen normen handelaars verachtten en in eerste instantie dan ook weigerden de opkomst van de wijnindustrie te accepteren, maar vervolgens geen weerstand konden bieden aan de aanlokkelijke winsten die daar te behalen waren en waardoor ze zich van de financiële ondergang hoopten te kunnen redden. Wanneer deze inteelt echter plotseling doorbroken wordt door de toevoer van nieuw bloed kunnen de nakomelingen uiteindelijk zowel decadente en suffe als voortreffelijke en lucide personen zijn. De eersten, die de risico's belichamen die incest met zich meebrengt, zijn verzwakt door hun angst voor God, de laatsten nobel, welwillend, goedaardig, zonnig en grootmoedig. Kortom, net zoals respectievelijk María Patricia en Carola.

Daar de omstandigheden van dat moment geen groot feest toelieten moest de datum waarop de huwelijksvoltrekking was gepland worden uitgesteld. Adelaida Conticinio had dan ook meer dan genoeg tijd om met haar dochter een chaotische lijst van allegorieën en principes aangaande het huwelijk door te nemen, terwijl don Sebastián zich zo'n beetje overal aan onttrok door zich bewust in een bizarre onderneming te storten: hij wilde de resten van een galei die ergens voor de kust was vergaan naar een binnenplaats van de bodega overbrengen. Een project dat niet alleen verboden was, maar ook nog eens heel zwaar, en bovendien heel veel geld kostte, maar waarin hij desondanks halsstarrig volhardde. Alles werd daarbij precies zo uitgevoerd als hij bevolen had en er was zelfs niemand die hem erop durfde te wijzen dat het rottingsproces waaraan het schip was onderworpen op het droge veel sneller zou verlopen dan onder water. Wat er uiteindelijk bij de bodega kwam te staan was dan ook niet veel meer dan een half uit elkaar liggend geraamte, dat wil zeggen iets wat nog minder op een scheepsromp leek dan toen het gevonden was. En je had wel heel erg veel verbeelding nodig om in die chaos van goeddeels loszittende planken, gebroken dekbalken en ontwrichte spanten een galei te zien. Welbeschouwd had het meer weg van een ordinaire hoop wrakhout en alles kwam uiteindelijk dan ook op een stapel onder een afdak bij de bodega te liggen waar het steeds verder verrotte totdat een paar slimmeriken de nog goede balken als stutten voor wijnvaten begonnen te gebruiken. Toen was het alsof het oude, door de wijn verkleurde eikenhout van de tonnen – dat ooit per schip vanuit Zuid-Amerika was aangevoerd – opnieuw op de met zeewater doortrokken spanten van een galei lag.

Op een nacht toen Alfonso María op patrouille in de omgeving was geweest, bracht hij, van de acht kinderen die de Berengaria's hadden, een jongen en een meisje mee – verre familie van de Conticinio's – met de bedoeling dat ze het weekeind bij hem in huis zouden doorbrengen. De jongen, Ignacio, was een soort hulpje van Alfonso María en het meisje, Socorro, had in haar vrije tijd, doorgaans op een nogal halfslachtige manier, als koerier dienstgedaan tussen de plaatselijke militie van de Falange en de militairen die tegen de Republiek samenzwoeren. Geen van beiden was ouder dan drieëntwintig. Van opzij gezien zag Socorro er met haar lijkbleke huid en gitzwarte haar erg zwak uit, daarbij had ze dan ook nog eens altijd haar ogen wagenwijd open alsof ze vreselijk bang was, terwijl haar duidelijk vochtige lippen een lome wellustigheid uitstraalden. Ignacio daarentegen was een slome dikzak met een donkere huid die, omdat hij uit lichtschuwheid nooit in de zon kwam, lichtjes was verbleekt. Ook kwijlde hij soms een beetje. Broer en zus leken uiterlijk dan ook weinig op elkaar maar waren wel allebei even grote levensgenieters.

Hoewel Adelaida Conticinio niet uit haar kamer was gekomen om de gasten te verwelkomen gedroeg ze zich wel bijzonder hartelijk toen ze haar daar kwamen begroeten. Het was al laat maar nog steeds hing er die vreselijke, waarschijnlijk uit de hel afkomstige hitte die al tijdenlang die streken teisterde. Adelaida Conticinio liet haar dochter roepen en deze op haar beurt haar vader, waarna de hartelijke verwelkoming van de gasten werd voortgezet op de veranda van de achterplaats waar de hitte in ieder geval dragelijk leek te zijn. Door de sherry, weliswaar perfect gekoeld, kreeg iedereen het opnieuw warm en kwamen de tongen los, zodat ze aan een stuk door tot diep in de nacht bleven zitten kletsen en roddelen.

Alfonso María werd zo geestdriftig dat het leek of zijn ogen vuur schoten. Dat viel vooral op toen hij aankondigde dat ze in dat huis, dat zoveel van een onneembaar bastion had, binnenkort twee huwelijken te vieren zouden hebben: dat van María Patricia met Gregory Hardy en dat van hem met de vrouw die hij diezelfde dag voor altijd als zijn echtgenote had uitverkoren. Don Sebastián en zijn vrouw hielden eventjes hun adem in, vanzelfsprekend niet zozeer omdat ze van dat nieuws zelf geschrokken waren maar omdat ze bang waren voor een misstap van hun zoon. Maar die wist onmiddellijk alle twijfel bij hen te verjagen doordat hij snel de hand van Socorro greep en haar met elegante passen voor zijn ouders opstelde. Daarop spreidde Adelaida Conticinio haar armen zo wijd dat het leek of ze in een film meespeelde en legde die om de bedremmelde bruid heen, terwijl don Sebastián, Ignacio en María Patricia ieder op hun beurt wachtten om haar blij te kussen. De toosten en gelukwensen zouden ongetwijfeld tot in de vroege uurtjes zijn doorgegaan als niet plotsklaps de koetsier Epifanio en de kamerbediende van don Sebastián waren verschenen. Er waren slechts een paar woorden nodig om het verloop van die nacht – en van vele daaropvolgende nachten – een totaal andere wending te geven.

'Er is zojuist een bericht van generaal Quiepo gebracht,' zei Epifanio bijna fluisterend. 'De stier is klaar voor het gevecht.'

Alfonso María sprong eerst in de houding en kuste vervolgens het Falangistisch insigne dat op zijn jas zat gespeld.

'Eindelijk!' riep hij uit en doordat hij struikelde bleef er van zijn heldhaftige houding even niets over. 'Het uur U is begonnen. Kom op, we gaan.'

Deel drie

I

Omdat mijn neef, nicht en ik alle drie praktisch na de burgeroorlog waren geboren, wisten we daar niet meer van dan wat ons zo nu en dan in onsamenhangende verhalen op school of thuis was verteld. Het enige wat als een paal boven water stond was dat wij hadden gewonnen en dat mijn oom Alfonso María meer nog dan als martelaar als held moest worden vereerd. Toch hadden we zo onze twijfels bij de manier waarop we de overwinning hadden behaald. Niet dat die ook maar een moment door ons ter discussie werd gesteld maar we waren ons wel wat dingen gaan afvragen door de verhalen die we van de koetsier Epifanio hadden gehoord. Uit die verhalen, die allemaal over de periode van de oorlog zelf gingen, of over wat er vlak voor of na was gebeurd, sprak echter geen enkele kritiek maar juist een grote verering en mijn oom speelde er de hoofdrol in.

Zo kwamen we bijvoorbeeld achter het bestaan van Juan de Juana, een figuur van wie Epifanio overduidelijk een geweldige afkeer had. En ook achter het geheim van het jachtmes van mijn oom – echter niet achter dat van zijn mauser – dat hij altijd als een heuse talisman bij zich droeg. Bij wat we over zijn nachtelijke strafexpedities hoorden, waarvan het meedogenloze geweld slechts een antwoord leek op het brute optreden van de vijand, voelden we een vage onrust. Die kwam vooral voort uit wat onze godsdienst gebood. Een strijder voor het geloof mocht immers nooit dezelfde laagheden begaan als een handlanger van het kwaad. Volgens Epifanio moest je in een oorlog gewoon wel je tegenstander doden want anders werd jij door hem gedood. Dat wist hij uit eigen ervaring en waarschijnlijk had hij daar ook heel erg gelijk in. Maar ik bleef zo mijn twijfels houden, ook al begreep ik dat de overwinning zonder al die slachtoffers nooit zou zijn behaald.

In het begin besloot mijn oom dat allebei zijn kinderen lid zouden worden van de jeugdorganisaties van het franquistische bewind, hoewel hij zich nooit had neergelegd bij het decreet dat falangisten en traditionele monarchisten zich in één beweging moesten verenigen. Mijn oom nam nam zijn besluit zonder enig overleg, maar toen mijn oma ervan hoorde verzette ze zich met hand en tand tegen een dergelijke idiotie. Ze stelde dat de heilige oorlog dan één ding mocht zijn, maar dat in vredestijd het volk de Malcorta's – al waren haar kleinkinderen dat dan slechts indirect – niets had voor te schrijven. Mijn opa Sebastián wilde zich niet in de discussie mengen, maar verzekerde ons dat het een van de weinige keren was geweest dat hij zijn vrouw zo hardnekkig haar zin had zien proberen door te drijven. En die kreeg ze ten slotte dan ook.

Mijn oma gedroeg zich als iemand die vele jaren zonder duidelijke notie van de tijd in eenzame opsluiting heeft gezeten en die na eindelijk te zijn ontsnapt alles terugwint wat hij was kwijtgeraakt. Uiteindelijk werden mijn neef Aurelio noch mijn nicht Marianita dan ook lid van de nationalistische jeugdmilitie. Evenmin gingen ze naar de massabijeenkomsten ter viering van de overwinning (iets wat mijn moeder en mijn tante Socorro ooit wel hadden gedaan en waarvoor ze zelfs mouwbanden hadden genaaid en truien gebreid). En dat betekende een geweldige domper voor mijn neef want zijn geestdrift om voor de zaak van de overwinnaars te strijden kende geen grenzen. Toen hij te horen kreeg dat hij geen lid zou worden van de jeugdorganisatie nam hij zich voor op een gruwelijke manier wraak te nemen. Een voornemen dat hij daadwerkelijk uitvoerde want dat jaar haalde hij alleen maar zware onvoldoendes.

Omdat hij een Brit was, bemoeide mijn vader zich eigenlijk op geen enkele manier met die heftige politieke beroeringen. Zonder nu een tegenstander te zijn van het franquisme hield hij zich altijd afzijdig, misschien alleen omdat zijn andere landgenoten die het nieuwe bewind min of meer aanvaardden dat ook deden. Omdat mijn broer Gregorio, die feitelijk in Swansea was opgegroeid, zich nooit bij het bondgenootschap tussen Aurelio en mij had aangesloten, ging wat wij toen meemaakten praktisch volledig aan hem voorbij. Hij was een Hardy die nooit werkelijk tot de clan van de Romero's behoorde. Over dat alles hield hij zich dan ook feitelijk helemaal op de vlakte. Ik kende echter natuurlijk een heleboel verschrikkelijke verhalen over de oorlog, die ik vooral van Epifanio had gehoord, maar die zag ik vooral als een soort ruige avonturen, als de spannende uitzonderingen in de routine van het dagelijkse leven.

Dat was alles. Buiten de rotsvaste overtuiging natuurlijk dat wij de eerste en belangrijkste erfgenamen waren van een op heldhaftige wijze heroverd vaderland.

Zo stonden de zaken ervoor toen mijn neef en ik op een middag besloten te spijbelen van de saaie natuurkundelessen die we van een jezuïet kregen. Omdat we niets beters konden bedenken om ons te vermaken gingen we in de stallen die mijn oma aan het koetshuis had laten bouwen naar de paarden kijken. Mijn neef beschouwde zichzelf toen al als een echte paardenkenner en pochte erop dat hij de jongste telg was in een dynastie van de beste ruiters uit de streek. Daar had hij op zich natuurlijk gelijk in maar de toon waarop hij dat verkondigde wekte bij mij een lichte jaloezie en irritatie, alsof zijn oma niet ook mijn oma was.

Het was een erg zachte winterdag die door de zeewind, een uitzonderlijke zuidwestenwind die uit verre streken een zomerse lucht meevoerde, niets met de winter van doen leek te hebben. De poort van het koetshuis stond halfopen en precies toen we naar binnen wilden gaan zagen we iets verderop, naast een van de magazijnen, de auto van mijn oom staan. Ik sloeg er nauwelijks acht op maar mijn neef leek onrustig te zijn geworden, niet omdat zijn vader ons zou kunnen betrappen, maar omdat het raar was dat die auto daar op dat tijdstip stond. We twijfelden even maar gingen uiteindelijk toch naar binnen, hoewel meer als alerte spionnen dan als zorgeloze lanterfanters.

Eerst slopen we een stuk door de halfduistere ruimte van het koetshuis en vervolgens vlak langs een muur tot helemaal achterin, waar de stallen begonnen. Onderweg zagen we alle koetsen die mijn oma had verzameld: de twee faetons, de twee landauers, de victoria en de tilbury. Er stond ook nog een ander juweeltje: de oude Bentley van mijn oom. Maar in de stallen was niemand te bekennen. We liepen langs de boxen, gingen de opslagruimte voor het voer binnen, maar er was niet één stalknecht aan het werk. De enige plek waar we nog niet waren geweest, was de met schotten afgeschermde ontspanningsruimte bij de ingang. Even voorzichtig als we gekomen waren, slopen we daarom terug naar de ingang.

Al voor we daar aankwamen hoorden we gelach. Degenen van wie dat afkomstig was deden geen enkele poging dat te dempen.

Voetje voor voetje, zonder ook maar een geluid te maken, slopen we naderbij en drukten onze oren tegen het schot. Het gelach was opgehouden, maar nu leken we de stemmen te horen van een man en een vrouw die overduidelijk bezig waren de liefde te bedrijven. Ik probeerde te bedenken van wie die konden zijn maar het enige wat me duidelijk werd, was dat het niet om mijn oom ging. En dat bracht me nogal in verwarring. Ondertussen was mijn neef bezig geweest een kier te zoeken tussen de planken en hij moest er inderdaad een gevonden hebben want hij gluurde doodstil door het schot. Ik liep heel voorzichtig naar hem toe en door hem een zachte duw te geven maakte ik duidelijk dat ik ook iets wilde zien. Maar omdat hij helemaal geen aanstalten maakte opzij te gaan gaf ik hem nog een duwtje, waarna ik zo goed en zo kwaad als het ging ook door de kier in het schot gluurde. Ik zag alleen maar een stuk van de rug van mijn oom die bewegingloos in een leunstoel zat met een glas wijn in zijn bengelende hand, terwijl voor hem op de divan twee figuren de liefde bedreven. Ik kreeg nauwelijks hun gezichten te zien, want als het zicht niet werd belemmerd door de lichamen van die figuren, dan gebeurde dat wel door dat van mijn oom. En nadat mijn neef me al weer opzij had geduwd, bleef ik met afwezige blik naar het witgekalkte schot staren.

Door de hevige opwinding, zo'n wellust die soms wordt opgewekt doordat je de wellust van anderen ziet, sloeg mijn fantasie op hol en zag ik allerlei beelden voor me: verstrengelde benen, tegen elkaar gedrukte buiken en kronkelende lichamen, met op de achtergrond knipperende lichtjes. En het was alsof ik mezelf zag, alsof ik mezelf had betrapt terwijl ik de liefde bedreef met de vrouw van een ander. Daarbij gleed ik heerlijk op en neer terwijl ik diep in haar drong. Tegelijkertijd zag ik mijn tante Carola, Marianita en Custodia voor me, en ook dat meisje op La Valerita dat me tijdens de kurkoogst naar een beschutte plek had meegetroond om me te laten zien hoe je het deed. En ongetwijfeld waren er nog meer beelden in me opgedoken als mijn neef me niet hard aan een arm had meegetrokken omdat we moesten maken dat we wegkwamen. En dat was wat ik deed, zelfs zonder dat het echt tot me doordrong.

Toen we zo snel we konden naar buiten waren gerend en de hoek van het koetshuis omsloegen, merkten we meteen dat de wind van het zuidwesten naar het noorden was gedraaid en een vochtige, duidelijk koudere lucht meevoerde waardoor het weer winter leek. Mijn neef zei pas weer iets toen we bij de volgende hoek waren. En wat hij zei was nou niet bepaald wat ik had verwacht:

'Ze waren net klaargekomen.'

Omdat ik in eerste instantie dacht dat zijn woorden duidelijk waren, hield ik mijn mond. Maar uiteindelijk vroeg ik toch iets wat waarschijnlijk nogal ongelukkig was:

'Alle drie?'

Mijn neef staarde me even met een brutaal gezicht aan.

'Wat dacht je daarvan. Het waren twee jongens,' zei hij met een geforceerde glimlach. 'Maar ik heb ze nooit eerder gezien.'

'Ik ook niet,' zei ik.

'Het enige wat mijn vader deed was kijken,' zei hij plotseling op gedempte toon. 'Wat een smeerlapperij.'

Ook ik vond dat, hoewel ik er net iets anders over dacht dan mijn neef. Of net iets genuanceerder. Ik dacht namelijk dat kijken naar zulke dingen minder erg was dan er aan meedoen. Of nee, waar het eigenlijk om ging was dat ik de daad zelf, met wat die aan schuldigheid en weerzin opriep, obscener vond dan het kijken ernaar. Maar over zulke of andere dingen hadden we het toen natuurlijk niet en we waren al helemaal niet in staat om onze opvattingen op die manier te formuleren. Slechts één keer, toen we uit school kwamen, had ik mijn neef even iets vaags horen mompelen over de oorlog. Een opmerking over het weigeren van bevelen die hij plotseling had laten vallen, maar waar ik niet op door wilde gaan. Ik had daar geen zin in en mijn neef bleef zich verschansen in een soort knorrigheid waarin ontzetting en schaamte met elkaar streden.

Die middag bleef ik niet bij mijn neef en nicht. Nadat ik een stukje met Aurelio was meegelopen ging ik naar huis. Ik stelde me zo voor dat hij onmiddellijk zou gaan biechten bij de overste van het klooster met die typische zelfkwelling van de gelovige die zich onwaardig acht vergiffenis te krijgen, die enorme perversiteit waardoor het bestaan van de hel totaal wordt aanvaard. Ik wist bovendien zeker dat wat wij die dag hadden gezien op ons allebei een geweldige indruk had gemaakt. Dat we mijn oom op die manier hadden betrapt had bij mijn neef een enorme ontgoocheling en verwarring veroorzaakt, terwijl ik een geweldige onrust voelde die me heen en weer slingerde tussen afschuw en nieuwsgierigheid, tussen verlangen en angst. Een soort wellust die met de afkeer van je eigen wellustigheid gepaard gaat.

Ik kwam later thuis dan gewoonlijk en mijn moeder stond op me te wachten, iets wat ze anders nooit deed. Ik begreep onmiddellijk dat ze me een standje ging geven omdat ik te laat was, of erger nog, omdat ik had gespijbeld. Ze kwam op me af met die typisch minzame glimlach van de Romero's rond haar mond:

'Schrik niet, schatje,' zei ze bijna fluisterend terwijl ze me een kus gaf. 'Er is een bom ontploft in de bodega.'

2

Na verloop van tijd werd de enorme woonruimte waarover de familie Romero beschikte een stuk verkleind. Volgens de redenering van don Sebastián kon er best wat van al die ruimte worden afgeknabbeld om meer plaats te bieden aan de wijnhandel die, na de onderbreking door de oorlog – of juist dankzij diezelfde oorlog –, weer op ongekende en duizelingwekkende wijze was begonnen te groeien. Dus besloot hij op een goede dag bijna een hele zijvleugel van het huis, dat wil zeggen het deel dat uitzicht bood op het park, in kantoren voor de bodega te veranderen. Goed afgescheiden van de rest van het huis, ging zo een flink aantal vertrekken dat niet echt werd gebruikt behoren tot het chique deel van het bedrijf, waar de directie zetelde en de belangrijke bezoekers werden ontvangen. Maar voordat die verbouwing daadwerkelijk werd uitgevoerd – waardoor de uiterlijke harmonie van het gebouw en zijn prachtige patio met zuilengalerij op geen enkele manier werden aangetast – wist de zoon van de stichter van bodega Romero een erg praktische gril in het bouwplan op te laten nemen. Hij gaf de zoon van architect Robert Finsbury (die ook Robert Finsbury heette en in de voetsporen van zijn vader was getreden) opdracht een geheime gang te construeren die zijn eigen kantoor met een vertrek in het huis verbond dat hij voor zijn privéfeestjes wilde gebruiken.

Niemand wist indertijd van het bestaan van die geheime gang – of men deed in ieder geval alsof men er niets van wist – want Alfonso María had ervoor gezorgd de deur in een grote kast te laten verstoppen waarvan alleen hij de sleutel bezat. Deze in het geheim met zijn kantoor verbonden kamer was ontoegankelijk vanuit de rest van het huis omdat de deur ervan normaliter op slot zat. Don Sebastián deed net alsof zijn neus bloedde, maar Socorro had op een keer krakende en piepende geluiden gehoord die nogal vreemd waren voor een kantoor en had daardoor het vermoeden gekregen dat er ergens in huis iets gebeurde wat niet helemaal in de haak was. Want op een avond vroeg ze plompverloren aan haar echtgenoot of dat kabaal soms van dieven kon zijn of van een secretaresse die op eigen gelegenheid feestjes organiseerde. Waarop hij antwoordde dat de enige dieven die hij kende een paar arbeiders van de bodega waren en dat geen enkele secretaresse het in haar hoofd zou halen fuifjes op touw te zetten omdat ze donders goed wist dat ze dan meteen op straat stond.

'Dan zal het wel komen doordat ik oud begin te worden en rare dingen hoor,' antwoordde ze terwijl ze naar een vage plek wees. 'Ik jaag mezelf voortdurend de schrik op het lijf met dieven die er helemaal niet zijn.'

Alfonso María keek naar de plaats die zijn vrouw aanwees maar daar was werkelijk niets te zien.

'Pas goed op jezelf,' zei hij nadat hij eventjes had moeten slikken.

En Socorro had daarna wel andere dingen aan haar hoofd. De problemen rond haar broer Ignacio namelijk, deze was van zichzelf al een beetje getikt, maar leek nu echt volkomen te zijn doorgedraaid. Sinds hij van het front naar huis was gestuurd omdat hij door zijn vreselijke aanvallen van geilheid onhandelbaar was geworden, was het van kwaad tot erger met hem gegaan. Zijn toestand was meer nog dan tragisch, ronduit vernederend. Want Ignacio was niet alleen steeds dikker en dikker geworden tot hij werkelijk een gigantische omvang had bereikt, maar ook lag hij overdag en een groot deel van de nacht te janken met zijn stijve geslacht in zijn hand, dat hij overal waar dat maar kon in wilde stoppen. Alle Berengaria's waren ten einde raad omdat ze de mogelijkheid hem in een gesticht op te sluiten resoluut hadden afgewezen als zijnde wreed en ongepast vanwege zijn afkomst. Totdat Alfonso María (die niet alleen zijn strijdmakker was maar ook zijn onverschillige zwager) de sater met een onverwachte vriendelijkheid uit de nood hielp door hem een medicijn te verschaffen dat in ieder geval tijdelijk soelaas kon bieden.

Dat medicijn was even onbeschaamd als effectief. Het bestond eruit dat hij Ignacio elke woensdag – uitgezonderd feestdagen en de dagen ervoor – naar een erg betrouwbaar bordeel bracht waar hij een intensieve kuur moest ondergaan. De waanzinnige wist overigens donders goed waar hij heen ging want hij kwijlde op die dagen veel meer dan normaal en in plaats van te janken, brulde hij. Een vooraf ingelichte en betaalde prostituee sloot zich dan samen met Ignacio op in een kamertje en nadat ze het hitsige sap dat zich een weeklang had opgehoopt grondig uit hem had geperst, bezorgde ze hem weer in kalme toestand terug bij Alfonso María. Maar de laatste tijd werkte de therapie niet meer zo goed, want twee of drie dagen na een totale ontlading begon die heftige bronst al weer en lag de ongelukkige opnieuw vreselijk te janken. Er was simpelweg geen medicijn tegen zijn kwaal gewassen: koude baden, enorme doses broom noch het vooruitzicht van het bordeel hielpen en de schaamte begon dan ook als een kwaadaardige ziekte de ziel van de Berengaria's aan te tasten. Natuurlijk wilde niemand meer dan één keer per week een prostituee voor Ignacio betalen, wel kreeg hij een kamertje in de kelder van het bordeel, waar van toen af aan de hoer die zijn leed verzachtte zijn voortdurende gejank aan mocht horen. Ongetwijfeld rook hij die vrouw al in de dagen voor hij geslachtsgemeenschap met haar had waardoor die tot een vreselijke marteling voor hem werden.

Socorro wilde niets horen over de waanzin waaraan haar broer leed, bij wie de doktoren een constante erectie van de penis hadden vastgesteld veroorzaakt door alle gedwongen onthouding aan het front. Half en half had ze door in wat voor een walgelijk sanatorium hij was opgenomen, maar ze had haar man verboden haar daar ook maar iets over te vertellen en zijzelf bracht het nooit ter sprake wanneer ze haar ouders bezocht. Bovendien was ze al zeven maanden in verwachting en het laatste wat ze wilde was dat ze door zo'n vreselijk familieschandaal een miskraam zou krijgen. Wanneer ze merkte dat iemand haar met haar broer wilde treiteren – haar eigen schoonvader vooral – probeerde ze dat te pareren door idioot te gaan praten, een tactiek die ze ook bij haar man toepaste. Soms zelfs wanneer het helemaal niet nodig was, of uit inertie, maar nooit met de bedoeling hem te sarren.

'Ik wil een voorbeeld van nederigheid zijn,' zei ze op verslagen toon, 'want voor mij is de winter begonnen.'

'Dat is mooi,' mompelde Alfonso María, terwijl hij zich bedacht dat het snoeien van de wijnstokken nog niet was voltooid of dat hij op zoek moest naar een andere magazijnmeester.

'Waarom moet jij nu weer zo nodig zo quasi begrijpend doen alsof je een domme gans voor je hebt?' vroeg Socorro, terwijl ze met de rechtvaardigheid aan haar zijde en haar dikke buik als schild dichter bij hem ging staan. 'Je luistert niet eens naar me. Eens kijken of je kunt herhalen wat ik heb gezegd. Je luistert nooit naar me.'

Alfonso María leek uit zijn afwezigheid te ontwaken maar zei geen woord. Hij liet overduidelijk merken dat hij veel haast had en wilde afscheid nemen met een kus. Zijn vrouw echter ontweek die zoals altijd door haar hoofd te laten zakken tot ze precies de houding had van een veroordeelde die klaar was voor het zwaard van de beul.

'Nee,' zei ze. 'Ga maar.'

Hoewel Alfonso María niet meer zo fanatiek of militant was als vlak voor en tijdens de oorlog, had hij zijn politieke streven noch politieke activiteiten opgegeven. Het enige, onopvallende, verschil met vroeger was dat hij nu liever achter de schermen opereerde dan in het openbaar. Omdat de overwinning waarvoor hij zo hard gevochten had inmiddels een feit was, vond hij dat de tijd rijp was om op vreedzame wijze zijn beloning binnen te halen, hoewel dat helemaal niet betekende dat hij zijn waakzaamheid liet verslappen. Verschillende aanbiedingen om bestuursfuncties te bekleden sloeg hij af en benoemingen op eervolle posten weigerde hij. Zijn post was in de achterhoede, meende hij, waar de plicht tot vaderlandsliefde duidelijk niet van minder gewicht was dan in de voorste linies. Dat was zijn devies. En don Sebastián had min of meer hetzelfde gezichtspunt, hoewel die zich in het openbaar toch anders opstelde en ook een andere tactiek hanteerde.

Nadat de belangrijkste maatregel die Alfonso María na de oorlog zou nemen door zijn vader was goedgekeurd, werd die meteen daadkrachtig door zijn vazallen uitgevoerd. Daarbij werden de gemeentelijke instellingen voor een groot deel gezuiverd door de belangrijkste functionarissen te vervangen. De burgemeesterspost viel don Jerónimo Berengaria ten deel – een oom van Socorro – die niet alleen een bekende veehouder en grote weldoener was, maar bovendien een cruciale bijdrage had geleverd aan de oprichting en het succes van de Falange. Door zijn onberispelijke houding was hij na de oorlog de aangewezen man om als eerste het zware ambt van burgemeester te bekleden. Vooral in een tijd waarin armoede en opstandigheid een voortdurende waakzaamheid vereisten en de wet op voorbeeldige wijze gehandhaafd moest worden.

Niet tevreden met deze en andere maatregelen gaf Alfonso María bevel (net als zijn vader deed, maar dan met behulp van andere methoden) tot een uitgebreide zuivering. Alle politiek ontrouwe – en verdachte – werknemers van de bodega dienden ontslagen te worden. Deze ontsmettingsoperatie betrof alle afdelingen: van de magazijnen, de bottelarij, de eigenlijke bodega en exporthandel tot aan de wijngaarden, de landerijen, de stallen en de haciënda's. Een zware maar dringende klus. Hoewel Alfonso María er vanuit ging dat de meeste vijandige elementen al waren gevlucht of niet waren teruggekeerd na de oorlog, kon een laatste grootscheepse kloppartij nooit kwaad. Om de vrede in de bodega te handhaven kon hij zich geen enkele foute werknemer veroorloven en het was dan ook zijn hoogste plicht daar voortdurend alert op te blijven. De ontdekking van twee op La Valerita ondergedoken vijanden toonde trouwens aan dat die kloppartij meer dan gerechtvaardigd was.

Vlak nadat Alfonso María zijn rechterhand Juan de Juana de laan had uitgestuurd, stelde hij twee trouwe werknemers als zijn lijfwachten aan. Het ging om twee kantoorbedienden die zich spontaan hadden aangeboden, iets wat op zich al bijna een garantie vormde voor hun betrouwbaarheid. Hun namen of bijnamen waren respectievelijk Albadalejo en Pachequito en de laatste bleek bovendien toevallig familie van de huishoudster Remedios te zijn. Zo ontdekte Alfonso María dat de vijand in zijn eigen huis zat, iets wat hem niet eens erg verbaasde. Want hij had al te horen gekregen dat Remedios, wellicht doordat ze met Carola samenzwoer, meer dan eens had verkondigd dat geen enkele overwinnaar in wreedheid onderdeed voor een barbaar. Alfonso María wilde onmiddellijk tegen haar optreden, maar realiseerde zich dat hij het daar eerst met zijn moeder over zou moeten hebben.

Toen Adelaida Conticinio haar zoon hoorde binnenkomen zat ze in een fotoalbum van beroemde paarden te bladeren. Daarbij hield ze met een afwezige blik haar face-à-main nu eens dichtbij dan weer veraf.

'Heb je even tijd?' vroeg Alfonso María.

'Kom verder.'

Alfonso María kwam vlak naast de leunstoel staan waarin zijn moeder zat, die nu sneller begon te bladeren. Er hing een zoetige bloemenlucht in het vertrek, een geur van lavendelhoning, die uit een grijs verleden leek te komen maar ook te maken kon hebben met wat er op die foto's stond. Alfonso María stak van wal met het aplomb van de onervarene die nooit twijfelt.

'De huishoudster maakt het echt te bont,' zei hij.

'Hier,' mompelde Adelaida Conticinio en ze wees haar zoon met een blauwachtige vinger een foto aan waarop een statig paard een prachtige sprong maakte voor een tribune. 'Die lijkt precies op Pretty, moet je eens kijken.'

'Precies,' antwoordde Alfonso María zonder ook maar even naar de foto te kijken. 'Ik ben helemaal niet te spreken over het gedrag van de huishoudster.'

Adelaida Conticinio ging haast zonder erg overeind zitten waarbij haar face-à-main, die aan een kettinkje om haar hals zat, op haar rok viel.

'Van de huishoudster?' vroeg ze verbaasd. 'Ik begrijp niet wat de huishoudster nu met Pretty te maken heeft.'

'Ze maakt het echt te bont,' herhaalde haar zoon terwijl hij met zijn tong zijn lippen bevochtigde. 'Ze hebben haar lelijke dingen horen zeggen over zaken die heilig zijn in dit huis. Het zou me niets verbazen als je dochter Carola daar de hand in heeft.'

'Jouw zuster Carola,' fluisterde zijn moeder op een ijzige, verheven toon, 'woont niet in dit huis.'

'Godzijdank,' zei Alfonso María. 'Maar de huishoudster wel.'

Adelaida Conticinio sloot het album en alvorens te overdenken wat haar zoon tegen haar had gezegd, schoot haar de belachelijkheid te binnen van mensen die een groot ontzag koesteren voor glas-in-loodramen. Omdat dat haar een beetje verbaasde kon ze niet voorkomen dat haar zulke gedachten invielen.

'Een tijdje geleden ging er een glas-in-loodraam stuk en zij nam de schuld daarvoor op zich. Ik weet niet waarom ze dat deed,' zei ze terwijl ze haar stem nog meer dempte. 'Over zoiets zou ik nou echt nooit kwaad worden.'

'Ik probeer je uit te leggen,' zei Alfonso María, 'dat ze nog altijd niet door heeft dat wij de oorlog hebben gewonnen.'

'Nou, volgens mij wel,' antwoordde Adelaida Conticinio terwijl ze haar vingers uitstak om haar nagels te controleren. 'Dat weet ze maar al te goed.'

'Morgen,' voegde hij eraan toe.

'Dat weet ze maar al te goed,' herhaalde Adelaida Conticinio terwijl ze overeind kwam alsof ze van haar troon opstond. 'Van iedereen die in dit huis woont heeft de huishoudster het beste geheugen. Laat haar met rust.'

Alfonso María begreep dat de audiëntie abrupt was beëindigd en dat maakte hem een beetje wrokkig. Maar hij vertrok zonder enig protest en liep pruilend als een vernederd kind terug naar zijn kantoortje, misschien met de gedachte dat de nationale wederopbouw toch ook het afvoeren van onbruikbaar puin uit zijn eigen huis moest inhouden.

In diezelfde benauwde tijd beviel Socorro – iets te vroeg – van haar eerste kind, een jongen die de namen Aurelio Sebastián Alfonso kreeg. Ter meerdere eer en glorie van de familie ging het hier om de tweede mannelijke Romero in directe lijn. Vandaar dat don Sebastián de geboorte van zijn kleinzoon met een groot doopfeest luister wilde bijzetten. Maar Adelaida Conticinio verzette zich met hand en tand tegen het verbrassen van grote hoeveelheden wijn en eten, terwijl iedereen goed wist dat de puinhopen van de oorlog nog altijd rookten en dat er een verschrikkelijke honger heerste. Vandaar dat er alleen in kleine kring een weelderig feest werd georganiseerd. En dat liep bijna naadloos in een ander doopfeest over, want nauwelijks drie maanden na de geboorte van Aurelio, beviel ook María Patricia, ditmaal precies op tijd. Ook dat was een jongen, half blond en met sproeten, die de laconieke vader (een anglicaan die pas noodgedwongen tot het katholicisme was overgegaan) vanuit een antifamiliaal streven José Daniel wenste te noemen.

Don Sebastián moet toen al hebben gedacht dat van die twee bijna gelijktijdig geboren kleinzoons, Aurelio zijn enig zuivere bloedverwant was, een rasechte Romero, die op een dag alles zou erven wat hij op zijn beurt aan zijn zoon had nagelaten. Waar dan nog eens de grafelijke titel van Malcorta bijkwam, die van de kant van de Conticinio's was gekomen. Zijn andere kleinzoon, José Daniel, dat half Britse kind van Gregory Hardy en María Patricia, hoorde ongetwijfeld ook bij de familie maar slechts tot een bepaald punt, hij was immers geen bloedverwant in rechte lijn en deed eigenlijk alleen voor spek en bonen mee.

3

Op het platte dak van het huis was een soort rommelhok waar mijn neef een schat vond. Het ging om een oude destilleerketel die, eenmaal goed schoongemaakt, er werkelijk nog schitterend uitzag. Bijna het hele apparaat was van koper en je hoefde maar even over het oppervlak te wrijven of het begon prachtig rood te glanzen. Omdat de ketel in uitstekende staat verkeerde en de spiraalbuis slechts lichtjes was verroest, kon die vondst inderdaad als een heuse schat worden beschouwd. Het apparaat was bovendien niet al te groot en we konden het zo in twee manden naar een hoek van het washok sjouwen.

Het kostte even tijd om dat apparaat schoon te maken en alle buizen te ontstoppen, maar daarna zag het er dan ook piekfijn uit. Bij het zien van zoveel schoonheid kwam mijn neef plots op het idee om aan de koetsier Epifanio te vragen of hij er een koper voor wist. Iets waar Marianita en ik echter faliekant op tegen waren, ons leek het veel spannender een soort clandestiene stokerij te beginnen en mettertijd zelfs onze eigen brandy met de welluidende naam De vurige lynx te gaan destilleren. En zo spraken we het af. We beloofden elkaar de bedrijfsgeheimen goed te bewaren en aan het begin van de zomer gingen we elke avond naar het platte dak om met het stoken van brandy te experimenteren. Het was echt een fantastisch plan en De vurige lynx zou volgens ons dan ook het gat in de markt zijn.

Het eerste wat mijn neef had bemachtigd was een soort handleiding voor de professionele destillateur (een boek dat helemaal niet te hoog gegrepen bleek) en vervolgens wist hij twee grote mandflessen op de kop te tikken: een met goedkope wijn en een met wijnazijn. Maar voordat we echt aan de slag zouden gaan leek het ons het beste eerst wat te experimenteren met de verschillende methodes die in de handleiding beschreven stonden door water te destilleren, op die manier kwamen we er ook gelijk achter of alles wel goed functioneerde. Met een brij van gips en as smeerden we het deel van de spiraalbuis dicht dat het meest door roest was aangevreten en vervolgens sleepten we het apparaat naar het midden van het washok. We staken het fornuis aan waarop de was werd gekookt, vulden de ketel voor de helft met water en zetten die op het vuur.

Het wachten duurde lang maar was wel erg spannend. We hadden Custodia erbij geroepen, die uit de naaikamer was geglipt om het destilleerapparaat met eigen ogen te kunnen zien werken, en waren allemaal erg opgewonden. Op een gegeven moment echter schoot de leiding los die de ketel met de spiraalbuis verbond en die moesten we weer op haar plaats zien te krijgen. Omdat er stoom uit de leiding kwam konden we die alleen met lappen eromheen gewikkeld beetpakken en weer vastzetten. Daarna verliep alles echter gesmeerd. Nadat we al een hele tijd een angstaanjagend geborrel en geklok hadden gehoord, begonnen er uit de spiraalbuis druppeltjes te vallen. Dat zou gedestilleerd water moeten zijn, maar we waren daar niet echt zeker van. Om de proef op de som te nemen stak Custodia haar vinger in de waskom die we onder het uiteinde van de spiraalbuis hadden gezet. Ze likte een paar keer over haar vingertop maar kon niet zeggen of wat ze nu proefde gedistilleerd water was. Ook wij drieën probeerden één voor één met een vies gezicht die troebele vloeistof uit zonder dat we uitsluitsel konden geven.

'Het smaakt naar waswater,' zei Custodia.

'Het mag waar dan ook naar smaken,' zei mijn neef, met de

handleiding voor de professionele destillateur in zijn achterhoofd, 'maar dit is wat overblijft wanneer stoom condenseert.'

'Het staat exact zo in de handleiding,' voegde ik eraan toe.

De proef om wijn te destilleren deden we de volgende dag. De zon brandde net zo hard op het dak van het washok als het vuur in het fornuis. Er hing dan ook een hitte waardoor je haast flauwviel. Marianita en Custodia keken toe terwijl wij aan de slag gingen, maar eigenlijk vonden we het helemaal niet goed dat zij bij zo'n gevaarlijke onderneming aanwezig waren. Toen het vuur eenmaal goed brandde, schonken we een mandfles wijn leeg in de ketel. Zo'n fles bevatte ongeveer zestien liter. De wijn bereikte veel sneller het kookpunt dan het water. Eerst verscheen er op de plekken van de spiraalbuis die we hadden dichtgesmeerd schuim en vervolgens begon het hele apparaat als een gek te trillen. Voor de zekerheid gingen we er maar een eindje vanaf staan, bij de deur van het washok, en Custodia ging zelfs helemaal naar buiten en keek toe door een van de raampjes.

De knal die volgde was niet veel harder dan die van een rotje maar de ravage was enorm. De spiraalbuis was uit elkaar geklapt terwijl de vermeende brandy in het rond spetterde en een stapel kachelhout in brand zette. In eerste instantie bleven Aurelio en ik als aan de vloer genageld staan, vervolgens renden we naar de kraan en vulden een paar emmers met water om het vuur te blussen. Marianita hield haar handen voor haar gezicht en Custodia begon vreselijk te gillen. Omdat Aurelio zijn hand brandde moesten we ophouden met blussen en greep het vuur nog verder om zich heen. Het enige wat ons overbleef was zo hard mogelijk weg te rennen.

De koetsier Epifanio was met een van de stalknechten het eerste ter plaatse. Vervolgens verscheen tante Carola met een parasol, op de voet gevolgd door de huishoudster Remedios en het merendeel van de huisbedienden. Epifanio had snel een slang door een dakraampje gestoken en daarmee spoot de stalknecht een ferme straal water het washok in. De vlammen sloegen uit de vensters en een dikke paarse rookwolk dreef boven het dak en de patio. De stalknecht bleek werkelijk een volleerde brandweerman te zijn want hij trad zo voortvarend op dat er na een half uur geen vuur meer te bekennen viel, alleen nog maar stinkende en smeulende resten, terwijl de rookwolk in een soort fijne mist was veranderd. Het washok was echter volledig uitgebrand en onherstelbaar beschadigd.

Nadat de brand was geblust werden we binnen de kortste keren door mijn moeder en tante Socorro op het matje geroepen. Mijn oom Alfonso María noch mijn vader wisten iets van de brand of misschien vonden ze het beter om onze bestraffing aan hun beider echtgenotes over te laten. Vast om de zaak een plechtig karakter te geven, riepen ze ons naar een pompeus vertrek dat ik door zijn overdadige en kitscherige inrichting altijd oerlelijk had gevonden. Het zag er veel kleiner uit dan het in werkelijkheid was doordat het propvol was gestouwd: tot in alle hoeken en gaten was het gevuld met gordijnen, vitrages, wandkleden, vlaggen, lopers, tafelkleden, dekservetten, tapijten en spreien. Bovendien hing er een muffe lucht van eeuwen her, een soort damp die uit de vloer- of wandkleden kwam waardoor je het gevoel kreeg in een andere tijd of in een oud paleis te zijn beland. Al die walgelijke kleden gingen lijnrecht in tegen de harmonie van de overige vertrekken, die de oude architect Robert Finsbury ooit met erg veel goede smaak had ingericht en gedecoreerd.

De reprimande die we ontvingen was kort, maar niet erg krachtig. Mijn tante Socorro gebruikte slechts één argument om ons te laten zien hoe slecht ons gedrag was geweest. Het kwam erop neer dat het vuur altijd een instrument van het kwaad is en dat we daar dus maar beter even ver vandaan konden blijven als van de duivel. Mijn moeder stond geheel achter deze waarschuwing maar voegde er ter onze lering nog aan toe dat we een levensgevaarlijke situatie hadden veroorzaakt, want als het vuur verder om zich heen had gegrepen, had het hele huis kunnen afbranden. Waarop mijn nichtje Marianita plotseling zei:

'Het hellevuur.'

Mijn moeder noch mijn tante reageerden hierop, blijkbaar omdat ze niet begrepen of het nu een grapje of een misplaatste opmerking was. Nadat we met dat fraaie kletsverhaal over de duivel tot de orde waren geroepen, werden we dat oerlelijke vertrek weer uitgestuurd. Onderaan de trap trof ik mijn tante Carola die me even apart nam door zoals altijd zacht haar hand op mijn wang te leggen en – zonder een woord over die gevaarlijke brand te zeggen

– in mijn oor fluisterde dat ik even naar boven moest gaan omdat mijn oma me wilde spreken. Dus liep ik, heen en weer geslingerd tussen tegenzin en nieuwsgierigheid, de trap op zonder dat ik me ook maar in de verste verte voor kon stellen wat die broodmagere en hartelijke oude dame, die al bijna niet meer uit haar kamers kwam en ook geen bezoek wilde ontvangen, nu van mij zou willen. Nadat ik door de galerij en een zijgang was gelopen klopte ik op haar deur.

Mijn oma zat kaarsrecht in een leunstoel van zwart fluweel. Ze staarde naar een onduidelijk punt ergens vóór haar, in een leegte die door de perfecte symmetrie van de schilderijen aan de muur enigszins werd gecamoufleerd. Zonder me aan te kijken zei ze:

'Kom hier, jongen.'

Ik liep naar haar toe en stond al op het punt haar een kus te geven toen ze me plots zachtjes afweerde.

'Kus me maar niet,' zei ze haast fluisterend. 'Oude vrouwen moet je niet kussen, niemand vindt het leuk een oude vrouw te kussen. Kom hier naast me zitten.' En ze wees me een stoel aan.

Ik deed wat ze zei en wachtte af. Mijn oma zweeg even, alsof ze zich probeerde te herinneren waarom ze me had laten roepen.

'Wilde je me spreken, oma?' vroeg ik.

'Vannacht ben ik opgestaan om buiten naar het gezang van de leeuwerik te luisteren,' zei ze terwijl ze met een trillende vinger naar het balkon wees. 'Het was al een eeuwigheid geleden dat ik op dat balkon was geweest. Waarom zou ik ook als er niets te zien is? Vroeger bood het uitzicht op het park en de pergola die doorliep tot beneden bij de bodega. Op de bloembedden met petunia's.' Hier sloot ze haar ogen alsof die haar pijn deden. 'Nu niet meer.'

'O nee?' vroeg ik met een stem waarin de twijfel duidelijk doorklonk.

'De laatste dagen heb ik steeds aan mijn kleinkinderen gedacht,' zei ze terwijl ze me met een ontroerende blik aanstaarde. 'Mijn gedachten werden er helemaal door in beslaggenomen. Wanneer je zoveel aan dat soort dingen denkt betekent dat dat je gaat sterven. Jouw jongere broer Gregorio is nog altijd in Engeland, Aurelio en Mariana hebben het huis in brand gestoken. Ik heb alleen jou nog maar.'

Ik wist niet wat ik moest antwoorden. Mijn oma ging op een

omstandige maar elegante manier verzitten. Ze had tranen in haar ogen en haar gezicht was bleek als dat van iemand die 's nachts veel heeft gehuild.

'Een vrouw krijgt steeds meer rimpels,' ging mijn oma voort bijna alsof ze aan het bidden was, 'en ook daarbuiten krijgt alles steeds meer rimpels. Heb je je opa nog gezien de laatste tijd?'

'Een paar dagen geleden,' antwoordde ik.

'Neem hem maar niet serieus, hij is nogal in de war,' zei ze op een andere toon. 'Carola is de beste van onze drie kinderen en dat heeft hij nooit willen erkennen. En al evenmin mijn zoon, voor wie ik mijn hele leven in angst heb gezeten. Jouw moeder is anders. Jouw moeder is even rechtvaardig als jouw vader. Maak het haar niet te moeilijk.'

Ik knikte. Ik werd heen en weer geslingerd tussen mijn gevoelens zonder dat ik wist wat ik moest doen. In de verte hoorde ik het water in de irrigatiekanalen van het park klokken en die eentonige klank gaf aan de stilte een onwerkelijke sfeer.

'Ik wil dat je die pen meeneemt, en ook dat medaillon en het beeldje dat ik daar heb,' murmelde mijn oma. 'Vraag me niet waarom.'

Ik zei niets maar kreeg een déjà vu, net als bij die vreemde juwelenkist die soms plots in mijn herinnering opdook en waarvan ik niets begreep. Daarop wees mijn oma met het gebaar van iemand die een trofee weigert naar een commode en zei:

'De bovenste la.'

Ik stond op en liep naar de commode toe. Het was een antiek, niet zo groot meubelstuk dat mijn tante Socorro van Cuba had meegebracht als geschenk voor mijn oma. Het was van met paarlemoer ingelegd sapindushout en had nog altijd precies dezelfde marmerachtige, oranje kleur. Ik trok de bovenste la open en boog me voorover alsof ik in een put keek.

'Het zit allemaal in dat pakje aan de linkerkant,' verduidelijkte mijn oma.

Inderdaad lag er een in pastelblauwe tafzijde gewikkeld pakje met een geel lint er omheen. Opnieuw zag ik die juwelenkist voor me en kreeg sterk het gevoel dat ik die ooit al eerder had gezien op een moment dat heel erg op dit moment leek. Door een vreemde kronkel van de herinnering had plotseling het verleden het heden gekruist in het beeld van die geheimzinnige kist die best wel eens de oplossing van het raadsel kon zijn. Weifelend, met een soort respectvolle onzekerheid, nam ik het pakje in mijn handen en liep ermee terug naar mijn stoel.

'Dankuwel,' stotterde ik.

'Prullaria,' zei ze. 'Maar ze hebben zo hun eigen geschiedenis, net als amuletten. Ik heb nog vier pakjes, maar ze horen nog wel voor wie die zijn. Tenslotte ben ik nog niet echt dood.'

'Oma,' fluisterde ik.

'Nu mag je gaan,' zei ze terwijl ze me met haar betraande lichtblauwe ogen aanstaarde. 'Rij je paard?

'Ja, soms,' antwoordde ik.

'Paardrijden is een must,' zei ze. 'Wie paardrijdt ziet veel van het leven.' Hier stopte ze even alsof ze zich iets probeerde te herinneren. 'Ik kon het erg goed, ik was de beste.'

'Dat weet ik,' antwoordde ik.

'Al mijn kinderen waren geweldige ruiters,' ging ze verder. 'Je moeder en je tante Carola, maar vooral mijn zoon, Alfonsito. Die kon het erg goed. Jammer alleen dat hij het er daarna, door de oorlog, bij heeft laten zitten. Carola woonde hier toen al niet meer, als ik het me goed herinner.' Ze streek lichtjes langs haar slapen. 'Alles voor het vaderland, wat een idiotie. Alsof het niet de eerste plicht van onze familie was om God te dienen, iets wat zelfs don Ismael niet begreep. Verveel ik je?'

'Marianita rijdt uitstekend,' zei ik.

Daarop kwam mijn oma moeizaam maar statig overeind en legde haar handen op mijn schouders. Ze praatte tegen me alsof ze een half begrepen lesje opdreunde.

'Vergeet niet elke eerste vrijdag van de maand naar de mis te gaan,' zei ze, 'dat helpt veel. Ook mij helpt het, jongen, en moet je eens zien hoe moe ik ben.' Ze boog zich een beetje naar me toe. 'Als je nog steeds wilt kun je me nu een kus geven.'

Dat deed ik en drukte even mijn gezicht tegen haar wang. Die koude, bleke, gerimpelde huid met kaneelkleurige vlekken voelde aan alsof hij van dikke zijde was. Ik zag die huid vlak voor mijn ogen. Misschien dat dit een afscheid aankondigde of een herhaling was van iets wat ik als klein kind al had meegemaakt.

Toen ik uit de kamer van mijn oma kwam en door de gang liep, voelde ik opnieuw de drukkende hitte op me afkomen die in huis hing. Er was niemand in de galerij en evenmin op de patio. Terwijl ik tegen een van de raamstijlen leunde rook ik plots vaag de geur van mijn tante Carola, maar ik zag haar nergens. De luifel was al opgerold en in de violette lucht vlak boven het platte dak, waar vast nog altijd de resten van de destilleerketel lagen te roken, hingen wolken die de warmte leken vast te houden. Ik dacht dat mijn moeder al naar huis zou zijn gegaan.

Ik liep de trap af en ging naar de veranda van de achterplaats waar gewoonlijk de huishoudster Remedios zat om uit te rusten. En inderdaad zat ze ineengedoken in een witte, rieten stoel terwijl ze zich koelte toewuifde met een palmblad en naar de donkerrode bougainville keek die de helft van de muur aan de overkant bedekte. Van haar hoorde ik dat mijn neef en nicht een ritje met Epifanio gingen maken en dat ze in het koetshuis op me zouden wachten. Maar ik ging er niet naartoe. Ik zwierf een flinke tijd op straat rond terwijl me af en toe de woorden van mijn oma en mijn tante Carola te binnen schoten, tot de vreselijke hitte me te veel werd.

4

Door een ongelooflijk toeval hadden don Sebastián en zijn vrouw hetzelfde idee gekregen: samen de tijd doden terwijl ze door de grote ramen op de galerij keken. Daar waren ze dan ook druk mee bezig. Adelaida Conticinio dronk met een dromerige traagheid haar derde kopje thee en hij zijn tweede glas brandy. Het was nog geen zes uur en de zon, die af en toe tussen de wolken door scheen, liet op de marmeren plavuizen schaduwplekken vallen. Don Sebastián vergeleek in gedachten het nieuws over de financiële en politieke situatie dat hij in de laatste brief van zijn zoon had gelezen – die op dat moment in Mexico zat – met andere, uit eerste hand ontvangen berichten daarover. De echo van de glorieuze overwinning die Franco in de burgeroorlog had behaald klonk nog altijd na, terwijl de handel door de nieuwe mogelijkheden die waren ontstaan weer duidelijk begon aan te trekken. Natuurlijk had de oorlog uitgestrekte gebieden verwoest maar die lagen allemaal ver weg van de bezittingen van de familie Romero. Don Sebastián moest iets aan het berekenen zijn toen zijn vrouw plots zijn overpeinzingen onderbrak om te vragen of hij wist dat Socorro opnieuw in verwachting was.

'Hoeveel?' vroeg don Sebastián afwezig.

'Ik heb het niet over handel,' verweet zij hem loom. 'Berekeningen hebben hier niets mee te maken.'

'De laatste keer dat je zoon hier was, was met kerstmis.'

Adelaida Conticinio staarde voor zich uit zonder nog een keer thee in te schenken.

'Ik dacht even dat ik hem zag,' zei ze droogjes terwijl ze een traantje uit haar ooghoek wegpinkte.

Het wilde gekrijs van gierzwaluwen die met onverwachte zwenkingen vlak over het dak en door de patio scheerden werd hoorbaar op de plek waar zij zaten en dat kabaal kondigde het vallen van de schemering aan. Er verscheen een jongen in een zwartrode livrei die de wandlampen vlak bij hen in de galerij aanstak. Hij liep even behoedzaam als iemand die zojuist een kerk is binnengegaan en die door iedereen verwijtend wordt aangekeken vanwege zijn onopzettelijke verstoring van de mis. Hij stond al op het punt het theeservies mee te nemen maar het lawaai van snelle passen en luid geroep weerhield hem daarvan. Adelaida dacht onmiddellijk aan haar zoon terwijl don Sebastián aan niets speciaals dacht, misschien aan een onwaarschijnlijk luchtalarm. Er viel een korte stilte die zowel verwachting als woede kon inhouden. En op dat moment verscheen de huishoudster Remedios die, omdat ze buiten adem was en haast niet kon praten, met drukke gebaren probeerde uit te leggen dat er totaal onverwacht iemand was gekomen.

'Wie dan?' vroeg Adelaida Conticinio.

Don Sebastián gaf geen kik. De huishoudster Remedios haalde diep adem:

'Uw dochter, Carola,' stamelde ze en hoewel ze bijna stikte herhaalde ze: 'Carola.'

Adelaida sprong overeind en snelde naar de trap terwijl don Sebastián nog een brandy inschonk. Die ontroerende ren en die gespannen kalmte vormden de reactie van de enige familieleden die bij dit erg belangrijke weerzien aanwezig waren. Want Socorro was zoals gewoonlijk nergens te bekennen, hoezeer men ook naar haar zocht, terwijl María Patricia en Gregory Hardy die dag niet op bezoek zouden komen. En omdat de onbuigzame zoon door zijn afwezigheid geen roet in het eten kon gooien, was deze onverwachte terugkeer van Carola, waar ze in stilte al zo lang op hadden gehoopt, een enorme opsteker. Het was alsof hun dochter er met een fortuin vandoor was gegaan dat ze nu aan de rechtmatige bezitters ervan terug kwam geven. Zoiets was het ongeveer. Alle drie haalden ze op hun eigen manier de schade in voor het verlies dat ze, de een meer dan de ander, geleden hadden. Maar Carola keerde niet naar huis terug als de verloren of berouwvolle dochter, maar als iemand die simpelweg van een reis terugkomt die een beetje anders is verlopen dan verwacht werd en daarvoor om verontschuldigingen vraagt die iedereen maar al te graag wil geven.

Wat op dat moment duidelijk werd was dat alle hartstocht in het huwelijk van Carola van de ene op de andere dag was uitgedoofd. Er hadden dan ook geen enorme ruzies of woordenwisselingen plaatsgevonden. Ze waren door de oorlog verrast terwijl ze zich in een gebied bevonden dat onmiddellijk door de franquistische opstandelingen werd veroverd. Jean Claude Vallon was aan legerdienst ontkomen omdat hij nog altijd de Franse nationaliteit bezat en was onder de dekmantel van de wijnhandel bijna voortdurend politiek actief geweest. Ze hadden afgesproken geen kinderen te nemen en altijd bij elkaar te blijven en waren vervolgens, half in de clandestiniteit, van de ene plaats naar de andere getrokken. Hoewel Carola de overtuigingen en aspiraties van haar echtgenoot niet helemaal deelde en begreep, bewonderde ze in hem zijn generositeit, zijn oprechtheid en wellevendheid. Maar haar eigen toegeeflijkheid tegenover hem had bij haar uiteindelijk toch steeds meer onrust en irritatie gewekt.

Op een keer werd Jean Claude Vallon in het holst van de nacht en zonder opgaaf van redenen door een groep mannen afgevoerd. Carola wist maar al te goed wat dat betekende. Doodsbenauwd wachtte ze een dag lang op hem en nadat ze de mogelijkheid dat haar broer tussenbeide zou willen komen als ondenkbaar had verworpen, besloot ze de volgende dag uit pure wanhoop zelf naar de autoriteiten te stappen. Met de arrogantie van iemand die altijd gehoorzaamd werd ging ze daar van kantoortje naar kantoortje terwijl ze haar naam zei en eiste dat ze iemand te spreken zou krijgen. Uiteindelijk werd ze onverwacht ontvangen door een kolonel die zei een oude vriend van don Sebastián te zijn en die beloofde onmiddellijk dat hij alles in het werk zou stellen om haar gearresteerde echtgenoot vrij te krijgen. Carola geloofde hem niet, of ze geloofde al niet meer in wonderen, maar de volgende dag keerde Jean Claude Vallon inderdaad naar huis terug en begon de irritatie bij haar opnieuw. Misschien dat er vanaf dat moment door Carola's groeiende ontevredenheid en verlangen naar rust een verwijdering tussen hen ontstond. Hij voelde door haar afstandelijkheid en desinteresse dat ze zo niet langer wilde leven. Er had zich haast onmerkbaar een onzichtbaar gordijn tussen hen in geschoven waardoor ze onbereikbaar voor elkaar waren geworden. En treurig stelde hij vast dat hun verbintenis, waarvan de grootste kracht waarschijnlijk in de onverwachte totstandkoming had gescholen, een voorlopig einde had bereikt. Ook zij voelde het zo en accepteerde gelaten het gevaar waaraan hij blootstond. Jean Claude Vallon was namelijk vrijgelaten op voorwaarde dat hij het land onmiddellijk zou verlaten en hij wilde dan ook meteen naar de republikeinse zone vertrekken (iets wat niet zo moeilijk voor hem was), terwijl Carola op hem zou blijven wachten tot er betere tijden aanbraken. Het ging hier om een noodgedwongen besluit, dat – behalve dat het verstandig was – ook het enig mogelijke leek. Overrompeld door de gebeurtenissen en zonder die al te zeer te dramatiseren, spraken ze het zo in goede harmonie met elkaar af. Op een dag zou de oorlog voorbij zijn en daarmee ook hun tijdelijke scheiding.

Eerst werd Carola verlamd door een vreselijke angst en vervolgens heen en weer geslingerd tussen gevoelens van machteloosheid en schuld. Omdat zij onmogelijk met Jean Claude Vallon mee kon gaan, had ze eerst gedacht dat ze het beste naar het huis van haar ouders kon terugkeren, maar meteen daarop verwierp ze dat idee al weer, niet zozeer omdat ze al zo lang uit huis was, maar uit schaamte. Dus toen ze eenmaal alleen was, besloot ze dat ook te blijven en ging ze als kinderoppas werken en Engelse les geven. Het waren harde en gevaarlijke tijden waar zij zich zo goed en zo kwaad als het ging doorheen sloeg met de gedachte dat de oorlog eens afgelopen zou zijn en dat ze dan de chaos van haar leven op orde zou kunnen brengen. En inderdaad was de oorlog op een gegeven moment voorbij, maar Jean Claude Vallon keerde niet terug. Ze wachtte nog twee jaar op hem, waarbij ze elke dag dacht dat hij de volgende zou komen. Ze probeerde op alle mogelijke manieren te achterhalen waar hij kon zijn. Daarbij ging ze niet alleen zelf op zoek, maar schakelde ook anderen in, zelfs de huishoudster Remedios, maar niemand – ook zijn eigen familie niet – bleek iets van hem te hebben gehoord. Doordat de verschrikkelijke beklemming van de eenzaamheid haar meer en meer uitputte, werd het met de dag moeilijker om alleen te blijven wonen. Vandaar dat ze op een gegeven moment haar angst en trots opzij had gezet en naar huis was gegaan.

Al met al voelde Carola zich weer behoorlijk snel thuis in haar oude omgeving. Een paar weken na haar terugkeer was de tijd dat ze weg was geweest in haar herinnering verworden tot een chaotische geschiedenis, een stroom van vage beelden die haar vaak overspoelde zonder dat ze er greep op had. Ze was allang niet meer dezelfde persoon die ooit zo onverwacht en impulsief was gevlucht. Ongetwijfeld hadden die vijf jaar dat ze niet in het ouderlijk huis had doorgebracht voor haar dubbel geteld, maar toch bleef ze er jong uitzien, met een schoonheid die tegelijkertijd volmaakt en onaf was, en in zekere zin hadden al die jaren dat ze afwezig was geweest haar zelfs nog jonger gemaakt. Hoewel haar schaamte bijna helemaal was verdwenen en ze zich steeds natuurlijker gedroeg, voelde ze zich erg opgelaten door de duidelijke lankmoedigheid waarmee ze voortdurend werd behandeld, alsof men bang was haar te kwetsen. Meer dan eens betwijfelde ze of het verstandig was geweest om terug te keren, maar vanuit een gezond egoïsme wist ze uiteindelijk die twijfel te overwinnen en haar besluit als juist te beschouwen.

Carola dacht er liever niet aan wat er zou gebeuren als ze haar broer weer zou zien. Ze was bang dat ze hem flink op zijn teentjes had getrapt en dat hun weerzien op een ruzie zou uitdraaien. Vandaar dat toen Alfonso María uit Mexico terugkeerde, zij zich nogal schuchter en nederig opstelde. Het familieleven, dat zijn gewone loop inmiddels min of meer had hernomen, raakte desondanks toch tijdelijk verstoord. Niet dat Alfonso María zich toen grof tegen zijn zuster gedroeg, hij voelde zich alleen nog steeds beledigd en wilde hoe dan ook elke smet van het familieblazoen wissen. Maar noch toen noch later had hij het ooit openlijk over de vlucht van Carola en over de schande die dat voor de familie had betekend. Door de machtspositie die hij nu had veroverd was hij niet alleen onbuigzamer geworden, maar ook arroganter en had hij meer dan ooit een olifantshuid gekregen. In principe accepteerde hij de aanwezigheid van zijn zuster dan ook, maar deed dit met tegenzin en waarschijnlijk ook met het voornemen haar het gebeurde nooit te vergeven.

Terwijl haar moeder zich bereid toonde haar in alles te steunen en haar vader en zuster nog een slag om de arm hielden, nam Carola na haar terugkeer al vrij snel een aantal gewoonten op die ze opgegeven had simpelweg omdat ze die zich niet had kunnen permitteren. Ze wilde met volle teugen genieten van het rustige en goede leven dat ze door haar vlucht had verspeeld. Ze maakte opnieuw ritjes in de tilbury en vernieuwde haar garderobe, kortom, ze probeerde bewust de schade in te halen die ze door alle ontberingen geleden had. Het was alsof ze was teruggekeerd van een lang verblijf in een internaat en ernaar snakte zich weer met haar grootste liefhebberijen te kunnen bezighouden. Wanneer ze echter aan Jean Claude Vallon dacht werd ze echter soms overrompeld door neerslachtigheid. Dan bekroop haar twijfel, en vroeg ze zich af of ze het wachten op hem niet al te gemakkelijk opgegeven had. Niet dat ze bang was omdat ze niet wist of haar man nog in leven was, maar omdat ze zeker wist dat wat zij had gedaan precies het tegendeel was van wat hij zou hebben gewild. Maar uiteindelijk woog het hervonden familieleven zwaarder dan de wroeging. Of de zekerheid zwaarder dan de onrust.

Sommige nachten, wanneer Carola alleen in haar kamer was en zich zonder dat ze het wilde haar vlucht herinnerde, overviel haar een onzekerheid en werd ze gekweld door wroeging, alsof ze een ander was die meedogenloos en voor altijd haar plaats had ingenomen. Achtervolgd door haar herinneringen zwierf ze dan door het stille huis. Ze liep door de donkere gang terwijl de vloer zachtjes kraakte onder haar voeten en degenen die lagen te slapen haast tastbaar voor haar aanwezig waren. Ze keek door de grote ramen op de galerij naar de zachte gloed die de tegeltjes van de patiomuur uitstraalden, naar de vier lantaarns waar een wolk insecten omheen zwermde, naar de opgezette luipaard en de kruiken. En al die dingen hadden voor haar iets geruststellends. Want het huis van haar jeugd bevatte de kiem van harmonie. Die bonte verzameling van oude spullen was er nog altijd: de enorme potten met aspidistra, de Cubaanse hutkoffer, de schilderijen die van Roelas zouden zijn, de geurige meubels uit haar kinderkamer, het Chinese voetenbankje van haar grootmoeder Purificación Bárcena, de uitnodigende poort van het koetshuis. Dat alles vormde een deel van haar herinnering, evenals de gestalte van de huishoudster Remedios die vanachter elke hoek onverwacht uit de duisternis opdook, om haar te vragen of ze iets nodig had.

Carola koos onmiddellijk een van haar jonge neven uit als troetelkind. Het ging om José Daniel, de zoon van María Patricia. Haar andere neef leek haar, wellicht vanuit een onbewust vooroordeel, niet meer dan een exacte kopie van haar broer. Bijna elke dag ging Carola naar het huis van María Patricia om haar neef op te zoeken of om hem mee te nemen voor een ritje in de tilbury of de landauer, met de koetsier Epifanio op de bok. Adelaida Conticinio was erg in haar nopjes met die liefdevolle aandacht die Carola voor haar neef had en op een dag wilde ze haar dan ook door middel van een voorbeeld laten zien dat de liefde, net als de voorzienigheid van God, zich op talloze manieren kan manifesteren.

'Moet je dit eens lezen,' zei haar moeder terwijl die een oud boek met een omslag van blauw leer voor haar openhield en iets aanwees op de pagina.

Carola pakte het boek aan, las in gedachten wat haar moeder had aangewezen en om zich ervan te verzekeren dat zij zich niet had vergist vroeg ze:

'Dit, hier?'

'Precies,' antwoordde haar moeder. 'Lees dat eens.'

'Liefde is bedrieglijk, nutteloos en asociaal,' las Carola hardop, waarna ze haar moeder met een vragende blik aankeek.

'Snap je het?' vroeg haar moeder.

'Nou, nee,' zei Carola. 'Ik kan er niet zoveel van maken.'

'Het gaat er niet om wat jij er van kunt maken,' antwoordde haar moeder, waarbij ze haar woorden zo langzaam uitsprak en ze zo duidelijk articuleerde dat het leek of ze met een klein kind aan het praten was. 'Deze zin laat zien dat de liefde vele juiste wegen kent.'

'Ik begrijp niet wat je bedoelt,' zei Carola.

'Toch is het niet zo moeilijk,' hield haar moeder aan en terwijl ze de zin opnieuw las streek ze tergend langzaam langs haar keel. 'Bedrieglijke, nutteloze en asociale liefde heb ik nooit van mijn leven gekend, echt niet. Begrijp je nu wat ik bedoel?'

Carola weifelde even, waaruit haar moeder opmaakte dat ze het niet zo goed had uitgelegd als ze wilde en ze begon dan ook opnieuw:

'Het is heel eenvoudig,' zei ze. 'Als er hier over drie soorten liefde wordt gesproken die ik niet heb gekend dan wil dat zeggen dat er nog veel meer soorten bestaan.'

'Ja,' antwoordde Carola.

Omdat Adelaida Conticinio meer dan tevreden was met dit korte antwoord van haar dochter, beschouwde ze de les als beëindigd. Maar voor ze met het stichtelijke boek onder haar arm de kamer uitliep, wierp ze Carola nog een blik toe waaruit meer medelijden dan liefde sprak. Terwijl ze haar moeder weg zag gaan, had Carola de indruk dat die gelovige en delicate vrouw – zo delicaat zelfs dat ze onwerkelijk leek, de ultieme verpersoonlijking van de naïeve charme van de Malcorta's – werkelijk degene was van wie ze het meeste had meegekregen. Ondanks de grote verschillen in hun karakter en persoonlijke voorkeuren beschouwde Carola zichzelf veel meer een Conticinio dan een Romero.

5

Hoewel niet iedereen dat even verstandig vond moest er voor mijn opa Sebastián een voedster worden gezocht. Al sinds enige tijd verdroeg hij namelijk niets anders meer dan vloeibaar voedsel – melk, cream sherry, kruizemunt- en belladonnathee, duivenbouillon – en dat dan nog alleen in erg kleine hoeveelheden en slechts met grote tussenpozen. Maar al snel weigerde hij bouillon en kruidenthee te drinken, zodat het enige wat hij per dag dronk drie bekers melk met wat druppeltjes kalmeringsmiddel en twee glazen cream sherry waren. Ondanks dit nogal gebrekkige dieet was zijn toestand niet verslechterd: hij zag er gewoon even ellendig uit als steeds, kwam nooit zijn kamer uit en deelde voortdurend onbegrijpelijke bevelen uit. Ook leek hij niet zo goed meer in de gaten te hebben wat er rondom hem gebeurde. Soms eiste hij dat mensen kwamen opdraven die vroeger voor hem hadden gewerkt en al jaren geleden waren overleden, liet hij midden in de nacht Epifanio optrommelen om de landauer voor te rijden of wilde hij naar de bodega toe om een of ander fictief probleem op te lossen. Dat soort dingen. Het was niet gemakkelijk deze bevliegingen in te tomen en hem ervan te overtuigen dat alles min of meer in orde was. Alleen mijn tante Carola en de huishoudster Remedios waren in staat hem enigszins te kalmeren.

Om te voorkomen dat het dieet de hardnekkige ontsporingen van mijn opa zou stimuleren, werd er besloten dat hij geen sherry meer kreeg maar wel zoveel melk als hij maar wilde. In het begin accepteerde de zieke dat en dronk hij bijna twee liter melk per dag, iets wat zelfs voor een Romero nogal veel leek. Maar misschien kwam het precies door die grote hoeveelheden dat hij een weerzin tegen koeienmelk kreeg. Daarentegen herhaalde hij voortdurend dat hij verschrikkelijke zin in moedermelk had. Na eindeloze discussies over de doelmatigheid of gepastheid van een dergelijke therapie, werd men het er uiteindelijk over eens een voedster voor hem te zoeken die er geen moeite mee zou hebben haar eigenlijke functie op te geven, dat wil zeggen die bereid zou zijn in plaats van een baby een oude man die op sterven na dood was de borst te geven.

Men moest hemel en aarde bewegen om een voedster te vinden maar uiteindelijk werd er toch een gevonden, al viel er het een en ander op haar aan te merken. Mijn opa kreeg al snel een afkeer van de enorme lompheid en ongeduldigheid van het meisje, familie van de opzichter van Cerroperdigón. Vandaar dat er een andere voedster voor hem moesten gezocht, die meer geduld had. Deze voedster bleef hem de borst geven tot ze plotseling geen melk meer had, en nooit is duidelijk geworden of dat nu door een van zijn woedeaanvallen was gekomen of simpelweg doordat de bron was uitgeput.

Daarna volgden er nog twee voedsters, die allebei door mijn opa werden leeggedronken. Behalve dat mijn opa door al die borstvoeding weer op krachten leek te zijn gekomen, had hij ook de schitterende gewoonte aangenomen met één borst in zijn handen en de andere in zijn mond in te slapen. Hoewel hij allang geen tanden meer had, was het niet bepaald aangenaam voor de voedster om met die oude man – even gretig als een puppy – te moeten worstelen tot hij eindelijk de tepel losliet.

Hoewel mijn oma Adelaida aan het sukkelen was had ze haar speciale kijk op het leven niet verloren en ze besloot dan ook het bed te houden in een kamer vlak naast die van mijn opa om, zoals ze zei, in de buurt te zijn wanneer haar man de geest gaf. Ik geloof dat mijn opa en oma al een paar weken niet meer met elkaar hadden gepraat omdat ze grote ruzie hadden gekregen over de verdeling van hun erfenis. In deze periode waarin ze voornamelijk in bed lagen communiceerden ze met elkaar door een oude kamerheer – die Pablo Picón heette en de leeftijd van vierenzeventig jaar had – berichten te laten overbrengen. Maar aangezien die berichten door hun warrigheid misverstanden opriepen, en daarnaast ook wel eens helemaal niet werden overgebracht doordat de koerier nogal vergeetachtig was, liep de communicatie niet bepaald gesmeerd.

De bedden waren op zo'n manier opgesteld dat mijn opa en oma elkaar door de deuropening van hun kamer konden zien, ook al was dat alleen maar nodig op de zeldzame momenten dat Pablo Picón er niet was om berichten over te brengen. Dan was in dat deel van het huis de spanning werkelijk te snijden door het onderhuidse conflict dat ze zo hardnekkig in stand hielden. Want mijn opa en oma tolereerden elkaar slechts via zo'n uiterst wankele overeenkomst die twee echtgenoten verenigt die nooit werkelijk verenigd zijn geweest en die alleen maar door de naderende dood nader tot elkaar zijn gekomen. Omringd door een weelderigheid die steeds meer op een nietszeggend decor begon te lijken, stuurden de twee echtelieden in een sfeer van onverdraagzaamheid elkaar berichten toe. Monologen waarin sarcasmen en meningsverschillen doorklonken en die door de vergeetachtige koerier vervormd en uiteindelijk volledig verdraaid op de plaats van bestemming aankwamen. Iemand, een toevallige bezoeker of een verdwaalde huisvriend, kon er dan ook de grootste wartaal horen, voor niemand bestemde missives en aan dovemansoren gerichte uiteenzettingen. Zoals:

'Weet mevrouw eigenlijk wel wie er daarstraks naar me heeft gevraagd, was het niet de opzichter van de bodega? Ze hebben vast en zeker de wijn al opgehaald terwijl ik hier lig te suffen. Iedereen zit erop te wachten dat ik doodga en ze hun poen kunnen opstrijken.'

'Mijn overgrootvader, de vierde graaf van Malcorta, was opperstalmeester van don Amadeo de Saboya. Dus ik denk er niet over om ook maar antwoord te geven op zo'n onbetamelijkheid, dat kunt u hem namens mij zeggen. Dat veulen dat door die volksjongens is vermoord was ook een achterkleinkind van een vos van don Amadeo.'

'Mijnheer heeft me gezegd toch vooral heel duidelijk te stellen dat hij altijd van mening is geweest dat juffrouw Carola naar Londen had moeten gaan. Of mevrouw dat soms niet meer weet of niet meer wil weten.'

'Die meubels in de salon beneden, die met de gordijnen in het blauwwit van de Maagd María, zijn van een verschrikkelijk slechte smaak, ronduit belachelijk. Ik heb ze niet uitgekozen, voor als hij dat soms wil insinueren. Nooit van mijn leven heb ik iets in zulke idiote kleuren uitgekozen. Het zou mij niets verbazen als dat een idee van Socorro is geweest, maar laat ik er maar over ophouden.'

'Nou volgens mij was die kapelaan, don Ismael, al van plan te vertrekken voor hij dat ongeluk kreeg. Ik zou wel eens willen weten waarom hij die papieren in zijn secretaire had laten liggen. Vraag aan mevrouw of de deken iets tegen Alfonsito heeft gezegd. Die arme stakker, hij werkt zich ook steeds weer in de nesten.'

'Kijk eens of ze hem de borst al hebben gegeven. Ik kan maar niet wennen aan die onzin, ik weet echt niet wat ik er mee aan moet. Als hij dan tenminste nog afgekolfde moedermelk dronk, zoals Remigia Amboscoturnos die aan die schattige neef van haar gaf.'

'Mijnheer zegt dat hij op sommige dagen het gevoel heeft dat er niemand naar hem luistert. Of mevrouw soms verstopte oren heeft, want blijkbaar is het pas gister tot haar doorgedrongen dat er een bom in de bottelarij is ontploft.'

'Dat die zoon meer van hem dan van mij is, dat weet God. Hij heeft me het leven altijd vreselijk zuur gemaakt. Hij wilde zo snel mogelijk die titel van graaf bemachtigen alleen om mij de schrik op het lijf te kunnen jagen met mijn leeftijd. Maar daar schrik ik al niet meer van, hoewel ik dat misschien wel zou moeten.'

'Ongetwijfeld heeft mevrouw niets in de gaten, maar een paar dagen geleden brachten Gregory en María Patricia weer een tijger voor me mee. Dat is wat ze willen, mijn huis volproppen met tijgers die de hele nacht brullen. Slapen kan ik al niet meer. Het zijn oorlogstijgers die ze met machinegeweren hebben neergemaaid en daarna allemaal op een hoop hebben gegooid in de kruidenierswinkel. Wie kan zoiets nou verdomme vergeten.'

'Wat een vreselijke tijden, Pablito. Vroeger deden de mensen voor elke bijzondere gelegenheid speciale kleren aan: dansfeesten, missen, zonsverduisteringen, veilingen. Dat soort dingen. Nu niet meer, nu lijken klerenkasten steeds meer op zwaluwnesten.'

'Het was een ezeldrijver van La Valerita, geloof ik. Van een paar zakken maïs stookte hij zijn eigen drank. Eerst kauwde hij de korrels fijn, daarna spoog hij ze in een kruik en liet die brij lekker gisten. Misschien dat mevrouw dat eens wil proberen, ze snoept al zoveel schuimpjes.'

'Wanneer die twee faetons zijn gekocht? Wat een idiote vraag. Die zijn nooit gekocht, die stonden al bij mij thuis toen ik geboren werd. Ik herinner me nog goed dat ze me in zo'n faeton meenamen om me te dopen. Misschien herinner ik me dat wel niet echt, maar vergeten ben ik het ook niet. Dat soort dingen mag je niet vergeten, Pablito, dat zou van een erg slechte smaak getuigen.'

Maar op een avond werd de uitwisseling van deze monologen per koerier bruusk onderbroken. Toen de kamerheer namelijk weer eens naar het bed van mijn opa was gelopen met een vraag van mijn oma, kreeg hij geen enkel antwoord meer, niet eens een grauw. Hoewel er tijdens de uitwisseling van berichten wel eens vaker zulke stiltes vielen, was Pablito Picón deze keer wel een beetje verbaasd geweest over het aanhoudende zwijgen van de oude man, die niet reageerde en slechts naar het bed staarde waar zijn vrouw op antwoord wachtte of misschien al niet meer omdat ze het vergeten was. De kamerheer herhaalde de vraag en opnieuw bleef het – waarschijnlijk onzinnige – antwoord uit. Geschrokken door die hardnekkige weigering van mijnheer om antwoord te geven, beroerde hij lichtjes zijn onderarm, iets wat hij anders nooit zou hebben gedaan. Maar mijn opa reageerde niet, hij leek zelfs helemaal niet meer te kunnen reageren. Pablito Picón keek even naar mevrouw, waarschijnlijk om haar deelgenoot te maken van zijn angst, en die blik was voldoende om haar langzaam en plechtig te laten opstaan. Nadat mijn oma een doek om haar schouders had geslagen, liep ze naar het bed van mijn opa en had slechts één seconde nodig om vast te stellen dat de stichter van bodega Romero dood was. Het was dezelfde dag dat paus Pius XII overleed.

Alles wat er de volgende ochtend in het huis van de familie Romero gebeurde had meer weg van een feest dan van een dodenwake. Behalve allerlei familieleden en vrienden, defileerde er een eindeloze stoet notabelen, werknemers, toevallige sensatiezoekers en hielenlikkers langs het in de kapel opgebaarde lijk. De speelkamer, de twee ontvangstkamers en de patio's puilden werkelijk uit van de bezoekers, van wie sommigen slechts even kwamen aanwippen terwijl anderen lang bleven plakken. Dat alles onder de plechtstatige leiding van de deken, die als een van de eersten was gearriveerd samen met de jonge acoliet en even een onderonsje had met mijn moeder om ik weet niet wat voor zaken in verband met don Ismael te bespreken. De enige die helemaal niet verscheen was mijn oma Adelaida, het was niet duidelijk of dat kwam omdat ze zich slecht voelde of omdat ze totaal geen zin had in zo'n begrafenisfestijn. Volgens haar eigen zeggen had ze exact het moment voorvoeld waarop haar man de geest zou geven en wilde ze bijkomen zonder door al dat rouwbeklag gestoord te worden. Mijn tante Carola en mijn ouders waren wel steeds in de kapel aanwezig, zeer ernstig en zwijgend, terwijl mijn oom Alfonso María en mijn tante Socorro van hot naar her liepen om mensen te groeten, condoleances in ontvangst te nemen en aan iedereen te vertellen hoe zenuwslopend de doodsstrijd van mijn opa was geweest die tot die voorspelbare maar daarom niet minder bedroevende ontknoping had geleid.

Hoewel ze meteen naar mijn neef Aurelio in Londen hadden gebeld (hij zat daar in zijn eentje voor twee maanden), was die niet meer op tijd gekomen om opa Sebastián nog te kunnen zien. Ook mijn broer Gregorio in Swansea werd gewaarschuwd, niet om hem over te laten komen maar simpelweg om hem te vertellen wat er was gebeurd. En dat was de eerste keer dat het me inviel dat mijn vader hem in een heuse Welshman wilde veranderen die niets met de familie Romero had uit te staan. Vandaar dat de enige kleinkinderen die afscheid van opa Sebastián namen voor hij begraven zou worden, Marianita en ik waren.

Ze hadden hem in een doodkist gelegd die met een parelkleurige en erg kreukelige stof was gevoerd en ik kreeg sterk het gevoel dat hij slechts om ons te treiteren deed alsof hij dood was. Hij had een schilferige huid, een ingevallen mond en een vervormde neus en zijn handen waren op zo'n geforceerde manier over zijn borst gevouwen dat hij wel een martelaar leek. Ik had nog nooit een lijk gezien en het eerste wat me opviel was dat er een soort bedompte putlucht van dat voor mij praktisch onbekende lichaam opsteeg. Terwijl ik een koude rilling kreeg duizelde het me op een haast aangename manier. Ik voelde slechts onverschilligheid en eigenlijk geen enkel verdriet, alleen een soort medelijden omdat ik wist hoe vernederd opa zich daar in die kist moest voelen. Plotseling viel het me in dat doden, ondanks hun dood, doorgaan met ouder worden en dat sommige wel heel erg snel oud worden, want mijn opa zag er al na één enkele nacht echt stokoud uit. Daarop moest ik vreselijk kokhalzen en voelde ik me plotseling heel erg moe. Eenmaal op de patio, die uitpuilde van de mensen, deed de bedompte lucht die uit de kruiken opsteeg me opnieuw aan dat lijk met zijn vaalbleke kleur denken, maar gelukkig was er de hand van mijn tante Carola die me door een streling verlichting bracht.

Precies drie weken nadat mijn opa was gestorven stierf ook mijn oma. Dat kwam voor niemand onverwacht want onmiddellijk na zijn dood had ze zich van de buitenwereld afgesloten en bijna geen woord meer gezegd. Pablito Picón had ze weggestuurd, dokters noch bekenden wilde ze zien: ze had besloten in alle rust te sterven. Soms ging ze 's nachts naar de kamer van mijn opa terwijl ze zich afvroeg waarom hij toch verdomme niet langer van die idiote dingen tegen haar zei en dan bleef ze stomverbaasd bij zijn lege bed staan, volkomen in de war doordat ze dacht dat hij haar in de steek had gelaten. Mager en afwezig, voelde ze zich op zo'n moment wellicht weer lid van een familie waar ze altijd een beetje buiten had gestaan. En op een van die nachtelijke bezoeken aan de kamer van haar overleden man was ze in zijn bed gaan liggen en ingeslapen, waarschijnlijk met de bedoeling nooit meer te ontwaken. Toen men haar behoorlijk laat de volgende ochtend in het bed van mijn opa ontdekte, bleek de diepe slaap waarin ze verzonken was inderdaad niets minder dan de eeuwige slaap te zijn. Mijn oom Alfonso María was die dag eerder uit bed gekomen dan gewoonlijk en begon als nieuw familiehoofd hals over kop een heleboel onnodige bevelen uit te delen. Hij nam ook de eerste condoleances in ontvangst, op bedachtzame wijze bijgestaan door mijn moeder en mijn tante Carola en slechts half en half door mijn tante Socorro die niet goed wist of ze zich nu stil en bedroefd moest gedragen of druk en onaangedaan.

Opnieuw begon dat ritueel van de dodenwake en het defilé van een eindeloze stroom bezoekers. Mijn neef was al uit Londen teruggekeerd en ik besefte onmiddellijk dat de dood van mijn oma ons niet op dezelfde manier had geraakt, dat er een opmerkelijk verschil bestond tussen mijn en zijn houding. Niet dat de dood van mijn oma mijn neef onverschillig liet, maar hij zei er gewoon helemaal niets over, alsof hij zich al goed die typisch Engelse zelfbeheersing had eigengemaakt en dat op een overdreven manier wilde laten zien. Een houding die mij vooral nogal irriteerde, omdat ze onecht was.

Mijn oma was voor mij het toonbeeld geweest van vormelijkheid gelardeerd met een persoonlijk streven naar uniciteit. Die arrogante zorgeloosheid, die elegante zwier waarmee ze alles wat onplezierig was omzeilde, dat gevoel voor wellevendheid dat als een denkbeeldige zeef functioneerde waardoor ze de werkelijkheid filterde, had ik altijd erg aantrekkelijk gevonden. Voor zover ik wist verschilde mijn oma in alles van mijn opa, behalve in de manier waarop ze gestorven was. Zij was de laatste telg uit een adellijk geslacht en te discreet om als echte moeder op te treden en hij de jongste zoon van een winkelier rijk geworden in de wijnhandel, de ambitieuze stichter van een machtig geslacht dat hem vele generaties zou overleven. Ze hadden slechts de bezittingen gemeen die ze door hun huwelijk hadden verenigd, voor het overige hadden ze geen enkele belangstelling voor elkaar. Van hun drie kinderen had waarschijnlijk alleen mijn moeder de instelling van mijn oma meegekregen om de dingen mooier voor te stellen dan ze zijn en om resoluut alles buiten te sluiten wat niet aan het beeld beantwoordde dat zij had opgebouwd. Een eigenschap die mijn tante Socorro trouwens ook een beetje had, ik weet echter niet of dat kwam doordat ze door mijn oma was aangestoken of doordat de familie van haar vader, de Berengaria's, verwant waren met de Conticinio's. Hoe dit ook zij, de dood van mijn oma, de plotselinge zekerheid dat ik haar nooit meer terug zou zien, veroorzaakten bij mij een verschrikkelijke frustratie, een onuitsprekelijk gevoel van onrechtvaardigheid. En daarom irriteerde het me misschien dat mijn neef zich niet net zo verdrietig voelde als ik, iets wat bij Marianita trouwens wel een beetje het geval was.

Het was op dat moment dat Epifanio ons uit zichzelf, en misschien om ons een beetje op te beuren, meenam om naar die leeuw te gaan kijken die mijn oom aan Agustín Gallareta had gegeven. Het café waar dat beest zat lag ergens achteraf aan een weg die naar de siërra leidde en wij reden er in een van de faetons heen. Deze keer ging Marianita ook met ons mee en ik ging samen met haar op de voorste bank zitten terwijl mijn neef bij Epifanio op de bok klom. De paarden droegen zwarte oogkleppen en daardoor kwijlden ze meer dan gewoonlijk, alsof ze door die kleppen in de gaten hadden dat het niet hun bazin was die op de bok zat. Er stond een harde oostenwind die veel stof meevoerde en bij elke vlaag raakte het glanzende haar van Marianita in de war. Ik deed net of ik uit mijn evenwicht werd gebracht door het schudden van het rijtuig en pakte haar hand vast. Daarop kneep mijn nichtje zachtjes in de mijne waardoor ik hetzelfde wellustige gevoel kreeg als toen ze zich samen met Custodia in het koetshuis had verstopt.

Het was niet erg druk in het café, dat een hoog, schuin dak en een zandvloer had. Aan de muren hingen foto's van wilde dieren die met lange stroken plakband waren vastgeplakt, maar het wilde dier dat de meeste aandacht trok was de leeuw die – levend en wel – in zijn kooi in een hoek lag. Geen van drieën durfden we dicht in zijn buurt te komen. De leeuw zag er slechter uit dan de eerste keer dat ik hem had gezien. Óf zijn vacht was grotendeels uitgevallen, óf die was zo smerig geworden en samengeklit dat het leek of hij kale plekken had. Ook leek hij een stuk ouder.

'Jullie zijn op het verkeerde moment gekomen,' zei Agustín Gallareta terwijl hij snel achter de bar vandaan kwam. ''s Middags slaapt hij eigenlijk alleen maar.'

Vervolgens gaf hij Epifanio als groet een paar schouderklopjes terwijl hij, misschien in een poging vriendelijk te doen, geforceerd naar Aurelio, Marianita en mij glimlachte.

'Is dat je zoon?' vroeg Epifanio.

Achter de bar was in het doorgeefluik het gezicht van een jongen te zien, zo kalm en uitdrukkingsloos dat het leek of hij al een hele tijd op dezelfde plek achter dat nauwe venstertje had gestaan.

'Daar hebben we het zo over,' zei Agustín Gallareta terwijl hij zijn duim in de richting van die jongen stak alsof hij in zijn gezicht een onuitsprekelijke familiegeschiedenis aanwees.

'Zet me eens een goed glas wijn voor,' zei Epifanio, 'uit het beste vat dat je hebt. Daarna praten we verder.'

'En wat kan ik de dame en heren aanbieden?' vroeg hij ons. 'Een rondje van de zaak.' En terwijl hij naar de leeuw wees zei hij: 'Eens kijken of dat beest ondertussen wakker wordt.'

Epifanio twijfelde even voordat hij Aurelio en mij een glas muskaatwijn en Marianita een glas limonade liet nemen. Daarna bleef hij met Agustín Gallareta staan kletsen terwijl wij ons dichter in de buurt van de kooi waagden, in een hoek van het café. Die kooi maakte trouwens een nogal krakkemikkige indruk en leek in alle haast in elkaar te zijn geflanst, want het ging slechts om een half verroest hek dat op een duidelijk stuntelige manier met cement aan de muren was bevestigd. De stank van de leeuw, die in eerste instantie door allerlei kookluchtjes werd gecamoufleerd, was desondanks werkelijk ondraaglijk. Hoe ze die leeuw daar ooit naar binnen hadden gekregen was ons een raadsel. Later hoorden we echter van Epifanio dat ze hem gewoon in de box naar de hoek hadden gereden en op hetzelfde moment dat ze het luik hadden opengetrokken en het beest naar buiten stoof, het hek achter hem hadden laten dichtvallen. Het moest zo'n gevaarlijke actie zijn geweest dat de vrouw van Agustín Gallareta niet eens had geprotesteerd maar slechts een medelijdende blik naar haar man had geworpen vóór ze onmiddellijk met haar vier kinderen vertrok. Hij had geen enkele poging gedaan haar tegen te houden en hoewel hij haar had gezegd dat hij maar al te goed begreep dat ze haar biezen pakte, kon er volgens hem in het café nog wel een leeuw bij.

Agustín Gallareta wilde dat we nog een glaasje muskaatwijn

dronken en cakejes namen die op de bar stonden, bedekt met een kleverige laag groen glazuur vol vliegen. Maar Epifanio stond niet toe dat we nog meer wijn namen en in die cakejes hadden we zelf niet veel trek. Door die vergeelde foto's van wilde dieren aan de muren zag het café er smoezelig en triest uit. De leeuw, die tot dan toe had geslapen, was wakker geworden en liet een gedempt gebrul horen, eigenlijk meer een soort gerochel dat zwakjes door de lege ruimte van het café echode.

'Etenstijd,' verduidelijkte Agustín Gallareta, waarna hij door het venstertje achter zijn rug schreeuwde: 'Heb je het gehoord?'

'Het zal anders niet gemakkelijk zijn om eten voor hem te versieren,' zei Epifanio.

'Resten,' antwoordde Agustín Gallareta terwijl hij zelf een restje uit zijn neus pulkte. 'Hij krijgt onze eigen etensresten en het afval dat mijn klanten meebrengen. Geen enkel probleem.'

Een kleine, droevige jongen met een kaalgeschoren hoofd – dezelfde die eerst doodstil achter het venstertje had gestaan – verscheen met een emmer propvol visresten, botten, broodkorsten en allerlei groenten. Hij liep naar de kooi toe en terwijl hij een stukje op afstand bleef gooide hij die tussen de spijlen door leeg. De leeuw sprong overeind en begon in die prak te snuffelen. Óf hij had geen honger óf hij vond die resten gewoon te smerig om op te eten. Hij wroette er grommend in tot hij er uiteindelijk een paar koolstronken uit viste. Mijn neef begon zich overduidelijk te vervelen en liep weg, misschien omdat hij die leeuw meer op een gewoon huisdier vond lijken dan op een leeuw, terwijl Marianita en ik vlakbij de kooi bleven staan om naar hem te kijken.

'Het enige waar ik nogal bezorgd over ben is dat hij geen honger heeft,' zei Agustín Gallareta.

'Dat komt omdat hij te weinig lichaamsbeweging krijgt,' antwoordde Epifanio terwijl hij de nauwe ruimte bekeek waarover de leeuw in de kooi beschikte. 'Een leeuw moet kunnen rennen.'

'Ik ben daar gek,' zei Agustín Gallareta. 'Je denkt toch niet dat ik hem uit ga laten?'

'Dat beest loopt heus niet weg,' bracht een dikzak naar voren die vast en zeker sloper was. 'Je hangt gewoon een paar manden aan hem en dan heb je een ezel.'

Uiteindelijk kregen Marianita en ik ook genoeg van al die stank en dat geklets. Bovendien was het ons duidelijk dat het met die leeuw maar een saaie vertoning zou blijven. We wilden Epifanio dan ook overhalen weg te gaan maar die was juist in een verhitte discussie met Agustín Gallareta verwikkeld over al het werk dat die leeuw hem gaf.

'Klopt,' zei de cafébaas met een vaag gebaar. 'Maar het ergste is het 's nachts. Plotseling herinnert hij zich dat hij de koning der dieren is en begint aan een stuk door te brullen. Je kunt je wel voorstellen wat voor een kabaal dat is.' Daarbij zoog hij hard lucht op alsof hij iets tussen zijn tanden vandaan probeerde te krijgen. 'Mij maakt het niets uit, het doet me zelfs plezier, maar de buren denken daar net even anders over.'

Epifanio stemde met een vaag gebaar met Agustín Gallareta in. Hij dacht vast aan al die mensen die hier, op vijfduizend kilometer van het Afrikaanse binnenland, elke nacht in hun slaap werden gestoord door het gebrul van de koning der dieren. De dikzak dronk met één teug een groot glas wijn leeg en hield daarna zijn hand voor zijn mond terwijl hij een boer liet. Vervolgens legde hij zonder iets te zeggen met een harde klap een paar munten op de bar en groette ons door zijn hand in de lucht te steken.

'Dat begrijp ik,' antwoordde Epifanio.

'En verder is er het probleem van de hygiëne,' ging Agustín Gallareta verder. 'Ik weet niet hoe ik die smeerboel goed schoon moet krijgen. Niet dat het stinkt, maar een luchtje ruik je toch.'

'Met een slang,' antwoordde Epifanio terwijl het door hem heen schoot dat die stank gewoon niet erger kon. 'Met een slang kun je hem zo schoonspuiten.'

Agustín Gallareta dacht even na en zei vervolgens:

'Dat meen je toch niet serieus. Zoiets zou ik die leeuw nooit aandoen, echt niet.'

'Een andere mogelijkheid is dat je hem wegdoet,' antwoordde Epifanio.

De cafébaas peinsde er niet over om op zo'n idiote opmerking in te gaan, want hij keerde zich plotsklaps om en schreeuwde woedend door het venstertje:

'Een knalharde zweepslag voor de koetsier!'

Als hij zo abrupt een einde had willen maken aan ons bezoek, dan was hij daar erg goed in geslaagd. Epifanio keerde zich naar ons om en gaf met zijn blik te kennen dat we naar buiten moesten gaan. De leeuw zag er nog altijd even lusteloos uit als toen we binnen waren gekomen. Het enige wat hij deed was de vliegen verjagen met de pluim van zijn staart. Op geen enkel moment had hij zich als een leeuw gedragen en het zag er bepaald niet naar uit dat hij dat ooit nog zou gaan doen. Toen we weer op straat stonden was de diffuse schittering van het zonlicht veroorzaakt door al het stof in de lucht verdwenen en waren er slechts donkere wolken te zien. Plots viel het me in dat als mijn oma er nog was geweest, ze ons vast en zeker een of andere wetenswaardigheid over leeuwen zou hebben verteld, maar dan over echte, wilde leeuwen.

Deel vier

I

Nadat die bom in de bodega was ontploft – die slechts het verlies van duizend liter sherry, een beschadigde bottelmachine en twee licht gewonde arbeiders tot gevolg had – dacht mijn oom Alfonso María dat de burgeroorlog opnieuw was uitgebroken. Dat verzekerde de koetsier Epifanio althans. De vijanden van het vaderland waren uit hun schuilplaatsen te voorschijn gekomen en hadden hem als hun doelwit uitgekozen, er zat dan ook niets anders op dan een groot tegenoffensief te beginnen. Vandaar dat hij na enig wikken en wegen beval zijn kistjes en uniformriemen te poetsen, zijn jachtmes en pistool onder het stof vandaan haalde, zijn patroongordel omhing en de overwinningsmars al hoorde klinken nog vóór hij zich op het militaire hoofdkwartier had vervoegd. Schijnbaar wilde mijn oom de commandant verzoeken alle beschikbare troepen te mobiliseren of, als dat onmogelijk was, onmiddellijk de staat van beleg af te kondigen. Maar nadat de commandant de herboren militieleider welwillend en enigszins onrustig had aangehoord, had hij hem slechts de verzekering gegeven dat hij een bescherming zou krijgen waarop hij recht had.

Ook daarna bleef mijn oom nog lange tijd hardnekkig volhouden dat het slappe optreden van het franquistische regime ongewild een steun in de rug was van degenen die door wilden gaan met hun verzet. Daar het onmogelijk was op lokaal niveau een nieuwe kruistocht te beginnen, besloot hij de nodige maatregelen te treffen om in ieder geval alles wat met zoveel heldenmoed was veroverd te kunnen verdedigen. Hij richtte echter geen eigen militie op maar zorgde er voor dat personen op bepaalde sleutelposten werden vervangen. Zo was het hem bijvoorbeeld opgevallen dat de burgemeester (dat was nog steeds Jerónimo Berengaria, een oom van mijn tante Socorro) steeds meer aan daadkracht had ingeboet, hij werd daarom vervangen door Ramón Albadalejo, een oude strijdmakker uit zijn militie die van wanten wist. Ook regelde hij de vervanging van een aantal hoge gemeenteambtenaren en -bestuurders die slechts met hun handen in de zakken toekeken. Zo kwamen uiteindelijk alle belangrijke posten in handen van fanatieke figuren die voortvarend optraden en het hoofd nooit zouden laten hangen.

Dat was echter slechts één kant van de zaak. Want ook in de bodega deden er zich een paar belangrijke veranderingen voor. De economische politiek van het regime had ertoe bijgedragen – vooral doordat het land open werd gesteld voor buitenlandse investeringen – dat de groei van bodega Romero een ongekende vlucht nam. Mijn oom, die net zo vaak naar Londen op en neer reisde als dat hij naar de plaatselijke sociëteit ging, was erin geslaagd een Engels import- en exportbedrijf – dat was gelieerd aan de Hardy's – in de bodega te interesseren waardoor de dingen dan ook gewoon niet beter konden gaan. Het geld stroomde binnen en er werden steeds meer liefdadigheidsprojecten en grote feesten georganiseerd. De enorme macht waarover de familie Romero al beschikte was nu bijna absoluut geworden, hoewel de Hardy's – dat wil zeggen die van de Spaanse tak van mijn vaders familie – daar duidelijk wat minder deel aan hadden.

Mijn oom had zich intussen een erg knappe maîtresse van rond de twintig verschaft, Mediadora genaamd. Er werd gezegd dat hij haar had leren kennen via haar vader zelf, een van de bottelaars die gewond was geraakt toen de bom in de bodega was ontploft. Eerst zorgde hij ervoor dat ze te eten kreeg en dat haar de kleren werden gegeven die ze zo hard nodig had, vervolgens begon hij haar geld toe te stoppen en uiteindelijk kocht hij zelfs een appartement voor haar. Mediadora, die de vreselijke tijd dat ze honger leed nog vers in het geheugen lag, ontdekte plotseling geweldige delicatessen als ingeblikt vlees, verse groenten en vleeswaren. Nadat ze haar intrek in haar nieuwe huis had genomen, leefde zij er als een prinses in haar paleis en was ze alle honger en ontberingen al snel vergeten.

Voordat mijn oom dat appartement voor Mediadora kocht had hij overwogen haar iets dichter in de buurt onder te brengen. Dat wil zeggen dat hij die aparte kamer, waar hij zijn privéfeestjes organiseerde en die via een geheime gang in verbinding stond met zijn kantoortje, daarvoor wilde benutten. Hij had gedacht er nog enige kamers bij te trekken en het geheel, goed afgescheiden van de rest van het huis, van badkamer, keuken en een eigen ingang naar het park te voorzien. Dit plan had het voordeel dat hij zo naar Mediadora toe kon gaan via de geheime deur in zijn kantoortje maar het nadeel was natuurlijk dat haar aanwezigheid veel te opvallend was. Want ook al kon hij zo zijn maîtresse heel eenvoudig tussen de bedrijven door bezoeken, hij had het sterke vermoeden dat dit binnen de kortste keren zou worden ontdekt. Vandaar dat hij er korzelig van af had gezien.

Mediadora was het schoolvoorbeeld van een trouwe maîtresse. Ze kwam nauwelijks buiten en deed alleen de deur open voor haar vier broers, die alle vier jonger waren dan zij en alle vier evenveel honger hadden en even weinig de school bezochten. Ze borduurde de hele dag lakens voor een huwelijksuitzet en had – vreemd genoeg – een hekel aan damesbladen, feuilletons en buurpraatjes. Maar op een dag maakte ze de fout een boodschappenbezorger binnen te laten. Die zag er op het eerste gezicht betrouwbaar uit maar, nadat hij de levensmiddelen in de keuken had gezet en aanstalten maakte om weg te gaan, sprong hij plots als een geile bok bovenop haar en drukte haar met zijn hand op haar mond tegen de vloer. Hoewel Mediadora vreselijk tegenspartelde, beet en krabde, zorgde dat er alleen maar voor dat hij nog bruter tekeer ging en als ze uiteindelijk niet werd verkracht dan kwam dat alleen maar doordat hij voortijdig een zaadlozing kreeg.

Toen mijn oom dit te horen kreeg besloot hij onmiddellijk vreselijk wraak te laten nemen voor deze misdaad. Het zou voor hem veel makkelijker zijn geweest om die bezorger te laten opsluiten of af rammelen, maar hij wilde per se een spectaculairdere afstraffing op touw zetten. Hij had trouwens in eerste instantie gewoon niet kunnen geloven dat iemand het waagde hem op zo'n manier te schofferen, maar nadat Mediadora hem onder tranen en vloeken had verzekerd dat het echt waar was, ging hij meteen tot actie over. Hij beval Pachequito en een andere voormalige militiekameraad – een brute mankpoot – dat ze die boodschappenbezorger nog diezelfde avond moesten meelokken naar het café van Agustín Gallareta. Epifanio kon me niet vertellen met welk smoesje ze dat voor elkaar hadden gekregen, maar om elf uur zaten ze inderdaad met hem in het café. Nadat ze mijn oom hadden laten waarschuwen was die binnen de kortste keren ter plaatse.

Toen de bezorger mijn oom binnen zag komen had hij meteen door dat hij in een val was gelopen. Al stotterend probeerde hij nog te ontglippen maar Pachequito, die wel voor hetere vuren had gestaan, stak daar eenvoudig een stokje voor. Mijn oom beval Agustín Gallareta de twee klanten die nog aan de bar hingen op straat te zetten en de deur op slot te draaien. Nadat de cafébaas dat met tegenzin had gedaan, werd die toch al ondraaglijke stank van de leeuw zo mogelijk nog ondraaglijker. In de doodse stilte die was gevallen kon je de dreiging voelen, maar de broodmagere leeuw vertrok geen spier.

'Hij ziet er slecht uit,' zei mijn oom. 'Als hij niet doet wat ik wil zal ik hem weer naar La Valerita moeten sturen.'

'Maakt u zich beslist geen zorgen,' antwoordde Agustín Gallareta met de toon van een bioloog die zich beledigd voelt door een superieur. ''s Avonds ziet hij er altijd een stuk slechter uit.'

Pachequito keek volkomen ongeïnteresseerd naar het beest terwijl de mankpoot met de punt van zijn mes het vuil onder zijn nagels vandaan haalde. Het gezicht van de bezorger was volkomen vertrokken. Terwijl hij met trillende handen een glas ronddraaide hield hij zijn hoofd trots omhoog, zoals sommige mensen wel doen wanneer ze in het nauw gedreven zijn.

'Nou, het is tijd,' murmelde hij. 'Ik ga er maar eens vandoor.'

Maar die woorden waren aan dovemansoren gericht.

'Kom,' zei mijn oom tegen Agustín Gallareta terwijl hij naar de kooi liep.

De cafébaas liep achter hem aan en wachtte op een order terwijl mijn oom aan het hek van de kooi begon te trekken.

'Haal eens houweel en hak dat hek los,' zei hij doodkalm en wees op een van die grote klodders cement waarmee het hek aan de muur was bevestigd.

'Maar wat bent u van plan?' vroeg Agustín Gallareta, meer verbaasd dan geschrokken.

'Niet zeuren, loshakken,' zei mijn oom nog een keer. 'En snel een beetje.'

De cafébaas verdween achter de bar en kwam even later terug met een houweel.

'Wat bent u van plan?' vroeg de bezorger behoorlijk benauwd.

Pachequito reageerde niet maar de mankpoot – die zich steeds dreigender opstelde – gebaarde dat hij zich rustig moest houden.

'Even een vraagje,' zei de cafébaas terwijl hij op het houweel steunde. 'Waar gaat dit nu eigenlijk allemaal om?'

'Hebben ze jou vanuit de bodega soms geen mandfles wijn gestuurd?' vroeg mijn oom op zijn beurt. 'We gaan die leeuw een beetje verwennen.'

'Die mandfles heb ik inderdaad gekregen,' antwoordde de cafébaas. 'Maar die leeuw drinkt geen wijn.'

'Zo gauw je wakker bent,' grapte Pachequito, 'zet je ons er maar eens een karafje van voor.'

'Straks,' zei mijn oom. 'Eerst hak je dit verroeste zooitje los.' En hij trok een vies gezicht. 'Waar wacht je nog op?'

Agustín Gallareta durfde niet eens zijn schouders op te halen. Hij zwaaide het houweel door de lucht en liet hem met zo'n geweldige klap op het cement neerkomen dat zelfs de leeuw ervan leek te schrikken. Het was de eerste keer dat hij zich – op een tamelijk lome manier – bewoog. Nadat hij even overeind was gekomen en vaag om zich heen had gesnuffeld, ging hij opnieuw liggen, zover mogelijk van de plek vandaan waar de cafébaas met het houweel tekeer ging.

'Ik moet nu echt gaan,' waagde de bezorger nog een keer te zeggen terwijl hij zich tot mijn oom richtte met een volkomen hulpeloos gezicht. 'Ik heb geen schuld aan wat er gebeurd is, vergeeft u me.'

Mijn oom negeerde hem zoals hij daarvoor al steeds had gedaan. De slagen van het houweel, waardoor de stank van de leeuw nog verder werd verspreid, echoden luguber door de ruimte van het café en klonken voor de bezorger waarschijnlijk als scheppen zand die op een doodkist vielen. Iedereen zweeg en op dat moment schoot het hek een stukje los en begon vervaarlijk voorover te hellen. Agustín Gallareta slingerde het houweel op de grond en maakte dat hij zo snel mogelijk uit de buurt kwam. De leeuw vertrok geen spier.

'Doe maar rustig aan dan breekt het lijntje niet,' zei mijn oom tegen Pachequito. 'Komt er nog wat van, verdomme?'

'Ik weet van niets,' zei Agustín Gallareta haast fluisterend, alsof op een normale toon spreken erg onfatsoenlijk zou zijn geweest.

Pachequito en de mankpoot liepen naar de bezorger, die wit van angst achteruitweek. Even leek het of ze iets tegen hem gingen zeggen maar plotsklaps doken ze boven op hem en stelden hem in een handomdraai buiten gevecht als waren ze agenten. De bezorger spartelde echter heftig tegen en probeerde op alle mogelijke manieren te ontglippen, waarbij hij Pachequito zelfs in zijn oog spuugde. Aan wat hij zei viel geen touw vast te knopen want door zijn hevige angst sloeg hij alleen maar wartaal uit. Mijn oom keek met gemengde gevoelens naar de worsteling.

'Snel, een karaf,' zei hij tegen de cafébaas terwijl hij even zijn neus dichtkneep. 'Voordat hij dadelijk begint over te geven.'

Agustín Gallareta wist met veel moeite vanuit een enorme mandfles een karaf te vullen en zette die op de bar zonder dat hij de worsteling tussen de drie mannen uit het oog verloor. Vervolgens spoelde hij drie glazen af die hij uiterst nauwkeurig afdroogde en één voor één naast de karaf zette waarbij hij ervoor zorgde ze precies op gelijke afstand van elkaar te zetten, alsof hij zo tijd wilde winnen om te kunnen nadenken. Daarna begon hij ze langzaam te vullen, waarbij het leek of hij nog banger was dan de bezorger.

'Luistert u eens naar me,' lispelde hij.

Mijn oom reageerde niet. In plaats daarvan pakte hij een glas, rook lusteloos aan de wijn, nam een slokje en keerde zich weer om naar de worstelende mannen zonder het leeg te hebben gedronken.

'Ga jullie gang,' zei hij.

Het kostte Pachequito en de mankpoot enige moeite om de bezorger naar de kooi te sleuren. Terwijl mijn oom in een ongemakkelijke houding met een elleboog op de bar steunde, het glas in zijn bungelende hand, keek hij tamelijk ongeïnteresseerd en afwezig naar wat er gebeurde. De mankpoot hield met een breekijzer een arm van de bezorger in de klem. Die had zijn verzet gestaakt en kreunde alleen nog maar. Dat was alles wat er te horen was want de cafébaas leek op het punt te staan flauw te vallen. Pachequito trok aan het hek van de kooi aan de kant waar het losgeschoten was en kreeg een lading roest- en kalkschilfers over zich heen. Nu moest de bezorger alleen nog in de kooi gestopt worden, maar dat was een fluitje van een cent voor de mankpoot want hij slingerde hem met het grootste gemak naar binnen. Hoewel de bezorger met een enorme zwaai in de kooi was beland verloor hij zijn evenwicht niet. Plat tegen de muur gedrukt hield hij zijn adem in. Zijn wagenwijd opengesperde ogen smeekten om genade terwijl Pachequito het hek klemzette met een paal.

In het begin bleef de leeuw doodstil liggen. Maar na een tijdje krabbelde hij met moeite overeind en begon aan de bezorger te snuffelen, die werkelijk een lijkbleek gezicht had. Daarop liep mijn oom naar de kooi en zei:

'Eens kijken of je ook in staat bent om die leeuw te bespringen.' Vervolgens keerde hij zich om naar Pachequito: 'Zou hij ballen hebben, denk je?'

'Dat lijkt me sterk,' antwoordde Pachequito.

De leeuw snuffelde nog steeds aan de benen van de bezorger, die niet bepaald de onverschrokken houding van een christen in de arena had. Rond de vreselijk stinkende uitwerpselen van de leeuw dansten vliegen. In de verschrikte blik van de bezorger drukte zich alle eenzaamheid en angst van zijn ellendige leven uit. Met geen enkel gejank zou hij het zelfde effect hebben kunnen bereiken. De leeuw liep een rondje door de kooi en kwam opnieuw op dat lekkere stuk vlees af dat in niets leek op zijn dagelijkse menu van afval. Met een poot begon hij aan de bezorger te trekken en deze dacht ongetwijfeld dat dat zijn doodvonnis betekende. Iedereen hield óf uit opwinding, óf uit schrik – zoals bij Agustín Gallareta het geval was – zijn adem in.

'Laten we gaan,' zei mijn oom plotseling.

'Het spijt me,' zei Agustín Gallareta terwijl hij met de knokkels van zijn hand door zijn ogen wreef, 'maar ik wil hier niets mee te maken hebben. Dit gaat echt te ver.'

De leeuw brulde tamelijk kalm. Hij was gaan zitten en hield met een half oog de nog altijd ongedeerde bezorger in de gaten die nu heel stilletjes probeerde de paal weg te duwen waarmee het hek was klemgezet. Daarop gaf de mankpoot al vloekend en tierend met zijn goede been een harde trap tegen zijn hand.

'Als hij hem begint op te peuzelen waarschuw je me,' zei mijn oom tegen Agustín Gallareta. 'En doe open, we gaan.'

De cafébaas twijfelde even maar deed uiteindelijk toch de deur open. Hij moest ongetwijfeld hebben gedacht dat hij het zich niet kon veroorloven de orders van mijn oom naast zich neer te leggen en dat het eigenlijk helemaal niet zo'n slecht idee was als die zo snel mogelijk vertrok, want alleen dan zou hij kunnen voorkomen dat die arme stakker in leeuwenvoer veranderde, hoewel hij nog steeds niet begreep of het hier nu om een uit de hand gelopen grap of om een ordinaire moord ging.

'Verdomme,' mompelde hij terwijl hij de deur van het slot draaide.

Mijn oom vertrok met zijn twee kornuiten zonder iets te zeggen en zonder ook nog maar één keer naar de kooi te kijken. Naarmate ze het café verder achter zich lieten werd de vreselijke stank van de leeuw en het afval minder. Misschien hadden ze door het genot van de wraak die ondraaglijke stank zojuist gewoon niet opgemerkt. Wie weet. Hoe het ook zij, het was nog erg vroeg, niet eens één uur, en mijn oom twijfelde dan ook wat hij nu allereerst zou doen: óf naar het appartement van Mediadora gaan om haar te vertellen dat haar verkrachting op discrete wijze was gewroken, óf naar de sociëteit om zijn licht op te steken over andere zaken. Volgens Epifanio deed mijn oom het laatste en ging eerst naar de sociëteit.

2

Toen Agustín Gallareta diep in de nacht naar Epifanio belde dacht die onmiddellijk dat de leeuw een vreselijke slachting had aangericht. Maar de cafébaas wilde hem niets vertellen, behalve dat hij diep in de nesten zat en dat hij hem alleen op dat ongepaste tijdstip had durven bellen omdat zijn leven er zo ongeveer van afhing. Dus vertrok Epifanio (zoals hij me later zelf zou vertellen) min of meer hals over kop om zijn in zware nood verkerende vriend te hulp te snellen. Het leek hem of hij door een hele lange, donkere tunnel reed en toen hij bij het café kwam had hij het vreselijke gevoel Agustín Gallareta daar zo ongeveer aan stukken gescheurd te zullen aantreffen. Maar hij herwon onmiddellijk zijn kalmte toen de cafébaas zelf de deur opendeed en hem in zijn kolossale armen sloot. Hij zag eruit zoals gewoonlijk, met een duidelijk groenige huidskleur en zijn haar net zo in de war als de manen van de leeuw.

Op de vloer gezeten hing de bezorger half tegen de smoezelige muur, klaarblijkelijk in een enorme shocktoestand. Eerst dacht Epifanio dat het om een dronkenlap ging of iemand die van zijn stokje was gegaan door de stank of een slangenbeet. In ieder geval niet iemand die op het punt had gestaan verslonden te worden. Hij keek de cafébaas dan ook aan met een blik die het midden hield tussen ergernis en teleurstelling.

'Wat is er met hem aan de hand?' vroeg hij terwijl hij nerveus met zijn duim naar de totaal verdwaasde bezorger wees. 'Je hebt me toch niet uit mijn bed gebeld om die lamzak wakker te maken, hoop ik.'

'Nee hoor, zei Agustín Gallareta terwijl hij met de rug van zijn hand langs zijn voorhoofd streek alsof hij controleren wilde of de koorts was gezakt. 'Wat wil je drinken? Ze hebben me een mandfles uit de bodega gestuurd.'

'Tien voor twee,' antwoordde Epifanio met zijn oor tegen zijn horloge gedrukt. 'Ik neem een brandy terwijl jij me haarfijn uitlegt wat er is gebeurd, want anders hoef je er niet op te rekenen dat ik je help.'

De cafébaas ging achter de bar staan en vulde twee glazen, het ene voor de helft met brandy en het andere tot de rand met wijn. En nadat hij het glas brandy naar Epifanio had toegeschoven begon hij hem uit te leggen wat er allemaal in het café was gebeurd, vanaf het moment dat Pachequito en de mankpoot met de bezorger waren binnengekomen totdat mijn oom vertrokken was en hem in de kooi had achtergelaten. Epifanio knikte steeds afwezig bij het zeer omstandige verhaal van Agustín Gallareta. Sommige van de dingen die hij vertelde snapte hij, andere niet, maar niets van het verhaal leek hem echter ongeloofwaardig.

'Hij zal het wel verdiend hebben,' zei hij ten slotte.

'Dus je wilt zeggen,' antwoordde de cafébaas, 'dat ik me voor niets zo druk heb gemaakt.'

'Dat nou ook weer niet,' zei Epifanio. 'Maar die klootzak zal het beslist hebben verdiend, iets moet hij toch op zijn kerfstok hebben.' En terwijl hij vreselijk begon te gapen voegde hij eraan toe: 'Doe jij nu maar gewoon alsof je neus bloedt.'

En Epifanio keek eerst naar de bezorger, toen naar de leeuw, vervolgens naar de cafébaas, en vervolgens weer naar de bezorger. Hij mocht dan wel gruwelijk behandeld zijn maar dat was vast niet zomaar voor de lol gebeurd. Vooral als je in gedachten hield – zoals Epifanio deed – dat die bezorger best degene kon zijn die had geprobeerd om Mediadora te verkrachten. Iets wat de cafébaas natuurlijk niet wist en wat Epifanio niet wilde uitleggen. Mijnheer was dus niet voor niets zo meedogenloos opgetreden, hoewel hij het recht natuurlijk nooit in eigen hand had mogen nemen. Hoe dit ook zij, het gebeurde had toch een positief effect gehad op de cafébaas. Want nadat mijn oom was vertrokken, was hij meteen naar de kooi gerend en had al zijn moed bij elkaar geraapt – iets waaraan het hem juist altijd ontbroken had – om de paal waarmee het hek was klemgezet eventjes weg te trekken zodat de bezorger kon ontsnappen. De leeuw was lichtelijk opgewonden geraakt door al die herrie en dat aanlokkelijke voedsel. Dus toen hij in de gaten kreeg dat dat aan zijn neus dreigde voorbij te gaan, sloeg hij blindelings met zijn klauw in de richting van de bezorger die bezig was uit de kooi te klauteren. Dat er daarbij geen stuk van zijn achterwerk werd afgescheurd kwam alleen maar omdat hij werkelijk vel over been was. Ook al had hij slechts kleerscheuren opgelopen, de bezorger was zo verschrikkelijk geschrokken dat hij, eenmaal buiten de kooi, onmiddellijk flauwviel. Dat was de reden geweest dat Agustín Gallareta Epifanio had laten opdraven, want hij wist werkelijk niet wat hij met die arme stakker moest aanvangen.

Opnieuw keek Epifanio een paar keer naar de leeuw en de bezorger, en zonder dat daar nu een scherpe blik voor nodig was stelde hij vast dat ze allebei helemaal van de wereld waren. De een noch de ander gaf een kik en het begon er zelfs sterk op te lijken dat die leeuw de bezorger nooit had willen verslinden. Dat was het soort genade dat wreedheid soms kent. Maar hoe dan ook, zelfs als die leeuw niet echt in staat was om iemand te verscheuren, bleef het een wonder dat er geen bloed was gevloeid. Dat was dan toch een meevallertje voor Agustín Gallareta, al leek hij dat zelf nog niet te beseffen want zijn kinderlijke gezicht stond nog altijd bedrukt. Toen Epifanio bij de bezorger neerhurkte hoorde hij aan zijn zachte maar regelmatige ademhaling dat hij ondanks zijn vreselijke shocktoestand beslist niet in levensgevaar verkeerde. Nadat hij hem in een betere houding tegen de muur had gezet, een slok brandy en een paar erg harde klappen op zijn wangen had gegeven, leek het erop dat hij begon bij te komen. Agustín Gallareta kwam achter de bar vandaan en toen hij zag dat de bezorger weer een beetje was opgeknapt, tilde hij hem in zijn erg gespierde armen op en zette hem op een stoel.

'Het leed is al geleden,' zei hij volkomen gelaten.

Het eerste wat de bezorger deed toen hij zijn ogen opende was verschrikt naar de kooi kijken, waarvan het hek nog altijd met die paal stond vastgeklemd. Vervolgens voelde hij aan zijn achterwerk, scheurde wat flarden van zijn broek en nadat hij het gezicht van de vermoorde onschuld had gezet, leek het dat hij moest overgeven. Iets wat hij met veel gerochel en gehoest inderdaad deed.

'Klootzak,' prevelde hij tussen het kokhalzen door. En nadat hij eenmaal had overgeven herhaalde hij dat opgelucht nog een keer: 'Klootzak.'

'Zeg dat wel,' zei Agustín Gallareta.

'Jij zou eigenlijk in bed moeten liggen,' zei Epifanio terwijl hij naar hem wees. 'Je hebt het zelf over je afgeroepen, knul. De volgende keer kijk je wel uit.'

'Ik ga nu,' zei de bezorger, die zo snel mogelijk weg wilde, nadat hij op de grond had gespuugd. 'Ik woon in La Mirandilla, in de Albérchigostraat, nummer veertien.'

'Dat is hier vlakbij,' antwoordde Agustín Gallareta.

De bezorger liet zich zonder tegen te sputteren door Epifanio en de cafébaas naar huis brengen. Op sommige momenten kreeg hij plots een heftige zenuwaanval, alsof hij de poort van de hel voor zich zag open gaan, maar steeds wisten ze hem zo goed en zo kwaad als het ging weer tot bedaren te brengen. In de verlaten straten wekten de mannen de indruk een groepje feestgangers te zijn en zonder al te veel moeite kwamen ze in La Mirandilla, waar de bezorger in een huurkazerne een kamertje had dat grotendeels in beslag werd genomen door een bed. Nadat ze hem in dat bed hadden gestopt, gaf de cafébaas hem flink wat te drinken uit de fles brandy die hij had meegenomen en al snel zakte de arme stakker, die nog altijd trilde van de zenuwen, weg in een diepe slaap. Zo lieten ze hem achter, ontevreden omdat ze niet meer voor hem hadden kunnen doen.

Toen Epifanio doodmoe naar huis ging was het bijna vijf uur. Hoewel hij ongezien naar binnen probeerde te sluipen, liep hij in de eetkamer van het personeel de bediende tegen het lijf die de opdracht had 's nachts mijn oom te wekken met glazen sherry. Mijnheer was nog niet thuisgekomen, maar mevrouw was in de kapel, zei hij. Dat mijnheer er nog niet was verbaasde Epifanio niets, maar dat mevrouw in de kapel was, daar keek hij toch wel heel erg van op. Niet vanwege het vreemde tijdstip, maar omdat de kapel sinds die vreselijke val van don Ismael, en meer nog na de dood van mijn oma, niet meer als zodanig had dienstgedaan. Maar Epifanio had zin noch tijd om op onderzoek uit te gaan en ging slapen. Of dat probeerde hij althans, want die nacht kon hij de slaap niet vatten.

De volgende dag vertelde hij mijn neef en mij alles wat er was gebeurd. En in een opwelling wilde ik het op mijn beurt aan mijn tante Carola vertellen. Niet omdat ik mijn oom in een kwaad daglicht wilde stellen, maar omdat het een prachtig voorwendsel was om haar op te zoeken in haar kamer. En dat deed ik dan ook met een haast die volkomen onnodig was. Haar deur stond open en vanaf de gang leek het me dat mijn tante al haar glans van vroeger had verloren. Ze schommelde zachtjes en gedachteloos heen en weer in een eenvoudige, antieke schommelstoel terwijl ze iets aan het lezen was wat op een brief leek. Toen ze me binnen zag komen stond ze op en legde die brief op een secretaire. Nog altijd met haar rug naar me toe zei ze:

'Wil je al niets meer van me weten?'

'Ik moest studeren,' antwoordde ik.

Ze keek me aan met een blik waaruit twijfel sprak en knipperde even met haar lichtblauwe ogen naar het zonlicht dat door de balkondeuren viel. Haar geurige lichaam straalde nog altijd de warmte uit van het ritje in de tilbury dat ze zojuist had gemaakt. Dat wekte in mij opnieuw de herinnering aan een van onze vluchtige ontmoetingen van vroeger. Niet het beeld van haar op dat moment, noch het beeld van hoe ze nu voor een boekenkast langsliep, maar een beeld dat een samenvatting en samenstel was van een groot aantal beelden van de afgelopen jaren en die liefelijk of weerzinwekkend waren al naar gelang ze met mijn begeerte of wrok samenhingen. En terwijl ik daaraan dacht liep mijn tante naar het balkon en keek even naar buiten.

'Wat een licht,' prevelde ze. 'Zeg het eens.'

En ik vertelde haar een warrig verhaal over wat er met die bezorger was gebeurd. Mijn tante zei niets. Ze stond op uit de leunstoel waarin ze was gaan zitten terwijl ze naar me luisterde en liep naar de secretaire toe. Ze trok een laatje open en legde daar de brief in die ze had zitten lezen, terwijl er zich even een lichte, sensuele geur van vanille verspreidde.

'Dat zijn jouw eigen zaken,' zei ze op een manier waardoor ze plots veel jonger leek. 'Jij bent nu al een volwassen man.'

Ik wist niet wat ik moest antwoorden en al evenmin wat het verband tussen deze twee opmerkingen was. Onze ontmoeting had opnieuw haar verleidelijke en vertrouwelijke karakter verloren. Mijn tante ging met haar handen naar achter haar nek om de ketting die ze droeg los te maken en die beweging gaf haar kamer de sfeer van een decadent boudoir.

'Ik heb nooit goed met mijn broer kunnen opschieten,' ging ze verder. 'Nooit, ook niet als meisje. Ik weet dat ik je dit soort dingen eigenlijk niet zou moeten vertellen. Maar dat laat me koud, ik vertel het je toch.' Ze schudde even haar hoofd alsof ze iets verdreef wat haar gedachten belemmerde. 'Herinner je je nog wat don Ismael in zijn brief schreef? Nou, mijn broer wist dat allemaal al vóór dat ongeluk in de kapel. Zo is hij nou altijd al geweest.'

Door dat laatje dat mijn tante had opengetrokken zag ik in een maalstroom van herinneringen opnieuw de secretaire van de kapelaan voor me. Hetzelfde donkere, gebarsten hout, dezelfde matte, fluweelachtige glans, dezelfde zweem van het verbodene.

'Ik heb mijn halve leven in onzekerheid doorgebracht, zonder dat ik wist of Jean Claude nu leefde of dood was,' hoorde ik mijn tante op gedempte toon zeggen. 'Ik dacht op een gegeven moment zelfs dat het me allemaal niets meer uitmaakte. Nou, mooi niet. Het maakt me zoveel uit dat ik er niets van wil weten.'

Precies op dat moment kwam mijn tante Socorro met een kwaad gezicht binnengestormd. Ze leek wel een moeder-overste die zich woest midden in de eetzaal van een nonnenklooster plantte. Terwijl ze mijn tante Carola erg streng aankeek zei ze zuchtend:

'Het is zeker.'

Mijn tante Carola keek haar vragend aan.

'Zowel gisteren als eergisteren heb ik 's nachts in de kapel als boetedoening gebeden,' ging ze verder, 'en daarbij heb ik een visioen gekregen.'

'Ik ben een en al oor,' zei mijn tante Carola ironisch.

'Het begon al licht te worden,' ging mijn tante Socorro verder terwijl ze me op een ongebruikelijke manier even doordringend aankeek. 'Jij mag het ook horen.'

Er viel een korte stilte terwijl het zonlicht dat door de vitrages voor de balkondeuren viel steeds zwakker werd.

'En nu hebben ze zojuist tegenover Alfonso María bevestigd wat ik in mijn visioen zag,' zei ze. 'Ze weigeren ons de eigendommen van de Berengaria's op Cuba terug te geven. Het zijn een zooitje...'

Zoals een koerier die net is komen aanrennen met een bericht, stopte ze even om naar adem te happen en weer verder te kunnen gaan.

'Het zijn een zooitje Bosjesmannen,' zei ze daarop en die kwalificatie beschouwde ze klaarblijkelijk als een verschrikkelijke belediging.

Ik trok me stilletjes terug terwijl mijn tantes in een oeverloze discussie verwikkeld raakten. Aan het einde van de gang tekende zich de wazige gloed van de vensters op de galerij af en ik liep er naartoe alsof het om een heuse tunnel van zonlicht ging die erop lag te wachten dat ik naar binnen zou gaan. Na even te hebben getwijfeld, ging ik naar de studeerkamer omdat ik dacht dat mijn neef en nicht daar zouden zijn. En inderdaad waren ze daar ook, bezig te studeren of net te doen alsof. Ik weet niet waarom ik hun het nieuws dat ik zojuist te horen had gekregen niet vertelde. Eerst keek ik naar Marianita en vervolgens naar Aurelio en kreeg daarbij plots het onheilspellende gevoel dat onze omgang met elkaar voortaan totaal anders zou zijn. Het leek of er op onverklaarbare wijze een kloof tussen ons was ontstaan, een afstand die wellicht was veroorzaakt door onze te nauwe band. Niet door een meningsverschil of door irritatie, maar door een soort plotselinge ongeïnteresseerdheid. Ik had namelijk ook geen enkele verwondering gevoeld toen ik die houding bij mezelf opmerkte.

3

'Hoe spreken wij in het Spaans "hippodrome" uit?' vroeg Aurelio aan mijn vader.

Die bewoog zijn stok een paar keer zenuwachtig heen en weer tussen zijn knieën en ontweek snel de blik van mijn neef toen hij hem antwoord gaf.

'Op dezelfde manier,' zei hij. 'Hippodroom.'

Mijn neef trok een wat verbaasd gezicht. Misschien had hij over mijn vader dezelfde gedachten als ik toen ik klein was, want in die tijd namelijk nam ik wat mijn vader zei, vanwege zijn buitenlandse accent, niet erg serieus. We zaten beneden in de ontvangstkamer, die mijn moeder altijd gebruikte om gesprekken met vreemden te voeren, zoals de dames die oude kleren inzamelden, de bestuursleden van het hospitaal die donaties probeerden los te krijgen en allerlei andere figuren die regelmatig om geld kwamen bedelen. Normaal zaten wijzelf nooit in die kamer, vooral niet wanneer het om familiebezoek ging, maar toen mijn tante Socorro met mijn neef en nicht langskwam waren mijn ouders juist met de abt van het jezuïetenklooster in gesprek over een donatie. Omdat mijn tante en mijn neef en nicht van de gelegenheid gebruik hadden gemaakt om hem te begroeten, waren ze daar allemaal blijven zitten. Ik liep pas naar beneden toen de abt vertrok.

'Oké,' ging mijn neef verder op een zelfverzekerde toon die erg veel aan die van zijn vader deed denken. 'Ze zouden dus een hippodroom gaan maken.' – Hij sprak het woord bewust slecht uit –. 'Maar, nee hoor, mooi niet, wat ze gaan maken is een voetbalveld.'

'Weet pappa daarvan?' vroeg Marianita.

Er was een hard ratelend geluid te horen doordat iemand snel met een stok langs de spijlen van een hek ging. Mijn vader leek te denken dat het om een vleermuis ging en keek naar het plafond.

'De huishoudster is erg afwezig,' klaagde mijn tante tegen mijn moeder terwijl ze met haar middelvinger langs haar wimpers streek. 'Niet dat ze ziek is of zo, maar 's nachts verschijnt haar de geest van de kapelaan. Ze heeft het over niets anders. Je kunt je wel voorstellen hoe vervelend dat is.'

'Ja,' zei mijn neef, 'dat mens loopt echt voortdurend te zeuren.'

Er werd zachtjes op de deur geklopt en daarop kwam er een jongen binnen met een juten zak onder zijn arm. Hij twijfelde even, alsof hij niet goed wist wat hij met die vreemde baal moest doen, en richtte zich vervolgens tot mijn vader:

'Het gips, mijnheer.'

Mijn vader dacht ongetwijfeld dat het een vergissing was. Of misschien dacht hij wel helemaal niets. Hij schroefde de knop van zijn stok los, haalde er een zilveren bekertje uit en begon dat in een soort heilige overgave minutieus met zijn zakdoek te poetsen.

'Waar kan ik dit achterlaten, mijnheer?' vroeg de jongen terwijl hij de zak lichtjes heen en weer bewoog en er een fijne wolk gips door de jute heen kwam.

'Verdomme,' antwoordde mijn vader. 'Wat is dat nou weer?'

'Het gips,' herhaalde de jongen.

Mijn ouders keken elkaar verwijtend aan, alsof die vreemde zak de uitdrukking was van een verschrikkelijke wanorde. Daarop ging mijn nicht vlak voor me staan en vroeg terwijl ze haar jurk een beetje oplichtte om een danspas te maken:

'Wat denk jij ervan, ben ik slanker geworden of niet?'

Ik zei niets maar liet mijn blik heel traag langs haar welgevormde lichaam gaan zodat zij precies kon zien waar ik aan dacht. De jongen was intussen met een erg sip gezicht en die zak gips afgedropen.

'Ik heb Carola al ik weet niet hoe lang niet gezien,' zei mijn moeder terwijl ze zich zoals altijd als de gekwetste gedroeg. 'Ik heb pas nog over haar gedroomd. Ze is alleen maar met haar eigen dingen bezig.'

'Er is al geprotesteerd langs diplomatieke weg,' legde mijn tante aan mijn vader uit. 'We staan heus niet toe dat dat zooitje Bosjesmannen onze eigendommen inpikt. Alfonso María laat niet met zich sollen, dat staat als een paal boven water.'

'Natuurlijk,' antwoordde mijn vader, maar waarschijnlijk dacht hij dat het helemaal niet zo eenvoudig zou zijn.

'Ik weet niet of ik nu verkouden ben geworden,' mompelde mijn moeder, 'of dat ik honger heb.'

Mijn neef maakte een onduidelijk gebaar naar me. Waarschijnlijk wilde hij dat we naar buiten gingen, maar zijn moeder (die zich met een waaier koelte toewuifde) begon net een heel verhaal over die aangename lome sfeer die er op de suikerfabriek in Camagüey hing, over de krioelende rij negers die het suikerriet naar de molen sjouwde, over de damp die van de stroop sloeg en die zelfs de lakens kleverig maakte, over dat ze zo slecht tegen de hitte kon en dat ze zich op een bloedhete zondag als een heuse dame in een draagstoel naar de barakken van de rietkappers had laten brengen om kerstpakketten uit te delen. Waarom toch in vredesnaam en door welk achterbaks gekonkel, werd haar al die schoonheid ontnomen waarvan ze altijd zo vreselijk had genoten en waarom toch was het haar zelfs niet vergund de nood die er heerste uit plichtsbesef te lenigen? Kon iemand haar dat uitleggen?

Niemand kon dat, maar toen mijn tante haar klaagzang had voltooid begon mijn moeder het verschrikkelijke verhaal van Mercedes Bengoechea te vertellen, de erg knappe vrouw van een rijke industrieel. Hij was een dikke, stugge kerel van weinig woorden die zijn vrije tijd aan uiteenlopende zaken besteedde, zoals muurtjes metselen, bomen omzagen en speenvarkentjes verslinden. En op een dag begon Mercedes, die de wellevendheid zelf was, erg vreemd te hoesten, want eigenlijk ging het niet om hoesten maar om een voortdurend kokhalzen, een krampachtig gerochel terwijl ze in haar bed lag te woelen en gek werd van wanhoop. Dokters, kwakzalvers noch gebedsgenezers konden haar vertellen wat voor ziekte ze had, laat staan dat ze haar konden genezen. Eerst hadden ze haar klachten toegeschreven aan een hysterie die door haar erg slechte huwelijk zou worden veroorzaakt, vervolgens aan een nerveuze kramp in de keelholte en ten slotte aan een onbekend syndroom waarbij de slijmvliezen constant geïrriteerd zijn. Maar al deze diagnoses waren onjuist. Bovendien at die arme stakker tussen hoestaanval en hoestaanval bijna net zoveel als haar man, iets wat haar ziekte er alleen nog maar raadselachtiger op maakte. Tot er op een dag iets onverwachts gebeurde. Een dienstmeisje hoorde mevrouw rochelen en reutelen alsof ze ging sterven en rende zo snel ze kon naar de slaapkamer. Mevrouw lag daar plat op haar buik terwijl ze iets uit haar mond trok dat op een lange teugel leek maar wat een lintworm bleek te zijn van wel vier meter lang. Dat zo'n knappe vrouw zoiets vreselijks moest overkomen. Zo zie je maar weer dat Gods wegen ondoorgrondelijk zijn.

Waarop mijn tante de conversatie voortzette met de opmerking dat die wegen zelfs nog ondoorgrondelijker waren gebleken dan zij dacht want zij had namelijk pas zelf een wonderlijke, werkelijk troostrijke en verheffende ervaring gehad. Toen ze op een vrijdag van haar gebed terugkwam, had ze gemerkt dat de koetsier Epifanio een zwerende wond in zijn kuit had (ook ik herinnerde me dat), waarschijnlijk doordat hij geen laarzen droeg bij het paardrijden. De wond zag er erg lelijk uit en je kon die al op een mijl afstand ruiken. Hoewel de koetsier eerst niet wilde dat zij naar die wond keek, liet hij dat uiteindelijk toch toe. De eerste hulp die ze hem bood bestond uit het aanbrengen van een in miswijn gedrenkt kompres en het prevelen van een gebed voor de troost van de zieken. Maar in plaats van dat de wond genas ging die er alleen nog maar slechter uitzien. De dokter verbood daarop elke uitwendige behandeling van de wond en schreef voor sulfamiden langs orale weg te nemen. En dat hielp, hoewel de wond nog altijd een beetje bleef etteren. Nadat zij zich aan de heilige Isabel van Hongarije had toevertrouwd en de weerstand van Epifanio had overwonnen – die werkelijk onbegrijpelijk was – had ze een dienstmeisje een teil laten brengen, de wond in wijwater gewassen, afgedroogd met een altaarkleedje en gekust. Dat alles ten overstaan van het tweeluik van de heilige Dionysius de Aeropagiet dat aan mijn overgrootmoeder Purificación Bárcena had toebehoord. Na korte tijd al had God haar voor haar inspanningen en gebeden beloond met een wonderbaarlijke genezing, want de etterende wond was in een changeant litteken veranderd.

Ik geloof dat mijn vader niet veel van die eeuwige verhalen van zijn vrouw en de vrouw van zijn zwager begreep. Hij luisterde er dan ook meer naar om iets van de taal op te steken dan uit echte interesse. En zo was het ook die avond. Mijn vader zei niets, hij hoorde slechts toe, ergens tussen verveeld en geamuseerd in, terwijl hij uit zijn zilveren bekertje de jenever dronk die hij zelf had laten stoken uit rogge en mout uit Wales, Colombiaanse maïs, lokale jeneverbessen en basilicum. Die jenever was niet voor de handel maar uitsluitend voor huiselijk gebruik bestemd en werd bewaard in kruiken die hij ook zelf had ontworpen, met de wapenschilden van de Malcorta's en de Hardy's erop, die elkaar bij de punten raakten.

Nu ik erover nadenk geloof ik dat ik die avond expres bleef hangen: ik wilde mijn neef en nicht laten merken dat ik niet veel zin had om iets met hen te gaan doen. Net als een paar dagen eerder, had ik opnieuw dat vreemde, onverklaarbare gevoel gekregen dat er een onoverbrugbare kloof tussen ons was ontstaan. Ongetwijfeld had het niets van doen met opzettelijke kwaadaardigheid maar met een simpele, werktuiglijke reactie. Of misschien ging het zelfs alleen maar om een voorbijgaande inzinking. Hoe dan ook, toen mijn ouders en mijn tante eenmaal volkomen in beslag waren genomen door hun verhalen, liep ik naar de deur en gebaarde naar mijn neef en nicht dat ze achter me aan moesten komen. En dat deden ze ook. Het was al donker geworden en de apenboom op de patio was nog nauwelijks te onderscheiden. Terwijl we langzaam de trap op liepen, waarbij onze voetstappen door de duisternis veel harder leken te klinken dan normaal, sloeg ons in de vochtige nacht een zware lucht van nachtschade en vernis tegemoet. Nog voor we op de overloop waren begon mijn neef al weer met zijn gewoonlijke opschepperij over Engeland:

'Ik heb gehoord dat je niet meer naar Engeland mag,' zei hij terwijl hij met zijn handen op de balustrade trommelde. 'Nou, dat is dan zwaar pech voor jou.'

Ik haalde mijn schouders op en dacht zelfs dat die al zo vaak geplande en weer uitgestelde reis naar Swansea – waar mijn broer Gregorio nog altijd zat – me eigenlijk niet meer zoveel kon schelen. Dat was een soort onbewust verweer tegen die eeuwige bluf van mijn neef. Hij deed niets liever dan pochen op zijn fantastische mondaine leventje en ik reageerde daar misprijzend op terwijl ik net deed alsof ik een heleboel dingen kon doen die minstens zo leuk waren.

'Dat hangt er nog maar vanaf,' zei ik op besliste toon, die me enige moeite kostte. 'Ik verveel me bepaald niet.'

Marianita was voor een schilderij van de kruisiging blijven staan dat in de vestibule hing. Het was een doek van bijna twee meter hoog, geschilderd in Sevilla in 1674 en leek afkomstig te zijn uit het atelier van Murillo. Mijn opa Sebastián had het cadeau gedaan aan mijn vader als huwelijksgeschenk en voor mij had dat schilderij altijd iets raadselachtigs gehad. Voor zover ik me kon herinneren had het daar altijd gehangen en was jarenlang de onvermurwbare controleur van mijn gedrag geweest doordat ik er een vroom respect voor koesterde, een respect dat langzamerhand en zonder dat ik het goed in de gaten had aan het verdwijnen was. Van de borst van de Christusfiguur, die uit een donkere maalstroom leek boven te komen, straalde een felle gloed terwijl het gezicht verkrampt was in een angst die door de dikke laag vernis op het doek enigszins werd verdoezeld. Op de donkere achtergrond van het schilderij was onder de enorme wolken vaag een schraal heuvellandschap zichtbaar dat ik altijd met de kale duinen van Argónida associeerde. Marianita sloeg tweemaal een kruis voor ze verder liep naar mijn kamer.

Ik deed het licht aan en het leek of het huis plots de orde terugkreeg die een brutale indringer had verjaagd. Mijn neef ging in een leunstoel zitten en haalde een sigarettenkoker voor de dag. In plaats van die open te doen, draaide hij hem opzichtig rond in zijn handen alsof hij zich in een erg modieus Londens vertrek bevond. Marianita neusde rond op mijn bureau en wilde net iets zeggen toen mijn neef haar onderbrak:

'Ben je nog naar de leeuw wezen kijken?' vroeg hij, nog altijd geobsedeerd door zijn sigarettenkoker.

'Het beruchte dagboek,' zei Marianita terwijl ze met mijn groen-witte notitieboekje naar haar broer zwaaide.

Ik keek haar met een vernietigende blik aan en trachtte het haar snel af te pakken. Nadat ze even weerstand had geboden, gaf ze het me uiteindelijk toch en in onze korte worsteling voelde ik de uitdagende, verleidelijke loomheid van haar lichaam.

'Naar de leeuw?' vroeg ik vervolgens onverschillig aan mijn neef.

'Mijn vader gaat zijn kop opzetten,' zei hij, 'om aan zijn maîtresse cadeau te doen. Het is maar dat je het weet.'

'Alsjeblieft,' prevelde Marianita.

'Ik vind het schitterend dat hij dat gaat doen,' zei mijn neef. 'Net als in de oorlog.'

'Dat zal wel weer een verzinsel van Epifanio zijn,' antwoordde Marianita die tevergeefs een streng gezicht probeerde te trekken.

'Ik weet het niet,' zei ik terwijl ik plots ontdekte dat het beeldje dat ik van mijn oma had gekregen van plaats was veranderd.

Aurelio dacht even na. Nadat hij zijn sigarettenkoker had geopend en naar het plafond had gekeken met de blik van iemand die weet heeft van geheime zaken, zei hij tegen mij:

'Trofeeën,' en klikte daarop zijn sigarettenkoker met een beslist gebaar weer dicht.

Op dat moment kwam een dienstmeisje ons waarschuwen dat mijn tante wegging. Omdat we ons altijd aan de ongeschreven regel hielden die onmiddellijke gehoorzaamheid verbood, wachtten we eventjes voor we erg langzaam en zonder ook maar een woord te zeggen naar beneden liepen. In het schelle licht dat uit de ontvangstkamer kwam waren de ontelbare takken van de apenboom nu duidelijker zichtbaar. Met veel gekus en de geestdriftige belofte dat we elkaar het weekeinde weer zouden zien werd er – ook door mijn oom Alfonso María en mijn tante Carola – afscheid genomen op de patio. Ik zag ze vertrekken met een vaag, tegenstrijdig en onaangenaam gevoel, alsof ik overbluft was.

4

Op een dag, tijdens de siësta, hoorde ik mijn moeder gillen. Het was geen vreselijke gil, hij was niet eens heel erg hard, maar omdat het de eerste keer in mijn leven was dat ik haar zo'n keel hoorde opzetten, schrok ik toch flink. Ik hing op dat moment verveeld rond en begreep onmiddellijk dat het afgelopen was met mijn gelanterfant. Ik rende zo hard ik kon in de richting van waar die gil gekomen was, die inmiddels in gesnik was overgegaan, en even later trof ik mijn moeder huilend aan. Ze bevond zich met mijn vader in de ontvangstkamer boven en geen van beiden zei ook maar iets. Ik bleef weifelend bij de deur staan, alsof ik zo het slechte nieuws zou kunnen ontwijken. Want daar was ik toch wel een beetje bang voor.

'Ze hebben je oom Alfonso María gearresteerd,' zei mijn vader behoorlijk kalm.

'Waarom vertel je hem dat nou?' snikte mijn moeder terwijl ze met een zakdoek haar tranen droogde. 'Hij hoeft dat toch niet te weten?'

Ik wist niet wat ik moest antwoorden. Ik was nooit erg aan mijn oom gehecht maar dit bericht schokte me toch meer dan ik had verwacht. Daarop schoten er in een flits beelden door me heen die nergens op sloegen: mijn oom en neef geboeid, zij aan zij en beschuldigd van afpersing van een volkomen weerloos slachtoffer.

'Een secretaris die ooit bij hem in dienst was heeft hem aangegeven,' verduidelijkte mijn vader bijna fluisterend, alsof hij door zijn stem te dempen aan het veto van mijn moeder ontkwam.

'Mijn god,' zei ze, 'hou ons kind in vredesnaam buiten deze schande.'

Mijn vader legde zijn hand troostend op haar hoofd en in de blik waarmee hij me aankeek kon ik zien dat hij me voortaan als een volwassene beschouwde.

'Er is niets aan de hand,' zei hij, nu weer op een gewone toon. 'Wees maar niet bang.'

Plots schoot me iets te binnen wat mijn tante Carola me ooit had gezegd, maar mijn gedachten waren zo verward dat ik niet in staat was me precies te herinneren waar dat ook al weer over ging. Het optreden van mijn oom in de oorlog vermengde zich zowel met de gruwelijke episode waarin die bezorger in de leeuwenkooi was gestopt als met de gebeurtenissen rond de kapelaan. En midden in die warboel van fragmentarische beelden, misleidende sporen en chaotische aanwijzingen dook die juwelenkist weer op, het enige beeld dat alle andere – aangename of afschuwelijke – beelden uit die jaren leek te omvatten.

'Wat gaat er nu gebeuren?' prevelde ik.

'Ga naar je kamer, José Daniel,' lukte het mijn moeder uit te brengen. 'Doe wat ik je zeg.'

Toen ik wegliep, sloeg me van een vreemde plek de geur van jeneverbessen en basilicum van mijn vaders zelfgemaakte jenever tegemoet. In mijn kamer kreeg ik het gevoel dat iemand die tijdens mijn afwezigheid had doorzocht. Ik haalde mijn notitieboekje uit een la te voorschijn en begon erin te bladeren, op zoek naar ik weet niet wat voor verklaringen. Ik had nog een uur voor mijn Engelse les begon en besloot plots naar opa's huis te gaan om van mijn neef en nicht te horen wat er nu precies was gebeurd. Ik zei niets tegen mijn ouders of het dienstmeisje maar sloop het huis uit en liep door de zonovergoten straten, die op dat moment wel iets van tunnels hadden.

Om bij het huis van mijn opa te komen moest ik een groot deel van de oude stad door: een labyrint van zo goed als verlaten steegjes en pleintjes, een eindeloos aantal patio's, stukken braakliggend terrein en ruïnes van oude herenhuizen die in een enorm tempo door flatgebouwen werden vervangen. Dat was een tegelijk rijke en armetierige enclave, het resultaat van een spontane stedenbouw die zich binnen de stadsmuren had ontwikkeld met een wanorde die uiteindelijk haar eigen, volmaakte harmonie had aangenomen. Gebouwd op een heuvelachtig terrein, had deze oorspronkelijke basis van de stad een steeds chaotischer aanzien gekregen, iets wat zowel door de woningen als de bewoners werd weerspiegeld. Menig huis, gebouwd met simpele materialen die allang in onbruik waren geraakt en inmiddels vervangen door albast en baksteen, stond op het punt in te storten. In het verlangen zoveel mogelijk ruimte te winnen was er een chaotische verzameling bouwwerken ontstaan: schitterende voorbeelden van volkse architectuur, in gotische stijl gebouwde huizen met krakkemikkige houten bovenverdiepingen, neoklassieke gevels overdekt met varens, een klooster dat een volmaakte harmonie uitstraalde en statige herenhuizen waarvan de patio's in opslagplaatsen waren veranderd. In deze praktisch volledige wanorde waren we opgegroeid en hadden we soms onze avonturen beleefd; vanuit deze al half verdwenen of nooit helemaal tot ontwikkeling gekomen wereld begonnen we naar een andere wereld om te zien, waarvan het er niet toe deed of die nu vriendelijker of onvriendelijker was.

Toen ik bij het huis aankwam stond het hek van de patio op een kier en ik glipte naar binnen zonder dat ik ook maar iemand tegenkwam. Ik liep de trap op en twijfelde even bij de splitsing op de overloop. Uiteindelijk ging ik naar links en toen ik bij de laatste treden was, klonk de stem van mijn oom Alfonso María:

'Dit zal ik ze betaald zetten,' dacht ik dat ik hem hoorde zeggen.

Hij stond samen met mijn tante Socorro bij de deur van zijn kantoortje dat aan die kant van de galerij lag. Hoewel hij me in het begin niet zag, viel zijn blik uiteindelijk toch op me. Op zijn gezicht stond de afschuw te lezen van mensen die er aan gewend zijn dat niemand tegen hen durft in te gaan.

'Je neef en nicht zijn in de studeerkamer,' zei mijn tante met zo'n vreselijk benauwde stem dat ze daardoor plots stokoud leek.

Ik liep zwijgend door naar wat zij de studeerkamer noemde, een kamer helemaal achter in het huis die twee gebrandschilderde ramen had en waar een paar kasten stonden die uitpuilden van oude kruiken en borden van traditioneel aardewerk. Verder stonden er nog twee ovalen tafels met een marmeren blad en was er een met marmer afgewerkte open haard. Die kille ruimte, met de enigszins onaangename sfeer van een doodstille gelagkamer, gaf mij altijd de indruk dat de gasten zojuist woedend van tafel waren opgestaan omdat ze het zat waren op bediening te moeten wachten. Ik bleef even voor de deur staan, uit vrees voor ik weet niet welk volksgericht, maar ten slotte ging ik toch naar binnen. Mijn neef en nicht stonden allebei in de buurt van de open haard, maar terwijl hij de agressieve houding had van iemand die zojuist heeft besloten tot de aanval over te gaan, tuurde zij afwezig door de gebrandschilderde ruiten.

'Heb je het al gehoord?' was het eerste wat mijn neef aan me vroeg. 'Heb je al gehoord wat ze gewaagd hebben met mijn vader te doen?'

'Zo half en half,' antwoordde ik.

'Niet echt, dus,' zei hij terwijl hij nadrukkelijk zijn hand ophief alsof hij een luidruchtige menigte moest kalmeren. 'Ze hebben het gewaagd hem op te sluiten, besef je dat wel?'

'In de gevangenis,' voegde Marianita eraan toe alsof ze het juiste antwoord op een raadsel had gegeven.

Ik antwoordde zoiets als och, wat vreselijk en vervolgens kreeg ik de gebeurtenissen te horen in de versie van mijn neef. Een ingewikkeld verhaal van misdaden, ongelooflijke listen en wraakzucht, waarbij mijn tante Carola later nog enige kritische kanttekeningen zou plaatsen. Het bleek dat don Ismael, voordat hij kapelaan werd, onder bevel van mijn oom tot het laatst toe in de oorlog had gevochten. Niemand wist dat, behalve Juan de Juana, de voormalige secretaris van mijn oom die voor diens vertrouwelijke zaken zorg droeg. Tussen de pas weduwnaar geworden soldaat Ismael Navarro en de pas getrouwde commandant Alfonso María Romero ontwikkelde zich een soort haat-liefdeverhouding. Ze leken echt niets met elkaar gemeen te hebben, niet in hun achtergrond of afkomst en al evenmin in hun smaak en voorkeuren. Maar de soldaat volgde met zoveel overgave en discipline de orders van zijn commandant op, dat die hem tot zijn ordonnans benoemde. Op een dag raakte Ismael Navarro ernstig gewond en werd naar een veldhospitaal afgevoerd, waar hij om de laatste sacramenten vroeg. En nadat hij had gebiecht vroeg hij om zijn commandant en vertelde hem hetzelfde verhaal als hij tegen de aalmoezenier had gedaan. Maar hij stierf niet en mijn oom ging gewoon door hem in bescherming te nemen tot de oorlog afgelopen was en ieder in eenzelfde overwinningroes, maar mijn oom natuurlijk wel met heel wat meer medailles dan de kapelaan, zijns weegs ging.

Daar zou het bij gebleven zijn als mijn oom zijn voormalige ordonnans niet opnieuw tegen het lijf was gelopen bij de kloosterkerk, waar hij onderdiaken was. Na de verrassing van het weerzien en de innige omarming, herinnerden ze zich de enorme offers die ze hadden gebracht om het vaderland opnieuw onder Gods heerschappij te brengen en uiteindelijk werd uit dit alles het idee geboren dat don Ismael kapelaan zou worden van de Romero's, aangezien de familie – vreemd genoeg – die nog niet had. Mijn oom was de biecht van zijn ernstig gewonde ordonnans, waarin deze de moord op zijn vrouw en de valse beschuldiging van de zadelmaker bekende, niet vergeten maar hij repte daar met geen woord over. Op een avond echter toen mijn oom met Juan de Juana naar de hoeren ging, had hij zoveel gedronken dat hij deze over die vreselijke misdaden van don Ismael vertelde. Juan de Juana had zich dat verhaal heel erg goed ingeprent omdat hij dacht daar ooit misschien nog een slaatje uit te kunnen slaan. En dat bleek inderdaad het geval want enige jaren nadat mijn oom hem op straat had gezet, werd hij gearresteerd vanwege een gewapende overal. Toen hoefde Juan de Juana natuurlijk niet lang na te denken: hij bood de politie informatie aan over een verzwegen misdaad in ruil voor strafvermindering. Behalve dat hij er zo aan ontkwam dat hij de volle acht jaar moest uitzitten die hem te wachten stond, kon hij op deze manier ook nog eens wraak nemen op mijn oom die hem op zo'n schofterige manier op straat had gezet.

Hoewel de betreffende misdaad (of rechterlijke fout) allang verjaard moest zijn, was er een overijverige rechter die zich voor de zaak interesseerde en deze sommeerde mijn oom onmiddellijk voor hem te verschijnen. Mijn oom, op zijn beurt, gaf de rechter toestemming hem te bezoeken, mits hij zijn bezoek maar één dag van te voren aankondigde. Dat bleek echter een grote vergissing van mijn oom, want zijn arrogantie werd als ongehoorzaamheid aan de wet opgevat en de rechter – die jong en onervaren moest zijn – gaf het bevel om de graaf van Malcorta aan te houden en voor te leiden. Vanaf hier kreeg ik de gebeurtenissen gedetailleerder van mijn tante Carola te horen en die zouden volgens haar als volgt zijn verlopen:

Een koppeltje agenten verschijnt om half elf 's morgens ten huize van mijn oom. Een wel heel erg ongelegen tijdstip, vooral als je bedenkt wat voor een dagindeling mijn oom erop nahoudt. Mijn oom laat de agenten dan ook op de patio wachten en komt pas om half twaalf naar beneden. De agenten zijn zenuwachtig maar durven hem op geen enkel moment tot haast te manen. Wanneer mijn oom vraagt hoe ze het in hun hoofd hebben gehaald hem van zijn bed te komen lichten, antwoorden de agenten dat ze daartoe orders hebben ontvangen en ze tonen hem het arrestatiebevel. Of ze misschien eventjes willen wachten, vraagt mijn oom, dan zal hij de plaatselijke politiecommandant bellen om nadere inlichtingen. De twee agenten kijken elkaar duidelijk geschrokken aan. Mijn oom gaat naar binnen maar het lukt hem niet om de commandant aan de telefoon te krijgen. Het is inmiddels twaalf uur geworden. Dat ze nog even geduld moeten hebben, hij gaat nu met de gouverneur bellen, en die krijgt hij meteen aan de lijn. Mijn oom laat een bediende tegen een van de agenten zeggen dat hij aan de telefoon moet komen. Dat gebeurt, maar de agent kan door al het gepraat dat over en weer plaatsvindt er geen touw meer aan vastknopen en belt op zijn beurt naar de commandant om instructies te vragen. Op dat moment komt mijn tante naar beneden en vraagt aan de agenten of ze eigenlijk wel weten wie mijnheer is. Een van hen antwoordt dat ze dat maar al te goed weten maar dat het respect dat ze voor hem hebben ze niet verhindert om hun orders uit te voeren. Mijn tante trekt daarop een wat verbaasd gezicht terwijl mijn oom haar nogal bruusk naar binnen stuurt. Beteuterd vraagt mijn tante aan de agenten of ze soms een kopje koffie of een aperitiefje willen, hoe dan ook, zegt ze, zal ze een bediende de luifel laten uitrollen want het is al erg warm. De agent die naar het politiebureau heeft gebeld lijkt een aanval van waanzin te krijgen want hij doet iets verschrikkelijks: hij pakt mijn oom onder zijn arm en wijst naar de deur. Niemand snapt dat mijn oom op dat moment zijn pistool nog niet heeft getrokken. Tegelijkertijd dringt het tot de agent door dat een tiental bedienden zijn toegesneld om naar het spektakel te kijken, waarop hij de arm van mijn oom weer loslaat, misschien wel uit een diepgeworteld respect. Ondertussen is het inderdaad erg warm geworden op de patio. Zonder dat iemand daarom heeft gevraagd draagt Epifanio twee rieten stoelen aan zodat de agenten kunnen gaan zitten, maar deze slaan de uitnodiging echter af. Op de galerij boven kijken mijn tante, mijn neef en mijn nicht toe. Mijn oom zegt tegen de agenten dat ze voor de zekerheid nog beter even kunnen wachten, want hij staat op het punt het probleem uit de wereld te helpen, intussen gaat hij dan even een glaasje nemen. Waarop mijn tante zegt dat hij toch niet in zijn eentje kan gaan zitten drinken. Mijn oom trekt zich daar echter niets van aan. Hij gaat op een stoel zitten en laat een bediende een kruikje cream sherry voor hem halen. Even na half één arriveert een speciale afgevaardigde van de gouverneur samen met de politiecommandant. Nadat de agenten gesalueerd hebben stuurt de commandant hen meteen weg, een bevel dat ze – na eerst mijn oom hun excuses te hebben aangeboden vanwege de vervelende interruptie – op gedisciplineerde wijze opvolgen. Ook mijn tante trekt zich discreet terug en de heren gaan in een van de ontvangstkamers beneden zitten om een glaasje te nemen.

Tot zover ongeveer het verhaal van mijn tante. Maar er zat nog een klein staartje aan dit voorval. Want nadat besloten was dat mijn oom niet voorgeleid zou worden, nam hij zich voor de bewuste rechter onmiddellijk uit zijn functie te laten zetten. Het was voor hem totaal onbegrijpelijk hoe hij ooit op deze manier geschoffeerd had kunnen worden. Zowel door zijn afkomst als door zijn heldhaftige optreden in de oorlog was zo'n behandeling ontoelaatbaar. Hij regelde het dan ook snel dat de rechter werd overgeplaatst waardoor zoiets niet nog een keer zou kunnen gebeuren.

'Mijn goede naam staat op het spel,' zei hij tegen zijn vrouw nadat de commandant en de afgevaardigde waren vertrokken.

'Ik zou het anders niet leuk vinden als die agenten er voor op moeten draaien,' antwoordde zij. 'Ze waren zelfs zo beleefd dat ze niet eens een kopje koffie wilden accepteren.'

'Ik laat heus niet over me lopen,' zei mijn oom terwijl zijn gezicht een beetje ontspande. 'Daar kun je zeker van zijn, knoop dat maar eens goed in je oren.'

'Ik wist niet dat zo'n eenvoudige rechter zomaar iemand kon laten oppakken,' voegde mijn tante eraan toe, wellicht in de veronderstelling dat alleen het hooggerechtshof die bevoegdheid bezat.

'Nou dat zal hij dan nog wel merken,' zei mijn oom.

En inderdaad merkte die rechter het. Na drie weken kreeg hij te horen dat hij vanwege een ambtelijk besluit werd overgeplaatst. Mijn oom beschouwde dit niet alleen als een persoonlijke overwinning maar ook als een logische strafmaatregel voor een grove aantasting van het algemeen belang. Maar al met al was het waarschijnlijk mijn moeder die het meest onder deze vervelende zaak te lijden had, ik weet niet of dat nu kwam omdat ze in eerste instantie dacht dat haar broer echt in de gevangenis zou belanden of omdat ze die kwestie van don Ismael als een eeuwig blok aan haar been voelde. Hoe dan ook raakte de routine van het dagelijkse leven in huis een beetje verstoord omdat mijn moeder, uit een soort onverklaarbare wroeging, stiller was geworden dan vroeger. En zelfs mijn tante Carola deed niets om dat te verhelpen.

5

De mislukte arrestatie van mijn oom viel min of meer samen met een enorme crisis in de wijnhandel. Niet dat de bodega failliet was maar een grondige hervorming van het bedrijf was hoogstnoodzakelijk geworden. In het begin had mijn oom zich nog op alle mogelijke manieren verzet tegen een wezenlijke verandering in de bedrijfsvoering – hij offerde daartoe zelfs een paar haciënda's op – maar door de slechte financiële situatie was de overgang van een traditioneel familiebedrijf naar een moderne marktgerichte onderneming uiteindelijk toch onvermijdelijk geworden. Om de bodega te redden zag mijn oom zich dan ook gedwongen bij een bank om financiële steun aan te kloppen (terwijl mijn vader natuurlijk niets anders kon doen dan daarmee in te stemmen) en nadat er bedrijfsanalisten waren ingeschakeld, was het uiteindelijke resultaat van dat alles dat hij de leiding over het bedrijf af moest staan aan een door de bank aangestelde directeur. Ook al werd deze ingrijpende hervorming niet van de ene op de ander dag voltrokken, het was een erg pijnlijk proces waaruit onomstotelijk bleek dat een tot dan toe onaantastbare wereld volkomen op zijn kop kon worden gezet.

Ik weet niet precies hoe mijn vader hier nu eigenlijk over dacht want hij liet zich er nooit openlijk over uit. Mijn oom zag in zijn woede echter de listige inmenging van buitenlands kapitaal, het schaamteloze optreden van die jonge rechter en allerlei andere ongehoorde zaken als één grote samenzwering tegen de traditie. Hij voelde maar al te goed dat zijn zekerheid boven anderen te staan bezig was in te storten en dat schokte hem tot in zijn diepste wezen. Hij herinnerde zich de jaren dat hij tot hoofd van de familie was uitgegroeid – in de tijd dat mijn opa een teruggetrokken leven begon te leiden omdat hij tot steeds minder in staat was – en de familiebezittingen, inclusief de titel van graaf, in handen kreeg, een ontwikkeling die op een weldoordachte aanpak van de wijnbouw en op een adellijke achtergrond steunden. Deze onwankelbare zekerheid van een van vader op zoon overgegane macht, was niet iets wat hij zomaar cadeau had gekregen of wat hem toevallig in de schoot was geworpen en waarvan hij gewetenloos had geprofiteerd. Integendeel, hij had daar dag na dag met een energieke – en fanatieke – overlevingsdrang voor moeten knokken. Maar alles rondom verspreidde nu een doordringende, ondraaglijke stank van verrotting en zelfs de trouw aan het vaderland leverde niets anders meer op dan ceremoniële functies.

Mijn tante Socorro, die een totaal bankroet van de bodega vreesde – en die het aantal bedienden al bijna had moeten halveren –, was vastbesloten om langs andere weg de inkomsten van de familie te verhogen. Ze probeerde dan ook de steun te winnen van mijn moeder en mijn tante Carola voor een erg ingenieus plan dat ze had bedacht (ze was namelijk tot het inzicht gekomen, zo verzekerde ze hun, dat al die praatjes waar zij als echte kletskont zo dol op was nu eenmaal geen brood op de plank brachten). Dat plan behelsde dat alle eierdooiers die in de bodega waren overgebleven nadat het eiwit was gebruikt om de sherry een lichtere kleur te geven voortaan naar de keuken zouden worden gestuurd. Die dooiers zouden dus niet langer aan het nonnenklooster of aan de arbeiders van de bodega worden gegeven. Mijn neef en ik hadden verschillende keren meegeholpen bij dat best leuke karwei om de eierdooiers van het eiwit te scheiden. De eiwitten – afkomstig van de eieren van langsthamkippen die op La Valerita werden gehouden – werden in kannen gedaan en de dooiers in glazen kommen. Elke kan bevatte het eiwit van precies zeventien eieren, daaraan werd een scheut sherry toegevoegd en vervolgens werd alles met een takje rozemarijn door elkaar geroerd. De kannen werden ten slotte in een groot wijnvat leeggegoten. Soms aten de arbeiders de overgebleven dooiers zo met een lepel op, andere keren maakten ze er een soort cocktail van door ze met droge sherry en rietsuiker te vermengen, een hartversterking die zelfs de meest versufte van hen nieuw leven inblies. Ook werden de dooiers wel in de broodtrommels mee naar huis genomen. Maar dat was van nu af aan helemaal afgelopen want volgens het plan van mijn tante zouden die dooiers erg goed van pas komen om gebakjes en andere lekkernijen van te maken, die vervolgens verkocht konden worden.

Mijn moeder had aanvankelijk zo haar bedenkingen tegen dit plan. Behalve dat het volgens haar verdacht veel op oneerlijke concurrentie met de nonnen leek, zou het spreekwoordelijke beeld van de familie Romero als wijnbouwers door zo'n banketbakkerszaak wel een heel erg grote deuk oplopen. Maar mijn tante wist haar uiteindelijk toch te overtuigen met het geweldige argument dat het hier toch om hun eigen eieren ging en dat het nogal dom zou zijn als ze daar niet hun voordeel mee zouden doen. Mijn tante Carola echter betoonde zich terughoudend en verleende dan ook slechts schoorvoetend haar medewerking aan het plan. Wat betreft mijn oom, het eerste wat hij deed toen hij van het plan hoorde was in een bulderend gelach uitbarsten en toen hij daar eenmaal van was bijgekomen verbood hij zijn vrouw en zusters pertinent dat ze in de keuken zouden gaan staan en de goede naam van de familie met dat smerige eigeel zouden besmeuren. Maar na verloop van tijd deed hij al alsof zijn neus bloedde, hetzij omdat hij door deze drukke bezigheden van zijn vrouw voortaan mooi van haar gezeur over andere zaken dacht af te zijn, hetzij omdat zijn enorme zelfverzekerdheid, sinds hij de leiding over de bodega was kwijtgeraakt, een forse deuk had opgelopen.

De banketbakkerij werd in een kamer vlak naast de keuken ingericht en werd hoogstpersoonlijk door de huishoudster Remedios gerund. Afgezien van de incidentele hulp die ze van twee dienstmeisjes ontving, werd ze daarin gewoonlijk bijgestaan door mijn moeder en mijn twee tantes. Mijn moeder klopte de eierdooiers, mijn tante Carola maakte de siroop en mijn tante Socorro vette de bakvormen in. De gebakjes zelf werden door de huishoudster gemaakt, die de godganse dag in de bakkerij aan de slag was en voortdurend liep te pochen op haar enorme kwaliteiten als banketbakster, vooral als je die met die van de meisjes vergeleek. Zij wilde eigenlijk ook de verkoop van het gebak op haar schouders nemen, maar omdat ze daar totaal niet geschikt voor was, werd die taak toebedeeld aan een van de bedienden die aan de ontslaggolf was ontsnapt, een wat kleffe en verwijfde knul, die echter erg bijdehand en slim was.

En die banketbakkerij begon nog goed te lopen ook. De verkoop van het gebak vond natuurlijk niet in huis plaats, maar in de ruimte die mijn oma Adelaida ooit in het koetshuis had laten inrichten om na het paardrijden wat uit te rusten en waar ze op een rampzalige dag dat vermoorde veulen hadden gevonden. Daar leverde die knul elke ochtend de bestellingen af en verkocht het resterende gebak – als dat er was tenminste – aan klanten die op het laatste moment nog iets kwamen inslaan. Volgens mijn tante Socorro werden er op één dag zelfs meer dan duizend gebakjes verkocht. Een verkoopcijfer waar zij, vooral omdat ze niet eens een Romero was, nogal prat op ging.

De drukte in de banketbakkerij had een duidelijke invloed op het dagelijkse leven van de familie. Hoewel mijn moeder haar gewoontes nauwelijks aanpaste (en zelfs langzaamaan haar functie van dooierklopster opgaf), maakte mijn tante Socorro het hele huishouden ondergeschikt aan de strenge eisen van de productie, niet alleen doordat ze zelf vreselijk vroeg opstond maar ook doordat ze iedereen in huis voor haar grote en goeddoordachte plannen trachtte in te zetten. Door die banketbakkerij had haar leven weer zin gekregen en op een avond was haar zelfs geopenbaard dat alles wat ze vroeger had gedaan eigenlijk niets voorstelde en volkomen nutteloos was geweest.

In die tijd kwam er steeds vaker een kennisje van de Berengaria langs die aanbood om te helpen bij het maken van het gebak. Dat meisje, met een leeftijd die ergens tussen die van mijn tante Socorro en mijn nichtje Marianita in lag, heette Dulcenombre en het opvallende aan haar was dat ze geen enkele make-up gebruikte noch sieraden droeg, iets waardoor ze erg op een jongen leek. Mijn neef behandelde haar van het begin af aan met een zekere minachting, bijna op dezelfde manier als zijn vader zou doen, die zich altijd arrogant boven wie dan ook plaatste. Misschien was hij wantrouwend, of begreep niet goed waarom Dulcenombre plotseling zo vaak langskwam, en zijn minachting werd zelfs nog groter toen ze haar tweelingbroer Quinín begon mee te nemen die door zijn uiterlijk en gedrag meer haar tweelingzus leek. Quinín was niet alleen heel handig in het bestrijken van vormpjes met karamel, maar hij kon nog prachtig zingen en voordragen ook.

Het was onduidelijk waarom mijn tante Socorro nu eigenlijk zo aan Dulcenombre en Quinín was gehecht maar ze bracht wel bijna steeds de hele avond samen met hen door, hetzij in de bakkerij, hetzij in een van de bovenkamers. Dat droeg er alleen maar toe bij de vijandigheid van mijn neef nog groter te maken dan ze al was. Die openlijke afkeer kon echter heel goed een soort camouflage zijn van een onderdrukt verlangen waar mijn neef om een of andere duistere reden niet voor uit wilde komen. Mijn tante Carola en mijn nichtje Marianita waren wel erg ingenomen met de aanwezigheid van die praktisch identieke tweeling die, behalve over een aangeboren vriendelijkheid, ook over een doeltreffend vermogen beschikten om zelfs de meest hardnekkige spanningen te laten verdwijnen. Door de uitdagende, kinderlijke spelletjes die ze gewoonlijk verzonnen werd de sleur van het dagelijkse leven in huis op verrassende wijze doorbroken. Ook ik deed vaak aan die spelletjes mee en anders dan mijn neef (wiens afkeer steeds duidelijker op verkapte begeerte begon te lijken), vermaakte ik me uitstekend met de tweeling, niet zozeer omdat ze zo makkelijk in de omgang waren maar omdat hun speelsheid simpelweg ontwapenend was.

Op een dag toen we allemaal in de speelkamer waren verscheen mijn oom Alfonso María. Het was niet de eerste keer dat hij de tweeling zag, maar die keer moest hem hun grote charme pas echt zijn opgevallen, want nadat hij ze goed bekeken had prees hij ze gewoon de hemel in. Hij stelde zelfs voor om een uitstapje met hen te maken: naar de paarden gaan kijken op een van de haciënda's of picknicken op een van de landerijen, ze mochten zelf kiezen. Terwijl ik mijn oom hoorde praten probeerde ik te ontdekken of hij misschien teveel sherry op had maar zijn gezicht, met die begerige ogen, verried slechts een zekere zenuwachtigheid. Toen viel me plots die avond in dat ik hem samen met mijn neef in het nieuwe gedeelte van het koetshuis had betrapt terwijl hij naar twee naakte jongens keek die erotische spelletjes voor hem opvoerden. Hoezeer ik die gedachte ook trachtte uit te bannen, het vermoeden dat mijn oom de tweeling voor iets dergelijks wilde gebruiken bleef me voortdurend achtervolgen.

In deze omstandigheden gebeurde er iets waar we misschien allemaal vaag een voorgevoel van hadden maar waar we het nooit openlijk over hadden gehad, hoewel zowel de gebeurtenissen als de personen die erbij betrokken waren ons volkomen verrasten. Alles begon op een avond toen mijn tante Socorro – ze had al een uur lang alleen met de huishoudster Remedios in de bakkerij gestaan – plots haar werk onderbrak. Ik slenterde met mijn neef en nicht over de achterplaats en we gingen net de trap naar de galerij op, toen mijn tante hijgend en puffend kwam aangerend. Ze zei geen woord maar keek ons slechts even vragend aan, alsof ze erop wachtte dat we haar duidelijkheid zouden geven over iets waar wij niets van af wisten. Vervolgens rende ze als een wildeman door, de galerij over, en sloeg een van de zijgangen in. Wij liepen achter haar aan en zagen haar achterin de gang staan smoezen met een van de tweelingen, het was niet goed te zien met wie. Maar toen we dichterbij kwamen zagen we dat het Dulcenombre was.

'Verboden toegang,' zei ze, alsof ze poortwachter speelde bij de deur van mijn tante Carola.

'Ik ben al de hele tijd alleen beneden,' antwoordde mijn tante met een benauwd stemmetje. 'Zou ik misschien mogen weten wat dit voor een spelletje is?'

'Verboden toegang,' herhaalde Dulcenombre terwijl ze haar armen spreidde alsof het de vleugels van een engel waren. 'Toe, doe wat ik zeg. Quinín en Carola willen beslist niet dat hun geheim bekend wordt.'

Mijn tante had maar al te goed door wat dat geheim was, misschien omdat ze een raar geluid had gehoord vanachter de deur, want nadat ze eerst mompelend een paar stappen achteruit had gedaan, ging ze plots met veel aplomb vlak voor Dulcenombre staan om iets te vragen dat waarschijnlijk begrijpelijker was dan het op het eerste gezicht leek.

'Zeg me eens,' zei ze terwijl ze haar ogen vorsend samenkneep. 'Hoe oud is Quinín eigenlijk?'

'Tweeëntwintig of zevenentwintig, dat is maar hoe je het bekijkt,' antwoordde Dulcenombre. 'Net als ik.'

'Dat is mooi dan,' zei mijn tante. 'Ik zal eens even gaan kijken.'

'Wacht,' herhaalde Dulcenombre terwijl ze opnieuw haar armen spreidde.

Op dat moment kuchte Marianita eventjes, waarop mijn tante zich plotseling omkeerde. Ze liep in de richting van waar wij stonden, maar nog voor ze bij ons was had ze zich blijkbaar bedacht en maakte al weer aanstalten om terug te lopen.

'Wat een discretie,' zei ze. 'Gedragen jullie je nu maar helemaal zoals het hoort en ga onmiddellijk naar de studeerkamer. Jij ook.' En bij dat laatste keek ze mij aan.

Toen Dulcenombre vervolgens zachtjes op de deur roffelde waren er daarachter precies een paar vreemde geluiden te horen. Ik zag onmiddellijk voor me hoe Quinín en mijn tante Carola in elkaars armen lagen. Dat bange vermoeden was als een wellustige, pijnlijke steek van mijn verbeelding. Ik keek mijn neef aan en ik denk met een blik waaruit de stille woede sprak van iemand die zich groot probeert te houden. Maar voor hij iets kon zeggen rende ik hard weg, zogenaamd om iets op de patio te gaan zoeken. De gecapitonneerde trapleuning, de loper die versleten was bij de rand van de treden, de overloop van waar je de kruiken met zeekoraal en de enorme potten met aspidistra kon zien staan, het zonlicht dat door de luifel werd getemperd en dat de marmeren plavuizen zacht liet glanzen, de nauwelijks te onderscheiden spijlen van het hek, de opgezette luipaard in de ogen waarvan zich vaag de tegeltjes op de muren weerspiegelden: niets van wat er aan me voorbijtrok kon me troosten. De huishoudster Remedios zat in de bijkeuken op een lage rieten stoel die haar nog kleiner maakte dan ze al was en staarde naar haar handen op haar schoot. Ze keek me met een vragende blik aan maar ik liep overweldigd door verdriet en woede zwijgend door naar de bakkerij waar ik, omdat er niemand was, meteen rechtsomkeert maakte en de patio overstak naar het hek.

Het geruis van de in de wind bewegende acacia's op het pleintje leek op het zachte borrelen van wijn die in de vaten lag te gisten. Ik had helemaal geen zin om naar huis te gaan en maakte een lange omweg door het labyrint van steegjes in de buurt van de bodega. Hoewel ik mijn gedachten onder controle probeerde te krijgen, werd ik nog altijd achtervolgd door beelden van mijn tante Carola en Quinín die in elkaars armen lagen. Begerig stelde ik me steeds weer de scène voor die ik eigenlijk uit mijn gedachten wilde bannen: alsof ze helemaal in haar eentje was, danste mijn tante met wellustige bewegingen vlak voor Quinín langs en nadat ze hem met een lome armbeweging naar zich toe had getrokken liet hij zich, wiegend en volkomen door de geur van haar schitterende lichaam overweldigd, met een haast vrouwelijke gewilligheid in haar armen sluiten. Ik werd meegesleurd door een maalstroom van woede en weerzin terwijl een voorgewend verdriet, waarin de schaamte niet in valsheid onderdeed voor de jaloezie, me totaal had overmand. Een eindeloze keten van kwellende gedachten nam bezit van mij en ik kon maar niet begrijpen waarom Dulcenombre zich verlaagd had om als een koppelaarster op de uitkijk te gaan staan en het zo mogelijk te maken dat haar broer en mijn tante konden toegeven aan verlangens die ze tot dan toe verborgen hadden gehouden, twee mensen die toch werkelijk niets met elkaar gemeen hadden. En het meest onbegrijpelijke van alles was nog wel dat er blijkbaar duistere begeerten konden bestaan die de meisjeachtige Quinín in de armen van mijn tante hadden gedreven. En vormde aan de andere kant de verkrampte houding van mijn neef geen duidelijke aanwijzing voor het bestaan van zijn geheime verlangen naar zowel Dulcenombre als Quinín, dat wil zeggen, naar iemand die exact het midden houdt tussen man en vrouw en die precies daarom des te begeerlijker is? Hoe dit ook zij, mijn intuïtie zei me deze vermoedens niet zomaar als te onwaarschijnlijk te verwerpen.

Op mijn omweg kwam ik op plekken die ik me slechts vaag herinnerde. Een steile straat die uitkwam op een plein met palmbomen, een promenade met mozaïeksteentjes, een pas witgekalkt herenhuis met een geurige tuin omringd door half ingestorte muren, een fontein die opspoot uit een bekken waarin lange strengen algen hingen, de dikke, rechthoekige muren van de bodega's die in de schemer begonnen te vervagen. Voor de eerste keer in mijn leven durfde ik een kroeg binnen te stappen om een glaasje van die walgelijke cream sherry te drinken. De afkeer die ik voelde was als een dikke, donkere wolk die steeds groter werd naarmate ik verder liep. De stank van rottend fruit, de typische geur van biezen afkomstig van een stoelenmatterij, een flauwe zeeplucht. De vreselijke doodsheid van de verlaten straten. Gierzwaluwen die met wilde, zwenkende bewegingen door de lucht scheerden alsof ze in hun vlucht keer op keer ergens door werden afgeleid. En die decadente schoonheid, die vergane glorie van een lied dat, ondergegaan in de vele stormen die het ooit hebben geteisterd, als uit een diepe afgrond weerklonk.

Mijn moeder zat thuis op me te wachten maar zei er niets over dat het al laat was. Ik wist trouwens niet eens of dat echt zo was. Ik deed alsof ik me niet lekker voelde en liep meteen naar mijn kamer om te gaan slapen. Toen ik eenmaal in bed lag, dacht ik plots een definitief antwoord op al mijn vragen te hebben gevonden.

6

Ik hield mijn besluit om mijn tante Carola nooit meer te zien nauwelijks een week vol. In die tijd ging ik niet naar opa's huis om mijn neef en nicht op te zoeken en liep ik rond alsof ik aan het bijkomen was van een vreselijke ziekte. Ondertussen koesterde ik de ijdele hoop dat mijn afwezigheid zondermeer als wraak zou worden opgevat. Elke keer als ik aan mijn tante dacht, realiseerde ik me onmiddellijk waaraan ze zich had overgegeven en dat leidde tot hetzelfde gevoel als dat ik ervoer toen ik mijn oom in het koetshuis had ontdekt. Hoewel op een hele andere manier dan toen, had ook ik nu iets van een gluurder. Het was tegelijk afschuwelijk en aangenaam om me het lichaam van mijn tante voor te stellen tegen dat van Quinín gedrukt: lichamen praktisch gelijk in hun vrouwelijke wellustigheid, alsof twee personen van min of meer hetzelfde geslacht de liefde bedreven. Soms wanneer ik erover nadacht meende ik – net als mijn neef waarschijnlijk – een verontrustend verlangen naar Quinín bij me te voelen en dat niet alleen omdat mijn tante een voorkeur voor hem had, maar direct vanuit mijn eigen begeerte. Of was het soms toch Dulcenombre om wie het mij eigenlijk ging, weerspiegeld in de figuur van haar broer? Overrompeld door jaloezie, voelde ik hoe dan ook een diepe wrok en een groot verdriet: de woede te zijn uitgesloten van een pact waaraan ik evengoed deel hoorde te nemen.

Maar op een avond toen ik afwezig naar de regen staarde door de deuren van mijn balkon, hoorde ik plots een vreemd geluid achter me en rook een bloemengeur die me aan mijn tante deed denken. Al terwijl ik me omkeerde wist ik zeker dat zij het was. En inderdaad stond ze daar: het schemerlicht gaf haar gestalte een amberachtige uitstraling en in haar lichtblauwe ogen zag ik een lichte zweem van verwijt. Ze zei niets, ze stond daar maar doodstil in mijn kamer zonder enige verontschuldiging te maken, een bewegingloze figuur die totaal onwerkelijk leek.

'Ben je kwaad op me?' fluisterde mijn tante uiteindelijk.

Ik gaf geen antwoord en zij kwam naar me toe terwijl ze haar hand naar mijn hoofd uitstrekte, dat bekende gebaar waarmee ze me vroeg wat ik dacht.

'Als je wilt,' zei ze, 'dan ga ik weer.'

Maar die zijdezachte palm van haar hand lag al op mijn wang en haar ogen zochten de mijne, zonder dat ik haar aankeek of iets zei. De regen roffelde nu tegen de ruiten en dat geluid gaf mijn kamer een melancholieke sfeer, als op de vooravond van een reis die je eigenlijk niet wilt maken. Toen mijn tante zich vooroverboog om me te kussen ontweek ik eerst die lippen waarin vaag de mond van Quinín weerspiegeld leek te worden, maar onmiddellijk begreep ik dat in die indruk mijn eigen, onweerstaanbare verlangen school, een diepe begeerte vol wrok. Mijn tante moest iets gemerkt hebben want ze hield zich even in om me met een enigszins weifelende blik aan te kijken. Toen kuste ik haar onverwacht heel lichtjes op de mond. Hoewel ze in eerste instantie niet reageerde, opende ze vervolgens toch haar lippen en sloot die langzaam en teder rond de mijne. Terwijl ik onzeker dat warme, vochtige vlees voelde leek het wel of ik in haar geslacht doordrong. Maar nadat we elkaar wankelend omarmd hadden en ik haar buik tegen de mijne voelde drukken, maakte ze zich plotseling los en rende zo hard ze kon de kamer uit.

Sneller dan ik had gedacht kwam ik weer tot mezelf. Echter niet met het gevoel iets verwerpelijks te hebben gedaan, maar met een ongekende, diepe vreugde. Want hoe dan ook toonde dit duidelijk aan dat ik allang geen kind meer was en als een heuse volwassen man mijn tante had ingepalmd. Ik voelde haar lichaam nog altijd wellustig tegen het mijne drukken, proefde haar smaak in mijn mond, rook haar kinderlijke geur van citroen en warm strandzand, en huiverend geloofde ik dan ook eindelijk te zijn toegelaten tot dat liefdespact dat ze met Quinín en Dulcenombre had gesloten. Ik deed de balkondeuren open en liet de lauwe regen over mijn gezicht lopen. En ik weet niet wat ik nog meer heb gedaan, maar waarschijnlijk heb ik alleen maar met een oneindig geluksgevoel aan onze kus gedacht.

Ik durfde echter niet onmiddellijk naar opa's huis terug te keren om mijn neef en nicht op te zoeken. Ik wilde hen op dat moment ook helemaal niet zien, en dat gold vooral voor mijn neef, die nu elke ochtend naar de bodega ging om ingewijd te worden in de kneepjes van het wijnvak. Al sinds enige tijd rook zijn adem wanneer hij thuiskwam net zo naar sherry als bij zijn vader het geval was en bovendien praatte hij ook nog eens op dezelfde manier, met eenzelfde minachting voor anderen, en sliep net als hij ellenlange siësta's. Ik wist dat mijn neef en Custodia – de naaister – elkaar 's nachts in een hoekje van de patio of in de voormalige kapel ontmoetten, iets wat hij bij mij nadrukkelijk had laten doorschemeren als onomstotelijk bewijs van zijn mannelijkheid. Zijn arrogantie en blufferigheid bleken gewoon geen grenzen te kennen. Toch groeiden mijn neef en ik in die tijd niet zozeer hierdoor uit elkaar, maar vooral doordat heel zijn houding (inclusief zijn snobisme over Engeland, zijn wellustigheid en zijn verering van de traditie) een exacte kopie leek van iets wat ik altijd al in zijn vader had verafschuwd, zonder dat ik dat nu precies onder woorden had kunnen brengen. Maar misschien was deze weerzin niets anders dan een goedkoop voorwendsel om mijn tante Carola niet te hoeven zien.

Precies in die tijd organiseerden mijn vader en mijn oom Alfonso María een feest op Bensaudejo, een landhuis met uitgestrekte landerijen in de bergen van Alcaduz waar ik nog nooit was geweest. Naar wat ik had gehoord was dat feest georganiseerd ter ere van een mij onbekende advocaat die de Romero's al het land dat hun tijdens de Republiek was afgenomen – meer dan tweeduizend hectaren die oorspronkelijk tot de bezittingen van de Conticinio's behoorden – had terugbezorgd. De landerijen van Bensaudejo waren al jaren geleden door verschillende boerenfamilies uit de streek bezet, die met veel moeite de stenen uit een deel van de grond hadden gehaald, bonen en maïs hadden gezaaid en geiten op de hellingen hielden. Maar die bezetting was uiteindelijk onrechtmatig verklaard en mijn oom (natuurlijk zonder enig overleg met mijn moeder of mijn tante Carola) had van het akkerland weiland gemaakt om stieren te houden, de ontoegankelijkste gronden als hooiland verpacht en de rest – maar liefst achthonderd hectaren – in jachtterrein veranderd. En hij had besloten om op Bensaudejo zelf die zo gedenkwaardige en rechtvaardige daad van de teruggave te vieren.

Omdat ik het uiteindelijk niet zo had kunnen regelen dat ik in dezelfde auto als mijn tante Carola terechtkwam, reisde ik er samen met mijn ouders heen. Eerst volgden we de loop van een riviertje – dat meer leek op een opeenvolging van ondiepe plassen verbonden door iele, kronkelige stroompjes water – door een dal waar allerlei gewassen werden verbouwd en waar veel boomgaarden lagen. Vervolgens reden we over een bosweg om uiteindelijk in de kale bergen van Alcaduz uit te komen, een roestkleurig landschap met enorme rotsblokken en hier en daar bossen steen- of kurkeiken. In de hitte verspreidde de dikke laag rottende eikenbladeren die al eeuwenlang de bodem bedekte een heerlijke, kruidige lucht. Die aangename geur deed me aan vroeger denken, misschien aan een zonnige dag tussen de meidoorns van Cerroperdigón, aan een opwindende avond in de greppels van La Valerita, aan die zeiltocht met mijn tante Carola en de vrouw van David Leiston over de rivier bij Argónida of aan die middag dat we met de koetsier Epifanio die leeuw gingen ophalen en door landerijen met suikerbieten, olijfbomen en haver reden. Die geur die het land waar dan ook verspreidde had zich diep in mijn herinnering verankerd.

Halverwege de ochtend kwamen we op Bensaudejo aan en er waren al behoorlijk veel mensen op de terrassen en in de omgeving van het landhuis, een oud, witgekalkt gebouw met okergele venster- en kroonlijsten. Tijdens de landbezetting had het steeds dienst gedaan als machineloods. Mijn oom had het helemaal laten restaureren en inrichten als jachthuis en de inwijding ervan was een mooie gelegenheid om de advocaat te fêteren die het, na een hardnekkige strijd in naam van het recht, had weten terug te winnen.

Toen we uit de auto stapten ging mijn neef precies op een zijterras een dressuurdemonstratie geven met een van de veulens die ze hadden meegebracht voor als iemand soms een tochtje door de bergen wilde maken. Terwijl ik naar het terras liep reageerde ik opnieuw even overtrokken als ik eerder had gedaan en voelde een verschrikkelijke ergernis in me opkomen over de opschepperigheid van mijn neef, die dikdoenerij waarmee hij de aandacht van alle aanwezigen probeerde te krijgen. Die ergernis werd nog versterkt door de houding van mijn oom die, zijn zweep als een soort aanwijsstok in de hand, op luide en zelfgenoegzame toon de steeds weer perfect uitgevoerde manoeuvres van zijn zoon hemelhoog prees.

Tevergeefs zocht ik op het terras naar mijn tante Carola. Ook in de woon- en eetkamer van het huis, waar al enige genodigden zaten, zag ik haar niet. Die woonkamer was enorm en had de vorm van een L, met achterin een prachtige open haard van natuursteen waarboven een groot, gekleurd wapenschild van de Malcorta's hing. De muren hingen vol jachttrofeeën en schilderijen, voornamelijk jachttaferelen en stillevens, terwijl er ook nog foto's van jachtpartijen en safari's hingen. Sommige van deze dingen had ik al eens eerder gezien in de kamer waar mijn oom vroeger alles had verzameld wat met de jacht had te maken. Plotseling zag ik mijn tante Carola aan de arm van Marianita de trap afkomen die naar de slaapkamers boven liep. Ik was overdonderd en geschrokken toen ik hen zo in het tegenlicht naar beneden zag komen. Ik ging echter niet meteen op hen af, maar liep de kant op die ik dacht dat ze op zouden gaan. En ik had die richting goed ingeschat. Mijn tante gaf me een erg vluchtige kus, met een vanzelfsprekendheid die niet veel goeds voorspelde, en liet me alleen met mijn nichtje terwijl zij de opzichter van Bensaudejo ging begroeten. Plotseling kreeg ik het gevoel dat ze zich net als mijn moeder gedroeg. Ik luisterde nauwelijks naar wat Marianita tegen me zei.

'Ik dacht dat je niet zou komen.'

Terwijl ik mijn tante stilletjes weg zag lopen praatte mijn nichtje maar tegen me aan.

'Je doet erg vreemd,' ging ze verder terwijl ze me zoetelijk aankeek. 'Je komt niet naar ons huis, je laat niets van je horen. Is er iets aan de hand?'

Ik weet niet meer wat ik geantwoord heb. We liepen naar de deur die op het terras uitkwam en net toen we buiten waren liep een van de bedienden met een blad vol glazen vlak voor het veulen langs waarmee mijn neef nog altijd in de weer was, waardoor het schrok. Het beest maakte een vreemde beweging, struikelde bijna en begon geschrokken terug te wijken tussen twee stenen banken aan de rand van het terras. Dat duurde maar heel even, want mijn neef had het veulen duidelijk goed onder controle en liet het pas op de plaats maken. Mijn oom stormde daarop op de bediende af en dreigde hem zonder hem ook maar even aan te kijken met de zweep te slaan.

'Godverdomme,' schreeuwde hij.

Zo koelde hij zijn woede, zowel op die spelbreker als op dat dwarse veulen. De bediende was volkomen van zijn stuk want hij liet het blad met een fles en verschillende glazen zo op de grond vallen. Zijn gezicht was lijkbleek en hij had een verwilderde blik.

'Raap dat bij elkaar en lazer op,' schreeuwde mijn oom. 'En snel een beetje.'

Niemand leek aandacht aan het incident te hebben besteed. De bediende raapte de fles en een paar heel gebleven glazen op en begon vervolgens de scherven bij elkaar te zoeken. Mijn oom was intussen naar mijn neef gelopen.

'Hij is al kalm geworden,' zei hij terwijl hij het veulen bij het bit vasthield. 'Breng hem maar weg.'

Mijn neef gehoorzaamde zwijgend en reed het paard naar de achterkant van het huis. Eerst ging hij stapvoets en vervolgens met een licht drafje. Mijn nichtje en ik liepen achter hem aan. Achter het huis stond het huisje van de opzichter – een spijtoptant van de landbezetters – en een loods waarin tijdelijk een paar stallen waren ondergebracht. Mijn neef sprong van het veulen zonder de stijgbeugels te gebruiken, klopte het op zijn schoft en liet het zelf naar de voerbak lopen. Een stalknecht pakte het beest bij de teugel nog voor het de loods inliep.

'Laat hem niet drinken,' zei mijn neef tegen de knecht en draaide zich naar mij om. 'Heb je het gezien?'

'Zijn bek doet zeer,' zei ik.

'Ik heb ze verbluft doen staan,' zei Aurelio terwijl hij met zijn zweep tegen zijn laarzen klopte. 'Niemand kan tegen mij op. Of heb je dat soms niet in de gaten?'

'Quinín zou je maar wat graag hebben willen zien,' zei Marianita geestdriftig en zonder enig sarcasme.

'Nou, dit feest is anders niet voor geile bokken,' antwoordde mijn neef.

Ik voelde hoe het bloed naar mijn hoofd steeg en mijn slapen begonnen te kloppen. En vervolgens zag ik het gezicht van Quinín voor me dat bijna één geheel vormde met dat van Dulcenombre, een vermenging van trekken die ze allebei nog veel onherkenbaarder maakte. Ik liep de loods in om dat opdringerige beeld van me af te schudden en bleef naar een van de veulens staan kijken. Opnieuw zag ik het gezicht van Quinín voor me, ditmaal scherp en duidelijk. Ik hoorde mijn neef en nicht dichterbij komen en had daarbij de indruk dat een vijand me in de rug aanviel.

'Dat veulen is ook niet slecht,' zei mijn neef, 'dat is een kind van Granadilla, een merrie van de Benijalea's.

Ik gaf geen antwoord. De knecht had intussen het veulen afgezadeld waarmee mijn neef zijn demonstratie had gegeven en nadat hij het naar een stal had gevoerd, liep hij naar het huisje van de opzichter. Er hing een mauve nevel boven de eiken op de berghellingen.

'Ze hebben een tilbury meegenomen,' zei Marianita. 'We kunnen er een veulen voor spannen en een ritje maken.'

Mijn neef deed net alsof hij niets had gehoord. Hij liep naar de plaats waar ik stond en duwde me nogal ruw weg om dichter bij het veulen te kunnen komen.

'Opzij,' murmelde hij.

Ik struikelde en viel tegen een paar strobalen aan. De vernedering die ik voelde was enorm en in mijn woede leek het wel of ik vuurwerk zag ontploffen. Ik sprong overeind en stortte me op mijn neef om wraak te nemen en mijn woede te bekoelen. Mijn neef sloeg mijn aanval echter af en greep kalm mijn armen vast. Maar ik wist me aan zijn greep te ontworstelen en hem onverwacht pootje te haken, waardoor we vlakbij het veulen op de grond vielen. Marianita, met haar vingertoppen tegen haar lippen, staarde bang en stil naar ons alsof we om haar vochten. Terwijl mijn neef en ik over de grond rolden in de paardenmest en het vieze stro, trok het veulen wild trappelend en met angstige, wijd opengesperde ogen aan zijn halster. Ik zag plots hoe Marianita naar ons staarde en kreeg daardoor een geweldige kracht. Het lukte me boven op mijn neef te gaan zitten en zijn gezicht in de mest te drukken, maar doordat Marianita me van achteren hard en pijnlijk aan mijn haar trok wist hij te ontglippen. Mijn neef krabbelde overeind en veegde de mest uit zijn gezicht. Ook ik kwam overeind en smerig en uitgeput staarden we elkaar door onze tranen heen aan als twee vreemden. Het enige wat te horen was in de stal was het snelle hijgen en nerveuze springen van het veulen. Ik weet niet hoelang we zo gestaan hebben. Uiteindelijk liep Marianita met een vuurrood gezicht en trillende lippen naar ons toe en zei met enigszins hese stem:

'Geen van beiden heeft gewonnen.'

Mijn neef bleef me doodstil aanstaren. Maar plots prevelde hij met een onverwacht piepstemmetje:

'Dat zullen we dan nog wel eens zien.'

Op dat moment werd het feestgedruis duidelijker hoorbaar. En ik moest plotseling aan mijn tante Carola denken alsof ik haar uit een gevaarlijke situatie had gered. Zonder iets te zeggen liep ik de loods uit en stak een veld over naar een paar half ingestorte hutten die van de landbezetters waren geweest en die nog altijd aan de rand van het eikenbos stonden.

7

Niets zou nog hetzelfde zijn. Ik zwierf over de berghellingen en raakte bijna de weg kwijt terwijl ik een geitenpad volgde. Ik ging pas naar het landhuis terug toen het begon te schemeren en ik vreselijke honger had gekregen. Maar omdat ik geen zin had om naar het feest te gaan, liep ik naar het huisje van de opzichter en vroeg aan een vrouw daar om me wat te eten te geven. Ik moest er werkelijk nogal vreemd uit hebben gezien want ze monsterde me achterdochtig en liet me pas binnen toen ik zei wie ik was. Desondanks riep ze de man die de opzichter moest zijn en ik legde hem uit, zo goed en zo kwaad als ik kon, dat ik helemaal naar de berghellingen was gewandeld waar de geiten graasden en daardoor te moe was om nog naar het feest te gaan. Ik weet niet of dat geloofwaardig was, maar ze gaven me in ieder geval kaas, rookvlees en een paar dikke sneden roggebrood. Abrikozen wilde ik niet.

De vrouw nam me zwijgend en van top tot teen op alsof ze mijn enorme honger met mijn dubieuze identiteit in verband probeerde te brengen. Ze was erg netjes en broodmager, met dunne, donkerbruine benen en ongekend grote borsten. Haar blik was onrustig en ze streek voortdurend met haar hand over haar kin om het kwijl weg te vegen dat uit haar mondhoeken liep. De vermoedelijke opzichter moest haar man zijn en ook al was hij heel anders dan zij, er was toch iets tussen hen – misschien kwam dat omdat ze al zo lang op die afgelegen plek woonden – waardoor ze op elkaar waren gaan lijken zonder dat precies duidelijk was waarin die gelijkenis nu eigenlijk school.

'Zal ik je moeder waarschuwen?' vroeg hij.

Ik schudde van nee en at die kaas op die echt verrukkelijk smaakte. Plotseling klonken er flarden droevige gitaarmuziek waardoor de duisternis in het huis nog dieper leek te worden. De vrouw goot een scheut water in de carbidlamp en stak na het kraantje te hebben geopend de pit aan. Terwijl ze me aan bleef staren zei ze:

'Wij hielden eerst dit land bezet.'

'Hou je mond,' zei haar man, 'Hoe kom je erbij om dat te vertellen.'

Ze liet haar hoofd een beetje zakken maar zweeg niet. En wie weet of het door een vreselijke eenzaamheid kwam dat ze me alle ellende begon te vertellen die ze de afgelopen jaren hadden meegemaakt toen de oogsten steeds slechter werden. Het graan en de bonen verrotten op de akkers zonder dat ze er iets tegen konden doen en de boeren die waren gebleven moesten uiteindelijk zelfs hun geiten voor een belachelijke prijs verkopen.

'We hadden slechts één kist voor alle doden,' ging ze verder. 'Dus dan kunt u het wel nagaan. Als er iemand doodging dan werd hij in die kist naar het kerkhof van het dorp gebracht.' Hier zuchtte ze diep. 'Het lichaam werd in het graf gegooid en de kist werd weer meegenomen. Voor de volgende.'

'Kun je het niet over iets anders hebben,' zei de opzichter.

'Dus we stierven als ratten,' besloot zij.

'Zo erg was het nu ook weer niet,' zei hij met een voorgewende kalmte. 'We zijn het allang weer vergeten.'

Hij wilde er eigenlijk nog iets aan toevoegen maar precies op dat moment klonk er een autotoeter en dat konden alleen maar mijn ouders zijn die naar me op zoek waren. Het was intussen donker geworden en de kamer had in het bleke, trillende schijnsel van de carbidlamp een onwerkelijke sfeer gekregen. In plaats van medelijden had het verhaal van de vrouw een pijnlijk, ongemakkelijk gevoel bij me gewekt. Ik begon zelfs vreemde gestalten te zien in de schaduwen op de muur. Daarom bedankte ik hen snel voor het eten en ging naar buiten. Aan de diep blauwe horizon was nog altijd de weerschijn van de zojuist ondergegane zon te zien waardoor de hele omgeving in een schitterende gloed werd gezet. Stemmen, eerst dichtbij dan veraf, verscheurden de angstaanjagende stilte van de nacht. Tussen de kastanjebomen meende ik schimmen te ontwaren. Ik trachtte de onrust die de duisternis plots met een enorme hardnekkigheid bij me veroorzaakte van me af te schudden. Maar hoezeer ik dat ook probeerde terwijl ik tussen alle mensen doorliep die nog altijd op de terrassen rondom het landhuis te vinden waren, ik zag uit de duisternis steeds weer mijn neef opduiken met een afschuwelijke grimas op zijn gezicht.

Niets zou nog hetzelfde zijn. Steeds herhaalde ik dat tijdens de terugreis en ook nog vele dagen daarna. Ik kwam al die tijd nauwelijks het huis uit en zwierf door de kamers alsof ik me zo van mijn eigen willoosheid zou kunnen verlossen. Een tegenstrijdige zelfkwelling, een voortdurend heen en weer geslingerd worden tussen het wel en niet willen zien van mijn tante Carola, tussen het wel en niet vrede willen sluiten met mijn neef Aurelio. En alsof dat niet genoeg was werd ik plotseling ook nog achtervolgd door de waanzinnige gedachte dat alleen mijn nichtje Marianita altijd bij mij zou kunnen blijven.

En in die tijd gebeurde er iets waardoor er langs een omweg toch een einde kwam aan mijn vrijwillige opsluiting. Het ging om een raadselachtige misdaad die nooit helemaal werd opgelost en die werkelijk gruwelijk was. Even nadat mijn oom had besloten om zijn maîtresse Mediadora de vrijheid te geven, was die spoorloos verdwenen. Twee broers van het meisje verschenen in de bodega om te vragen of hij aanwijzingen over haar verblijfplaats had. Maar mijn oom weigerde met hen te praten en het enige waarover hij hun aanwijzingen gaf, was hoe ze zo snel mogelijk buiten konden komen. Daarop gaf de familie mijn oom aan. Negen dagen later werd het lichaam van Mediadora in verregaande staat van ontbinding in een auto aangetroffen in de buurt van een afgelegen magazijn van de Berengaria's. Enigszins onderuitgezakt en met een gelukzalige glimlach rond haar mond, die haar toestand volkomen leek tegen te spreken, zat ze naast de bestuurdersplaats.

Volgens de gerechtelijke anatoom was ze al vijf dagen dood en ook waren er getuigen die haar meerdere dagen achter elkaar in de auto hadden zien zitten. Aangezien ze op dinsdag was gevonden was het in ieder geval duidelijk op welke dag ze was vermoord, ook al kon dat best ergens anders zijn gebeurd en kon ze pas daarna naar die plek zijn gereden. Natuurlijk vermoedde geen enkele getuige dat ze dood was: allemaal dachten ze dat ze op iemand zat te wachten of dat het om een vrijpartij ging. Een getuige die haar daar vrijdag al had gezien, had haar daar maandag weer gezien, en dat had hem wel wat achterdochtig gemaakt, want vier dagen aan één stuk vrijen leek hem zelfs voor de meest hartstochtelijke liefde een beetje veel. Er waren nietsvermoedende voorbijgangers en wild schreeuwende kinderen langsgelopen, vrouwen die Mediadora slechts vanuit hun ooghoeken hadden zien zitten. Misschien was zelfs wel mijn tante

Socorro – haar gedachten totaal in beslag genomen door de bakkerij – langs die auto gekomen met die door maden aangevreten maîtresse van haar man. Wel vijf keer zou de felle zon het koude lichaam van Mediadora dusdanig verhitten dat er op de dag dat ze gevonden werd een ondraaglijke stank in de auto hing.

Deze afschuwelijke misdaad veroorzaakte zoveel opschudding dat mijn oom deze keer wel moest accepteren dat de rechter hem ondervroeg, hoewel hij als voorwaarde stelde (en dat alleen maar om op zijn strepen te kunnen blijven staan) dat het verhoor in de sociëteit zou plaatsvinden in plaats van in de rechtbank. Maar daar bleef het bij. De politie had achterhaald dat de auto waarin het lijk zich bevond, was gehuurd onder een valse naam, dat Mediadora was gewurgd, dat de bezorger die haar eerder had proberen te verkrachten, na zijn opsluiting bij de leeuw nog altijd volkomen onmachtig was om zo'n misdaad te begaan en dat het slachtoffer een paar dagen eerder in het naburige havenstadje in een hotel had geslapen met een belangrijke figuur uit het buitenland, op wie vanwege diens achtergrond geen enkele verdenking viel. Verder liepen alle sporen dood.

Mijn moeder riep God en alle heiligen aan toen ze bijna het hele verhaal te horen kreeg en dan vooral omdat haar broer er een buitenechtelijke relatie met het slachtoffer op na had gehouden.

'Wat verschrikkelijk,' was haar commentaar. 'Als je zo in zonde leeft met een echtbreekster ga je beslist naar de hel.'

'In mijn familie,' antwoordde mijn tante Socorro, en daarmee bedoelde ze vast en zeker niet alleen maar haar maniakale broer Ignacio, 'hebben de mannen om de haverklap een scharreltje.'

'Nou de Hardy's zijn anders nog erger,' bood mijn moeder op. 'Als die eenmaal de smaak te pakken hebben dan weten ze echt van geen ophouden meer.'

Na dit gesprek ging mijn moeder onmiddellijk biechten bij de abt van het jezuïetenklooster, om vervolgens als boetedoening samen met mijn tante Socorro negen dagen achtereen te bidden voor het beeld van Maria. En het was tijdens dit hele gedoe dat ik mijn neef en nicht en ook mijn tante Carola terugzag.

Op een dag zei mijn vader tegen me dat ik eens naar de bodega moest komen omdat hij me de werking van een nieuwe machine voor het persen van druiven wilde laten zien, die ze zojuist hadden aangeschaft. En dat deed ik. Het was een volkomen windstille namiddag, de boomkruinen staken doodstil in een grijzige lucht, en er hing een tegelijk zilte en ozonachtige geur. Het kantoor van de bodega had allang die huiselijkheid verloren die het altijd had gehad en de bodega zelf leek nu meer op een heuse fabriek. Ik herkende alleen maar een paar werknemers. Eerst liepen we door een schuifdeur een kleine binnenplaats op en vandaar naar een bodega met sherry die nog altijd die aangename sfeer van vroeger over zich had.

We waren nauwelijks de poort door toen ik mijn oom en mijn neef ontdekte en nog iemand een stuk verderop die ik niet goed onderscheiden kon. Ze waren de wijn uit een van de vaten aan het proeven en de eerste die ons zag was mijn neef. Ik dacht er niet over na hoe ons weerzien zou verlopen of misschien was ik wel van plan om me trots en onverschillig op afstand te houden. Maar er gebeurde iets volkomen onverwachts want mijn neef kwam met uitgestoken hand en een vriendelijk gezicht op me af. Nadat ik hem eveneens vriendelijk de hand had gedrukt, kuste hij me op de wang en klopte me op de schouders terwijl hij zei dat hij me al in geen eeuwigheid meer had gezien.

Mijn oom keek me nauwelijks aan. Hij begon onmiddellijk met mijn vader te praten terwijl we naar de loods liepen waar de nieuwe machine stond. Ik luisterde naar de uitleg van mijn vader – hoewel niet tot in alle details – over de voordelen die deze machine voor het productieproces van de sherry bood. Toen het donker werd nodigde mijn oom ons uit een glaasje bij hem te komen drinken en terwijl we naar het huis van mijn opa liepen, leek de duisternis zich als de bek van een tang rond ons te hebben gesloten om een laatste sprankje hoop vast te klemmen.

Ik ging samen met mijn neef de trap op en we liepen daarbij bijna mijn tante Carola en mijn nichtje Marianita tegen het lijf, die net op dat moment naar beneden kwamen. Dit tafereel van een onverwachte ontmoeting, waarbij we elkaar een beetje verbaasd aankeken, had weken, maanden of zelfs jaren geleden precies op diezelfde plek en datzelfde tijdstip van de avond kunnen zijn. En vervolgens overvielen me nog een rits andere beelden uit het verleden: mijn verklede nichtje met wie ik de liefde bedreef in het koetshuis, mijn moeder die zojuist van ik weet niet waar was teruggekeerd en tegen me zei dat ik niet bang hoefde te zijn, mijn neef en ik die naar de vlammen stonden te kijken die uit de distilleerketel sloegen, mijn tante Carola die me over mijn wang streelde. Behalve mijn tante Socorro, die zoals gewoonlijk geen tijd had door de bakkerij, stonden we zo dan opnieuw allemaal bij elkaar in de galerij op de eerste verdieping, misschien om weer een jachtpartij op Bensaudejo te organiseren, een picknick op La Valerita of Cerroperdigón of een zeiltocht over de rivier bij Argónida. En terwijl ik in een spiegel keek die aan een zijmuur hing, zag ik plots die juwelenkist weer voor me, dat onontkoombare beeld waarin een zowel weerzinwekkend als aanlokkelijk geheim besloten lag. Alles zou hetzelfde blijven.

8

Het was werkelijk onrechtvaardig. De bodega was bijna helemaal in vreemde handen overgegaan en hoewel de Romero's en Hardy's nog altijd een belangrijk aandeel in de onderneming hadden, waren zij feitelijk geen eigenaren meer en ze hadden hun zeggenschap over het oude familiebedrijf dan ook verloren. Mijn vader ging weliswaar door met het leiden van de exportafdeling – waar ook ik was begonnen te werken – maar mijn oom was op een gegeven moment zijn directeurspost kwijtgeraakt en vervolgens werd hij eigenlijk alleen nog maar ingeschakeld bij het keuren en de kwaliteitsbewaking van de wijn, hij gold namelijk nog altijd als een van de beste proevers. Omdat iedereen met zijn tijd meeging, deed mijn oom dat ook maar, zij het dat hij zijn karakter en gewoontes slechts minimaal en oppervlakkig aanpaste en al zijn privileges vanzelfsprekend hardnekkig in stand hield. Zijn titel van graaf van Malcorta noch zijn heldenstatus van patriot kwam door de financiële crisis van de bodega in het gedrang.

Hoewel mijn vader er zich zoals gewoonlijk niet over uitliet, was mijn oom ervan overtuigd – en dat bazuinde hij dan ook overal rond – dat de slapheid, of liever gezegd het verval van het regime de nekslag zou worden voor de bodega. Want alles wat de leiders van de nationale wederopbouw op zo'n schitterende wijze hadden hersteld was ongemerkt door inertie ondermijnd geraakt. Die inertie, en de hardnekkige onwil haar te overwinnen, vormde het grote gevaar. En doordat bovendien niemand nog de traditie wilde verdedigen, zouden criminelen en onruststokers vrij spel krijgen. Ook ik dacht dat er ingrijpende gebeurtenissen op komst waren.

Een overduidelijk aanwijzing voor wat er allemaal te gebeuren stond vormde de verkoop van La Valerita en de verhuizing van de Romero's. Op een dag hoorde ik van mijn moeder dat ze dat landgoed hadden moeten verkopen om bepaalde verplichtingen van de bodega te kunnen nakomen en dat er voor mijn oom niets anders meer opzat, nadat hij zich eerst op alle mogelijke manieren had verzet, dan zijn geboortehuis te verlaten en met zijn gezin in een appartement in een buitenwijk te gaan wonen. Dat besluit, dat geheel in de lijn van die slechte tijden lag, was onvermijdelijk want het enorme huis vormde een bodemloze put en zo hoefden ze nog slechts vier bedienden te bekostigen, de huishoudster Remedios en de koetsier Epifanio niet meegerekend omdat die door hun ouderdom inmiddels eigenlijk meer een last waren geworden. Mijn oom besloot dan ook La Valerita te verkopen – dat nog helemaal eigendom was van hem en zijn twee zusters – en te verhuizen. Dat besluit had hij tandenknarsend genomen want in zijn woede vond hij dat het eigenlijk om een deportatie ging.

Toen mijn tante Socorro dat nieuws te horen kreeg huilde ze eerst dag en nacht en nam vervolgens, omdat ze zich gekrenkt voelde in haar trots door het verlies van de bakkerij, op een geheel eigen manier wraak door de gebakjesproductie tot een ongekend niveau op te voeren. Maar uiteindelijk haalde dat allemaal niets uit. Ze slaagde er echter wel in een aantal erg nuttige spullen van de ondergang te redden en mee te nemen naar het nieuwe huis: een collectie Filippijnse pijlen, een po van het merk Pickman die van de oma van haar man was geweest, twee zilveren kandelaars ingelegd met lapis lazuli die ze van een van haar eigen oma's had geërfd, een apparaat om eieren te breken dat door haar broer Ignacio was uitgevonden voor hij die vreselijke aanvallen van geilheid kreeg, twee beeldjes van naakte figuren, een kapelletje van pernambucohout en een schildpad die eruit zag als een lepralijder. Al deze dingen – inclusief de nutteloze schildpad – moesten voor mijn tante een gigantische waarde hebben. De keuze van al het overige dat mee moest liet ze aan haar man over. Zij voelde zich al te veel in haar trots gekrenkt om zich ook nog eens daarmee bezig te houden.

Op de tweede dag van de verhuizing verliet ik eerder dan gewoonlijk de bodega om naar opa's huis te gaan. Er stonden twee verhuiswagens voor de deur en aan beide kanten van het portaal stonden wat kleine meubels opgestapeld. Op de patio zag ik alleen maar een wat haveloze man die met zijn hoofd gebogen als een oud paard tussen de enorme potten met aspidistra in de zon zat en die niet bepaald het voorkomen van een verhuizer had. Uit zijn mondhoek hing iets dat zowel een plantenstengel als een draad kwijl kon zijn. Hij keek me niet aan toen ik voor hem langsliep en de trap opging. Boven, in het kantoortje van mijn oom, staarde mijn neef naar een van de schilderijen aan de zijmuur die van Roelas zouden zijn. Op het schilderij zat de heilige Jacobus als ridder uitgedost, op een paard, met een zwaard in zijn gestrekte arm, op het punt om tegen de Moren ten strijde te trekken. Het was het enige kostbare schilderij dat mijn oom naar het nieuwe huis wilde meenemen.

'Je ziet het,' zei mijn neef terwijl hij op wat spullen wees die bij de deur opgestapeld stonden. 'Ze nemen weinig dingen mee om te verkopen. Of veel, het is maar hoe je het bekijkt.'

Door mijn duim en wijsvinger langs elkaar te wrijven gaf ik aan dat het om heel wat geld moest gaan, waarop Aurelio plots eventjes mijn hand beetpakte om me op een kalme, zachtaardige manier te onderbreken.

'Ze willen ons allemaal kaalplukken,' mompelde hij. 'Maar dat zal ze niet lukken.'

'Nee,' antwoordde ik.

Op dat moment kwam mijn tante Carola het kantoortje binnen en het leek wel of met haar het laatste overblijfsel van het verleden binnenstapte. Alleen zij, mijn neef en de koetsier Epifanio waren die dag in huis gebleven om de gang van zaken rond de verhuizing een beetje te controleren. Marianita noch mijn oom en tante wilden bij het einde van die al bijna een eeuw durende familiegeschiedenis aanwezig zijn. Er hing een erg vreemde sfeer, alsof de verhuizers zich in het adres hadden vergist en de meubels plots uit hun eeuwige slaap waren gewekt en nu weer echt als meubels dienst moesten doen. Ik zei niets tegen mijn tante, misschien was dat uit schaamte, want soms weerhoudt die ons er volkomen onverwacht van vriendelijk te zijn terwijl we dat diep in ons hart wel heel erg graag willen. Epifanio liep bedrukt en treuzelend met twee verhuizers over de galerij. Mijn tante ging met haar knieën strak tegen elkaar gedrukt op een voetenbankje zitten. Zo leek ze precies een verlegen kind. Ze keek ons even aan terwijl ze ons met een vriendelijke glimlach probeerde op te vrolijken.

'Het is tijd om te gaan,' zei ze.

'Wacht,' antwoordde mijn neef, 'laten we nog even wachten.'

'Ik ga nog even op de achterplaats kijken,' zei ik.

Mijn tante stond op en liep samen met mij de galerij over. Het zonlicht dat door een kier in de luifel viel weerkaatste schel op de ruit. Geschrokken hoorden we hoe er ergens met een meubelstuk werd geschoven. Mijn tante hield haar hand boven haar ogen om te voorkomen dat het felle licht haar verblindde.

'Wat een licht,' zei ze op dezelfde kalme toon als zo vaak. 'Hoe gaat het met je in de bodega?'

'Het bevalt me best,' antwoordde ik kortaf.

'In het andere huis passen veel minder meubels. Het is al bijna vol.'

Ik stelde me zo voor dat mijn tante – wier gedrag tot mijn afschuw steeds meer op dat van mijn moeder was begonnen te lijken – het niet daarover met mij wilde hebben. Maar omdat mijn neef al achter ons aan kwam zeiden we verder niets meer. Mijn neef sloeg zijn arm rond mijn schouders en boog zich voorover om in de patio te kijken.

'Vandaag is de laatste dag,' zei hij.

Vandaag is de laatste dag, dacht ik, en ik begreep plots dat ik ook door die vreselijke chaos die er nu in opa's huis heerste meer dan ooit met hem verbonden was. Het leek of ik een geur uit het verleden rook, de geur van de vele dingen die we samen hadden beleefd en die zo fantastisch en verrassend waren geweest. Een verhuizer kwam met een tafeltje uit de kamer die ooit van don Ismael was en twee anderen probeerden met veel moeite een antieke console uit de ontvangstkamer te sjouwen.

'Ik kom zo,' zei ik en sloeg rechts de gang in.

De opwinding veroorzaakt door deuren die vanzelf achter je dicht gaan, de rotsvaste zekerheid dat op een leegte altijd een andere leegte volgt, de irritatie omdat ik niet kon voorzien wat er nu van mijn herinnering aan dit alles zou overblijven. In die op zijn kop gezette, chaotische, leeggehaalde kamers zag ik de kamers van mijn eigen huis terug. Ik voelde de schaduw, de schaduwzijde van die van energie overlopende, turbulente jaren, van een tijd die ik nu plotseling voor me zag in een enorme maalstroom van beelden. Al die familietaferelen weerspiegelden zich in de spullen, plekken, meubels en versiersels die nu gevangenzaten in hun eigen eenzaamheid. De dood van mijn opa Sebastián, de strelende hand van mijn tante Carola toen ze nog niet zo op mijn moeder leek, de droevige charme van mijn oma Adelaida, Marianita die me vanuit de duisternis in het koetshuis riep, de wilde plannen van mijn tante Socorro, Aurelio die zojuist uit Wimbledon was teruggekeerd, mijn oom Alfonso María wiens voetstuk meer en meer afbrokkelde...

'Is er iets?'

Het was mijn tante Carola. Ze pakte mijn hand en toen ze die zonder een woord te zeggen op haar borst legde, voelde ik hoe snel die op en neer ging. We staarden elkaar daarbij een tijdje met een afwezige blik aan.

'Nu moeten we echt gaan,' zei ze plots. 'Kom.'

En we liepen terug over de galerij. Aurelio stond daar nog steeds samen met Epifanio en riep iets tegen twee verhuizers die een grote spiegel met een barokke lijst aan het versjouwen waren. Ze legden de spiegel op de grond en een van hen kwam heel langzaam naar hem toegelopen, alsof hij elk moment weer rechtsomkeert zou kunnen maken.

'Hang die spiegel onmiddellijk terug op zijn plaats,' beval mijn neef terwijl hij met zijn hand waarin hij een papier had in de richting van de gang wuifde.

De verhuizer had een nederig en tegelijk angstaanjagend gezicht vol littekens. Hij weifelde even.

'En schiet op een beetje,' blafte mijn neef.

Het was precies de stem van zijn vader. De verhuizer zei niets maar liep terug naar de plek waar zijn maat stond en samen sjouwden ze de spiegel terug de gang in. In het huis was een geschuif, een geroep, een geloop en een gesputter van kranen hoorbaar als nooit tevoren. Nadat we met zijn drieën de trap af waren gegaan naar de patio (waar in een hoek een gebroken kruik lag), liepen we zwijgend naar buiten. Een hete wind geselde de acacia's op het plein, joeg door het steegje dat naar de muren van de bodega liep en waar mijn tante haar auto had geparkeerd. Ze zei me in te stappen, dat we gingen eten in het nieuwe huis, en terwijl ik dat deed viel het me in dat we werkelijk een hechte familie waren gaan vormen sinds mijn opa Sebastián de bodega had opgericht en dat onze eenheid door niemand van buiten gebroken kon worden.

Het nieuwe huis van de Romero's lag aan de rand van een pas aangelegde buitenwijk met veel groen die aan akkerland en bouwterrein grensde dat te koop lag en waar binnenkort ongetwijfeld nog meer huizen zouden verrijzen. Het was een erg ruim en licht appartement, verdeeld over twee verdiepingen, met een hoekbalkon dat voor zes of zeven kamers langsliep en waar je uitzicht had op nevelige heuvels met boom- en wijngaarden. Het appartement was al bijna helemaal gemeubileerd en ingericht en had een haast benauwende nieuwheid over zich. Ik zag een vitrine die in het oude huis altijd in de ontvangstkamer boven had gestaan en dat maakte op mij de indruk dat die op de verkeerde plaats stond. Mijn tante Socorro en mijn oom Alfonso María zaten samen met mijn moeder in een kamer aan de achterkant van het huis en tegelijk met ons kwam mijn nichtje Marianita door een andere deur binnen.

'Heb je gezien hoe klein het hier is,' zei mijn tante Socorro tegen mijn moeder terwijl ze nerveus ging verzitten. 'Er is zelfs geen plaats voor mijn schildpad Agustín. Het enige voordeel is dat ik je broer misschien nog eens zie.'

'Het lijkt anders ruim genoeg,' antwoordde mijn moeder. 'Ik had nooit gedacht dat zo'n appartement zo groot kon zijn.'

'Overal mensen om je heen,' zei Aurelio. 'Net als in de bioscoop.'

'Het is precies groot genoeg en daarmee af,' snauwde mijn oom terwijl hij in de verte staarde. 'Als dat verdomde tuig ons tenminste met rust laat.'

'Je weet dat Agustín veel zorg eist,' ging mijn tante Socorro verder zonder zich tot iemand te richten. 'Ik zal een tuintje voor hem moeten maken op het balkon.'

‘Toen ik een paar dagen geleden oude kleren ging wegbrengen kwam ik Dulcenombre tegen,’ zei mijn moeder. ‘Zien jullie elkaar eigenlijk nog wel eens?’

‘Ach, hou toch op,’ zei mijn tante Socorro terwijl ze een gebaar maakte alsof ze een vlieg verjoeg. ‘Daar heb ik het liever niet meer over.’

Zowel mijn tante Socorro als ik vermeed mijn tante Carola aan te kijken. Ik was samen met haar op de bank gaan zitten waarop ook mijn moeder zat, terwijl mijn neef was blijven staan. Een bediende – die kamerheer van mijn oom was geweest en nog altijd voor de familie werkte – kwam binnen met een rinkelend dienblad. Hij zette glazen en één fles droge en één fles cream sherry op tafel. Hij stond juist op het punt de glazen in te schenken toen mijn oom hem daarvan weerhield.

‘Je kunt wel gaan,’ zei hij terwijl hij zich naar mijn moeder omkeerde en een stukje kurk van een fles verwijderde. ‘Alles is begonnen met die kapelaan. Het zal wel toeval zijn, maar daarmee is alles begonnen, godverdomme. Maar ik zweer dat ik er eerdaags een einde aan maak.’

‘Heb je je geweer meegebracht, die mauser?’ onderbrak mijn tante Carola hem. Deze vraag bleef steeds in mijn gedachten hangen. Nadat ze eerst aan iedereen had gevraagd welke sherry hij wilde, vulde mijn tante Socorro de glazen. Ik nam cream sherry.

‘Dat ouwe kreng,’ antwoordde mijn oom. ‘Dat moet ik hier inderdaad ergens hebben.’

‘Dat ding is toch uit de oorlog?’ vroeg mijn neef.

Opnieuw kwam de bediende binnen, nu met wat schoteltjes die hij over de borreltafel en twee bijzettafeltjes verdeelde.

‘Mijn vuurproef,’ zei mijn oom. ‘Met dat ding heb ik mijn eerste tegenstander neergelegd. Die klootzak knalde ik zo overhoop, dat weet ik nog goed.’ Hier dronk hij zijn glas leeg. ‘Misschien dat hij me nog eens van pas komt, dat zou me niets verbazen.’

‘Mijn lieve god,’ zei mijn moeder.

Plotseling zag ik door het raam hoe over het dak van het huis aan de overkant twee mannen liepen met een bootje omgekeerd op hun schouders waardoor hun hoofden niet te zien waren. Het tafereel leek me zo onwaarschijnlijk, een soort gezichtsbedrog, dat ik er maar niets over zei.

'Wanneer komt Gregory terug?' vroeg mijn tante Socorro aan mijn moeder met een gezicht dat behoorlijk ongeïnteresseerd stond.

'Vandaag de dag,' zei mijn oom, 'wordt eerlijke mensen het leven gewoon onmogelijk gemaakt. Niemand die daar nog tegen durft te protesteren.'

'Ik geloof zaterdag,' antwoordde mijn moeder. 'Eindelijk brengt hij dan die jongen van ons mee.' Hier raakte ze even een medaillon aan dat ze om haar hals had. 'Die lieve schat.'

'De huishoudster Remedios is werkelijk een groot probleem,' zei mijn tante Socorro op een lome, klagelijke toon. 'Wat moet ik in vredesnaam met haar aanvangen, ze begint nu echt een beetje dement te worden.'

Er was een geblaf te horen dat zo uit huis leek te komen. En van dat harde lawaai leek iedereen een beetje te schrikken.

'De hond van Elvira,' zei Marianita. 'Die hoor je zo duidelijk dat het net lijkt of hij bij ons op het balkon staat.'

'De schoonzus van Remigia Amboscoturnos,' legde mijn tante Socorro uit terwijl er een minzaam glimlachje rond haar mond speelde, 'woont hier beneden. Een vreselijk knappe vrouw, ze lijkt wel wat op jou.'

'Ongetwijfeld krijg ik er op een goede dag plotseling genoeg van,' zei mijn oom tegen zijn zoon. 'En als ik er genoeg van krijg, als ik werkelijk woest word, nou dan weten ze niet hoe snel ze weg moeten komen. Net zoals vroeger.'

Aurelio knikte zwijgend, waarop Marianita me een blik van verstandhouding toewierp en langzaam de kamer uit liep. Ik wachtte even en ging toen achter haar aan. Halverwege een lange, smalle gang stond ze op me te wachten en leidde me vervolgens via een zijgang naar een kamer waar het naar witkalk rook en die even koel was als een wachtkamer. Nauwelijks hadden we de deur achter ons dichtgedaan of ook mijn neef kwam binnen. Hij moest ons zijn gevolgd zonder dat ik het had gemerkt.

'Dit is mijn kamer,' zei Marianita.

'Ik was net nog in opa's huis,' hakkelde ik alsof ik mezelf op een zin betrapte die nooit meer dezelfde betekenis zou hebben.

'Dit bevalt me prima,' zei ze. 'Ik heb hier bijna niets van wat ik ginds had, maar dat vind ik heerlijk.'

We hoorden de huishoudster Remedios zachtjes door de gang schuifelen, een geluid dat uit een tijd kwam die intussen voorgoed voorbij leek.

'Ik wil naar mijn huis terug,' zei Aurelio met de vastberadenheid die een Malcorta betaamde. 'Naar mijn eigen plek.'

'Dit zal niet lang duren,' zei ik. 'Ik weet zeker dat dit niet lang zal duren.'

Daarop knielde Marianita voor een commode neer en trok langzaam de onderste la open, eerst aan de ene, vervolgens aan de andere kant.

'De Romero's,' zei Aurelio terwijl hij langzaam en nadrukkelijk articuleerde, 'hebben als leeuwen gevochten. Zodat wij met opgeheven hoofd door het leven kunnen gaan. Ze hebben een bedrijf opgericht, een bodega. Dat is het werk van onze opa geweest. Of niet soms?'

'Inderdaad,' antwoordde ik.

Marianita haalde een juwelenkist uit de la te voorschijn en schoof die boven op de commode.

'Luister,' zei ze met een zachte, vriendelijke stem terwijl ze doodstil op de grond bleef zitten. 'Deze kist had opa me gegeven een tijdje voor hij stierf. Hij zei me, dat als jij die wilde hebben, ik hem aan jou mocht geven.'

'Aan mij?' vroeg ik verbaasd.

'Hij zei dat je er altijd graag mee speelde,' ging ze verder terwijl ze opstond en me aankeek met een blik waarmee ze om verontschuldiging leek te vragen voor het onschuldige spelletje dat ze met me aan het spelen was. 'Dat jij, toen je klein was wat gouden munten in deze kist had gestopt en die vervolgens had verborgen om te voorkomen dat iemand die vond. Hij is met de verhuizing te voorschijn gekomen, mama had hem ergens bewaard.'

Ik liep naar haar toe en opende de kist met stomme verbazing. Het was net alsof ik een lege kooi opendeed. Er zat niets in, helemaal niets, maar in de muffe lucht van een onheuglijke diefstal die eruit opsteeg, voelde ik de beklemmende en abrupte oplossing van een geheim dat ik nooit had durven aanvaarden en dat ik simpelweg verdrongen had.

'Voel je je soms niet lekker?' vroeg Aurelio.

Ik maakte een ontkennend of misschien wel een verontschuldigend gebaar. Dat weet ik niet. Door de onverwachte verschijning van die oude, gebarsten kist, die van hetzelfde exotische hout was als don Ismaels secretaire, verloor het onbegrijpelijke verlangen dat ik er steeds naar had gevoeld in één klap zijn onbestemdheid en werd volkomen duidelijk voor me; die oude lege kist, waarvan het hout gebarsten was doordat het vernis al tijden geleden moest zijn verdwenen, schonk me louter door zijn aanwezigheid een glashelder inzicht in mezelf. Hij onthulde zowel het labyrint waarin ik verstrikt zat als de uitweg ervan, zowel de duisternis van mijn verleden als het licht aan de horizon van mijn toekomst.

'Als je wilt,' zei Marianita terwijl ze zich met eenzelfde verlegen begeerte naar me toe boog als Aurelio soms deed, 'mag je die kist meenemen. Je zou hem op je kamer kunnen zetten. Denk je niet?'

Ik pakte de kist op, hurkte voor de la neer waar Marianita hem zojuist uit had gehaald en stopte hem daar weer met een diep gevoel van eerbied in.

'Ik ga hem in opa's huis neerzetten,' antwoordde ik.

Sanlúcar de Barrameda – Madrid,
april 1985 - *juni* 1987